O
RETIRO

IRO

SARAH PEARSE

TRADUÇÃO DE ANDRÉ CZARNOBAI

intrínseca

Copyright © Sarah Pearse Ltd 2022

TÍTULO ORIGINAL
The Retreat

COPIDESQUE
João Guilherme Rodrigues

REVISÃO
Thaís Carvas
Thais Entriel

PROJETO GRÁFICO
Larissa Fernandez e Leticia Fernandez

DIAGRAMAÇÃO
Julio Moreira | Equatorium Design

DESIGN DE CAPA
R. Shailer/TW

ADAPTAÇÃO DE CAPA
Henrique Diniz

CIP-BRASIL. CATALOGAÇÃO NA PUBLICAÇÃO
SINDICATO NACIONAL DOS EDITORES DE LIVROS, RJ

P374r

    Pearse, Sarah
       O retiro / Sarah Pearse ; tradução André Czarnobai. - 1. ed. - Rio de Janeiro : Intrínseca, 2023.

       Tradução de: The retreat
       ISBN 978-65-5560-358-3

       1. Ficção inglesa. I. Czarnobai, André. II. Título

22-81583
                             CDD: 823
                             CDU: 82-3(410)

Gabriela Faray Ferreira Lopes - Bibliotecária - CRB-7/6643

[2023]
Todos os direitos desta edição reservados à
Editora Intrínseca Ltda.
Rua Marquês de São Vicente, 99, 6º andar
22451-041 — Gávea
Rio de Janeiro — RJ
Tel./Fax: (21) 3206-7400
www.intrinseca.com.br

Para minha mãe

"Não interessa se você é um rei ou um lixeiro,
no fim todos dançam com a morte."

Últimas palavras do assassino condenado
Robert Alton Harris

PRÓLOGO

Verão de 2003

O grito de Thea atravessa rasgando a clareira, assustando os pássaros, que fogem das árvores num turbilhão de asas.

Não é um som humano; é um ruído agudo e desesperado, o tipo de grito que faz seu estômago revirar e suas orelhas arderem.

Ela deveria ter esperado até eles voltarem ao acampamento. Ele disse para ela esperar.

Mas Thea insistira. Meia hora e três cervejas depois de terem se afastado do acampamento para ficar um pouco a sós, ela não conseguiu mais aguentar: "Não me olha desse jeito, a culpa é sua por ter trazido tanta cerveja. Grita se você vir alguém por perto…"

Rindo, ela se afastara alguns metros e se posicionara de modo que Ollie só conseguisse enxergar a pontinha suja de areia de seus sapatos brancos, enquanto uma trilha molhada se espalhava pelo chão.

O grito se intensifica.

Por um instante, Ollie congela, mas o instinto aflora: ele resolve agir, correndo na direção dela. Porém, quase de imediato, para, levantando uma nuvem de poeira e folhas no ar.

Um movimento: alguém saindo do emaranhado de galhos.

A rocha no topo da falésia que dá nome à ilha lança uma sombra sobre eles, mas na mesma hora Ollie percebe que aquela pessoa não era do acampamento. Ela não está usando bermuda e camiseta como as crianças, e suas roupas não têm o verde vibrante das usadas pelos monitores; o que veste é uma coisa escura e sem forma.

Os olhos de Ollie correm até Thea. Agora consegue vê-la se debatendo freneticamente contra a densa vegetação rasteira.

Ele quer se mover, fazer alguma coisa, mas seu corpo não reage. Consegue apenas olhar, seu coração se retorcendo, batendo forte contra as costelas.

Um movimento violento ocorre e, logo em seguida, um som: o estalo molhado de algo se quebrando.

Um som que ele nunca tinha ouvido até aquele momento.

Ollie fecha os olhos. Ele sabe que aquela é Thea, mas, em sua cabeça, a transformou em outra coisa. Em uma boneca. Um manequim.

Qualquer coisa, menos ela.

Seus olhos se abrem e, então, ele vê: a trilha molhada havia se convertido em algo mais grosso e escuro.

Sangue.

A trilha bifurca, como a ponta da língua de uma cobra.

Outro golpe: dessa vez mais forte e mais rápido, mas ele quase não o registra, assim como o segundo grito de Thea — sufocado, como se estivesse entalado em sua garganta —, porque Ollie já está correndo.

Corre mata adentro, em direção à enseada que ele e Thea haviam descoberto no dia anterior, enquanto os demais estavam fazendo a fogueira. E, apesar de fingirem que tinham parado ali apenas para jogar conversa fora, beber, era óbvio que não ficaria só nisso.

A mão dele na pele dela, a boca encostada na dele...

Aquele pensamento é insuportável; ele acelera. É como se estivesse correndo sem enxergar — o sol se pondo, raios de luz entrando pela copa das árvores, seus olhos vendo apenas um borrão verde-nebuloso e, no chão, o tapete marrom-acinzentado das folhas. Seus tênis começam a deslizar, o chão seco tão escorregadio quanto lama.

Galhos cheios de espinhos espetam sua camiseta. Um acerta seu braço, rasga a pele macia da parte interna de seu pulso. O sangue aparece — uma linha irregular de gotinhas vermelhas brota em sua pele.

Ollie se sente como se já tivesse feito aquilo antes. Parece um *déjà-vu* estranho, como se não passasse de um sonho, um daqueles pesadelos nos quais você acorda suado e ofegante, do tipo que continua a persegui-lo tempos depois.

Mais alguns metros e a vegetação fica menos densa, o chão da floresta dá lugar à areia; a pedra lá embaixo, com suas marcas achatadas cobertas de pó de calcário. Ele alcança os degraus que Thea havia encontrado no dia anterior, nada mais que tábuas de madeira dispostas sobre o chão. O impulso joga seu corpo para a frente a cada passo, e ele precisa inclinar o peso para trás para não cair.

Quando chega ao pé da escada, Ollie pula para a areia e corre na direção de uma espécie de gruta em que ele e Thea haviam se deitado na noite anterior, com umas bebidas contrabandeadas.

Ollie fica de quatro no chão, encurvando as costas para passar pela abertura. E, assim que entra, ele senta e puxa os joelhos até o queixo, concentrando-se na respiração. Inspira e expira. Inspira e expira. Fica parado. Em silêncio. Mas seu corpo não colabora; ele treme em espasmos que não consegue controlar.

Com as mãos, Ollie cobre os ouvidos, como se a pressão pudesse expulsar aquele grito que ainda reverbera dentro dele. Mas agora não é só o som, tem a visão também: o corpo de Thea se dobrando, cedendo — como se o titereiro tivesse puxado violentamente as cordas da marionete que era seu corpo.

Então ele soca a rocha acima de si. E faz isso de novo e de novo até a pele se abrir, sangrando.

O vermelho mancha os nós de seus dedos, uma sensação aguda de dor o atravessa e, numa tentativa de se distrair daquilo tudo, ele tenta se concentrar nela. Mas não funciona.

A verdade ainda grita.

Ele a abandonou. Ele a abandonou. Ele fugiu.

Ollie coloca a cabeça entre as pernas e respira fundo, tremendo.

Os minutos se passam, mas ninguém aparece. Ele percebe que está começando a escurecer. Os últimos raios de sol estão indo embora, e a areia à sua frente vai sendo engolida pelas sombras.

Vai esperar mais um pouco, decide, e depois tentará voltar ao acampamento. E, à medida que o tempo vai passando, Ollie começa a se convencer de que tudo não passou de uma brincadeira, uma peça que Thea pregou a mando dos outros rapazes. Ele se agarra àquele pensamento: quando voltar ao acampamento, ela estará lá, rindo por ele ter saído correndo feito uma criança.

Alguns minutos depois, ele se arrasta para fora de seu esconderijo. Ao se levantar, olha cuidadosamente ao redor, mas a praia está deserta; não há ninguém ali.

Ollie corre de volta pela floresta, ainda agarrado àquele pensamento: *É uma piada. Thea está bem.* Mas, assim que chega à clareira, ele entende. O filete escuro que havia visto antes agora é um rio de sangue, formando um caminho sinuoso.

Ollie tenta olhar para ela, mas não consegue ir além dos sapatos brancos, agora imóveis e manchados de vermelho.

Isso não pode ser verdade. Não a Thea. Ela não pode estar...

Ele se vira, sentindo a bile subindo pela garganta.

E é então que percebe alguma coisa no chão, repousando sobre as folhas empoeiradas.

Uma pedra grande, com cerca de trinta centímetros de comprimento. Sua superfície está bem gasta, coberta de pequenos sulcos e arranhões onde foi castigada pelas ondas e pela areia, mas também está lisa em alguns pontos, e tem um contorno suave e delineado.

Ollie se agacha para pegá-la. Sente-a quente e arenosa contra a palma de sua mão. Tem algo de familiar nela, pensa ele, girando-a devagar entre seus dedos.

Então o rapaz percebe, e segura a pedra com força.

Inclinando a cabeça, olha para a rocha na falésia às suas costas, e depois volta a olhar para sua mão.

Ollie fica alternando de uma para a outra até que sua visão fica turva.

E logo percebe que o que está segurando não é só uma pedra. As curvas e os contornos sutis se parecem com os da rocha lá em cima.

A Pedra da Morte.

Quinta, 10h, 2021
@aventurascomjo

— Então, como eu prometi, aqui vão as atualizações... Estamos na praia, esperando um barco que vai nos levar até o retiro, mas eu não tinha me dado conta do quanto, na real, a ilha Cary é isolada... Imagino que sejam, pelo menos, uns vinte minutos de barco do continente até lá.

Jo vira o celular para mostrar o mar, e pode-se ver, vagamente, a ilha ao longe.

— Muita gente me pergunta sobre o LUMEN, então eu vou explicar tudinho. O LUMEN é um retiro de luxo na maravilhosa ilha que vocês acabaram de ver, no litoral sul de Devon. O design foi inspirado no ícone da arquitetura mexicana Luis Barragán, então estamos falando de chalés luxuosos e coloridos que nem doces, que foram construídos no meio da mata, com vista para o mar. Tem também algumas outras coisas muito especiais, como um espaço externo para praticar yoga, uma piscina com fundo de vidro e um balanço de corda muito louco que vai até a água... Você pode se jogar dele direto no mar. Uma das atrações mais espetaculares é um chalé sensacional que fica numa ilhota particular... Essa é pra vocês, pombinhos de lua de mel. Não consegui reservá-lo porque já estava ocupado, mas parece ser muito lindo. Mais tarde eu vou levar vocês para um passeio de caiaque, mas, para dar uma ideia das atividades de lazer que o lugar oferece, eles têm *stand up paddle*, meditação, caiaque, *foilboard* e muito mais.

Ela faz uma pausa.

— E, agora, a parte sinistra: eu adoro a história por trás desse lugar. O rochedo que fica na costa, que dá pra ver daqui, é o que dá o apelido à ilha: Pedra da Morte. Macabro, né? E, de acordo com vários habitantes locais, a ilha é amaldiçoada. Dizem — ela abaixa a voz até se transformar num sussurro — que a pedra é uma manifestação da própria Morte. Durante a peste, as pessoas ficavam quarentenadas ali, deixadas para morrer. Diz a lenda que suas almas ainda estão por lá, e elas só vão sossegar quando a Morte fizer uma nova vítima. Se você ficar por muito tempo, vai ser a próxima...

Mais uma vez, Jo vira a câmera para mostrar uma expressão de pavor fingido.

— Dá medo, né? Mas isso nem é tudo. Antigamente tinha uma escola na ilha, mas ela pegou fogo. O lugar ficou abandonado até que, no final dos anos 1990, o governo local resolveu usá-la como sede de uma organização sem fins lucrativos voltada para a educação. Tudo estava muito bem até que um grupo de adolescentes foi assassinado pelo zelador da ilha, Larson Creacher, em 2003. — Ela abaixa a voz novamente e continua: — Seria errado dizer que todas essas coisas sinistras meio que deixam tudo ainda mais interessante?

1

Dia 1

Conforme Elin Warner corre, o ar viscoso feito chiclete açoita seus olhos e seu cabelo.

São apenas seis da manhã, mas o calor já se ergue do asfalto em ondas sólidas, sem a menor brisa para afastá-las.

O trajeto que ela está seguindo faz parte de uma trilha nacional litorânea — tem casas em ambos os lados, casarões vitorianos e italianos luxuosos nas encostas arborizadas. O sol bate nas janelas enquanto o reflexo dela a acompanha no vidro — o cabelo loiro e curto subindo e formando um cogumelo a cada passo antes de se acomodar de volta ao redor do rosto.

As fachadas das casas parecem frágeis com o calor, seus contornos borrados. Os gramados estão secos e amarelados — a grama não só parou de crescer como também está definhando e morrendo, vários trechos sem nada, lembrando feridas abertas.

Outros verões também foram quentes, mas nada como este: semanas de sol a fio; temperaturas lá nas nuvens, batendo recordes. Os jornais não param de publicar imagens de estradas rachadas, além do velho clichê dos ovos fritando no capô dos carros. A previsão do tempo havia anunciado uma trégua, várias semanas atrás, mas isso não chegou a acontecer. O sol continuou. Os nervos à flor da pele, as pessoas prestes a surtar.

Elin está conseguindo manter a cabeça no lugar, mas seu panorama interno destoa do externo. A cada novo dia de calor escaldante, o exato oposto cresce em seu interior: o toque gelado do medo se aproximando.

Isso a tem mantido acordada durante a noite, com os mesmos pensamentos se repetindo. E, junto deles, sua estratégia de controle: a corrida, o exercício implacável. Nas últimas semanas, aquilo havia se intensificado — corridas mais cedo, corridas mais longas, corridas em segredo. *Autoflagelação.*

Tudo porque seu irmão, Isaac, havia falado que o pai dela tinha entrado em contato.

Após mais alguns metros, as casas à esquerda dão lugar a um grande gramado. A trilha passa ao lado dele, contornando a ponta do penhasco.

Ela deixa o asfalto e corre até a entrada da trilha.

Um frio na barriga.

Não há nenhuma cerca, apenas um metro de terra entre ela e uma queda de quarenta metros até as rochas lá embaixo, mas Elin adora: aquilo, sim, é uma trilha litorânea — sem nenhuma casa entre ela e o mar. A vista se expande: Brixham à sua direita, Exmouth à sua esquerda. Tudo que ela vê é azul, o mar em um tom mais escuro e carregado do que o tom suave do céu da manhã.

A cada passo que dá, ela sente o calor do chão pela sola do tênis. Por um instante, pergunta-se o que aconteceria se continuasse em movimento: será que acabaria implodindo, como um motor que superaquece, ou simplesmente seguiria em frente?

A ideia de seguir em frente até que seus pensamentos cessem e ela não precise mais se controlar é tentadora. É exatamente assim que parece, às vezes: como se precisasse se agarrar com muita força à normalidade. Um pequeno descuido e ela sucumbirá.

No topo do morro, Elin diminui a velocidade, as coxas gritando, cheias de ácido lático. Ela aperta o pause em seu Fitbit e vê um carro cinza subindo o morro. Está vindo depressa, o motor fazendo barulho, assustando as gaivotas que bicavam uma carcaça estirada na estrada.

Enquanto absorve o modelo e a cor, alguma coisa se encaixa. Identificou o carro do Steed, o agente de polícia convocado para ajudá-la durante sua transferência temporária. Ele passa a toda velocidade, um borrão metálico empoeirado levantando cascalho para todos os lados. Elin vê o perfil de Steed: nariz meio torto, queixo quadrado, cabelo um tanto rebelde dominado na base do gel. Algo na expressão dele a faz perder seu último resquício de fôlego. Elin a reconhece logo de cara: a intensidade discreta de alguém embebido em adrenalina.

Ele está trabalhando.

O carro para na base do morro. Steed abre a porta e dá uma corridinha em direção à praia.

Elin puxa o celular do short e olha para a tela. A sala de controle não ligou. *Uma missão, bem aqui do meu lado, e em vez de mim eles chamam Steed.*

Preocupações familiares reaparecem, as mesmas que a consumiam desde que o departamento de recursos humanos e Anna, sua chefe, decidiram que ela não estava pronta para assumir de forma plena suas funções após a pausa que havia feito na carreira.

Steed é agora um pontinho distante, aproximando-se da praia. Elin troca o peso do corpo de uma perna para a outra. Sabe que a coisa certa a fazer é dar sequência ao que havia planejado anteriormente — correr para casa, para o café da manhã, para Will —, mas seu orgulho fala mais alto.

Ela desce o morro em disparada, passa pelo carro de Steed e atravessa a estrada. Não há nenhum outro veículo; apenas um gato esgueirando-se pelo asfalto, tão sorrateiro que suas listras alaranjadas quase tocam o chão. Elin segue pelo trecho de grama seca em direção à praia vazia à sua frente. Nenhum sinal de Steed.

Na praia, dobra à esquerda e passa pelo restaurante empoleirado em pilares de metal. Um barraco de aparência rústica, com o nome gravado numa placa de madeira pendurada logo acima da porta. *The Lobster Pot.* Está fechado. Na noite passada, seu deque provavelmente estava agitado, luzinhas iluminando as garrafas de vinho dentro dos *coolers* e as travessas cheias de mexilhões e batatas fritas.

Um pouco mais à frente, ela o encontra; debaixo do beiral do restaurante. Está ajoelhado na areia, seus músculos retesados por baixo do tecido da camisa. Seu físico é sempre a primeira coisa que Elin nota em Steed, mas ele é uma dicotomia: aquele corpo forte e esculpido contrasta com a delicadeza de sua fisionomia — olhos sensuais e profundos, uma boca grande e carnuda. É um tipo raro de homem: aquele por quem as mulheres se sentem protegidas e ao mesmo tempo querem proteger.

Os dois entraram em uma relação profissional tranquila. Ele tem vinte e tantos anos, é mais jovem do que ela, porém não demonstra nenhum sinal daquela soberba agressiva que os homens dessa idade às vezes têm. Steed é muito astuto, tem um talento para fazer sempre as perguntas certas, uma inteligência emocional bastante rara.

Há uma mulher de pé ao lado dele. Parece estar na casa dos quarenta e tantos anos, é alta e musculosa. Ela ainda está vestindo uma touca de natação, da mesma cor de seu maiô, uma fina camada de borracha destacando o formato de sua cabeça. Apesar do calor, está tremendo, mudando o peso de um pé para o outro num ritmo nervoso.

Steed se mexe e, quando faz isso, Elin consegue ver: uma perna estatelada na areia — uma panturrilha branca, com fragmentos de alga colados na pele, mais parecendo alface.

Ela se aproxima para ver melhor.

Parece alguém ainda na adolescência. Ferimentos horríveis — cortes no rosto, no peito e nas pernas. As roupas estão quase totalmente retalhadas, a camisa polo rasgada na costura, descendo pelo torso.

Elin se aproxima um pouco mais e sua visão fica borrada novamente, o ar pegajoso dificultando que seus olhos mantenham o foco. Ela dá outro passo e sua reação se transforma em constatação.

Então puxa o ar com força.

Ao ouvir aquele som, Steed se vira para encará-la, seus olhos arregalados em surpresa.

— Elin? — Ele hesita. — Você está...

Mas o resto de suas palavras se perde no ar. Elin começa a correr. Agora entende por que ligaram para Steed em vez de para ela.

É óbvio.

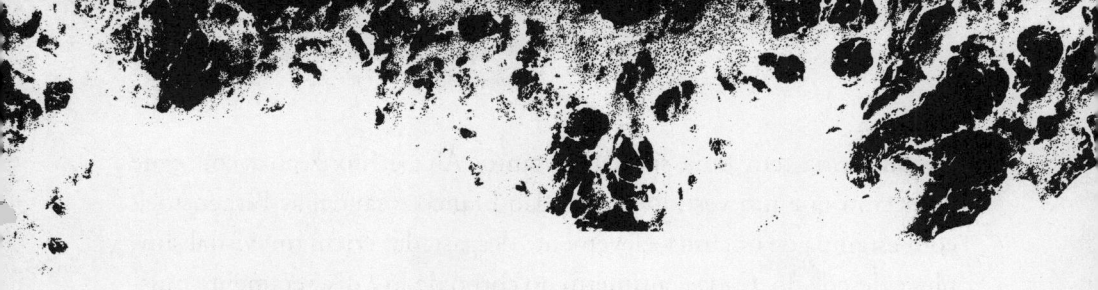

2

Hana Leger e sua irmã, Jo, estão no cais à espera do barco que as levará até a ilha, suas malas e bolsas empilhadas ao redor. Hana passa a mão pela nuca. Parece que o sol está concentrado bem ali, como um laser.

O mar está cheio de gente: pessoas remando e nadando, botes, figuras solitárias atravessando o horizonte em suas pranchas. Crianças brincam no raso, chutando a água, e um bebê golpeia a espuma das ondas com seus braços gordinhos.

O estômago de Hana se revira, mas a garota se obriga a olhar de novo para o bebê agachado na areia.

Não desvie o olhar. Ela não pode fechar os olhos para sempre.

— Você está bem? — pergunta Jo.

A irmã está olhando para ela por detrás dos óculos. Assopra para cima, afastando os finíssimos fios de cabelo loiro quase branco que haviam se soltado de seu rabo de cavalo.

— Com calor, só — responde Hana. — Não esperava que fosse estar tão quente aqui, com a brisa do mar e tal.

Curtinho e desgrenhado, o cabelo escuro de Hana está molhado, grudando na nuca. Ela o agita com uma das mãos.

Jo começa a vasculhar a mochila. Ela usa um desses modelos leves e profissionais, cheio de zíperes e bolsos. Puxa uma garrafa d'água de dentro, toma um gole e oferece a Hana, que aceita: o líquido está quente e com gosto de plástico.

Sua irmã tem uma silhueta e tanto. Alta e bronzeada, consegue fazer com que um vestido de algodão branco e sandálias Birkenstock com estampa de oncinha e levemente desgastadas criem um visual simples e descolado. Cada centímetro do corpo de Jo é discretamente musculoso graças a uma rotina de yoga, corrida e esqui.

Hana a acompanha até a ponta do cais, semicerrando os olhos. A ilha em si não passa de um borrão — o sol, esse círculo brilhante, a ofusca por completo. Apenas uma coisa está visível: a famosa rocha que se projeta à esquerda da ilha, com seus contornos que sugerem uma figura encapuzada, e uma protuberância que se parece com uma foice.

O estômago de Hana se revira, aquela visão a atingindo direto em seu plexo solar.

— Eu não esperava que ela realmente parecesse...

— Com a Morte? — Jo gira a cabeça, o rabo de cavalo batendo em seu rosto.

— Sim.

Apesar dos óculos escuros, uma sombra nebulosa da rocha aparece toda vez que ela pisca os olhos. É um contraste brutal com o panfleto cheio de vegetação exuberante e praias de areia branca.

— Mas você está animada? Com a viagem, quero dizer. — Jo fala mais alto por causa do barulho de um jet ski.

— Claro que sim.

Hana força um sorriso. Secretamente, está com um forte receio em relação àquela viagem. Chegou a dizer não na primeira vez que Jo telefonara. A ideia de viajar com Bea, a irmã mais velha das duas, e Maya, prima delas, além de seus respectivos namorados, lhe pareceu estranha. Afinal, não se viam fazia meses, depois de anos se afastando gradualmente umas das outras. E, apesar de Jo ter dito que o objetivo daquilo era *reunir todas de novo*, Hana não tinha entendido muito bem o propósito. Por que agora? Por que depois de todo esse tempo?

Então Hana deu o que pensou ser uma desculpa bem segura: sem o Liam, aquilo não parecia certo. Mas Jo foi persistente: ligações, mensagens, até chegou a ir à casa de Hana — algo bastante raro —, carregando um folder que falava sobre o retiro.

Jo a venceu pelo cansaço, fazendo com que Hana se sentisse, ao mesmo tempo, velha e muito fresca por recusar o convite. O *modus operandi* de Jo era evidente: ela era uma líder, não porque era mandona, mas graças apenas à sua personalidade forte. De alguma maneira, as pessoas acabavam sendo fisgadas por ela, sem nem perceberem que estavam sendo conduzidas àquilo.

E se por um lado isso nunca incomodou muito Hana, sempre irritou Bea. Fã de livros e profundamente introvertida, Bea considerava a energia e a extroversão de Jo exageradas demais para seu gosto. Talvez Hana não se importasse tanto por ser uma espécie de meio-termo entre as duas: acadêmica, mas não no mesmo nível de Bea; esportista, mas não como Jo.

— Vou postar como é a vista da ilha daqui... — comenta Jo, tirando uma foto.

Hana lhe dá as costas. Isso a deixa puta — esse registro constante de cada passo que elas dão —, mas não pode reclamar. Essa viagem é resultado do trabalho frenético de Jo nas redes sociais: como influencer de viagens, a irmã costuma ser paga com esse tipo de coisa. Ela tem quase quatrocentos mil seguidores, que gostam de sua naturalidade, comentando sempre o quanto é fácil "se identificar" com ela — sua boca um pouco grande demais, seu nariz um pouco torto, ao estilo Barbra Streisand.

— Aquele ali não deve ser o nosso. — Jo enfia o celular de volta no bolso. — Ainda tá cedo.

Há um barco vindo pela água, deixando uma espuma branca por onde passa. Hana lê a palavra escrita em letras de forma na lateral do barco: LUMEN. Jo confere seu Fitbit.

— Nossa, na verdade só faltam cinco minutos. Cadê todo mundo? — Ela se vira para a praia. — Ah, acho que é o Seth vindo ali...

Hana vira para onde ela está olhando.

— Ah, é?

— Ah, é? — repete Jo, imitando-a. — Pelo menos finge um pouquinho de entusiasmo, Han. — Ela balança a cabeça. — Eu sei que você não gosta muito dele. Ele é muito "perigoso" — ela faz aspas com os dedos — pra você, né? — A expressão de Jo fica séria. — Queria não ter te contado nada. Nem foi assim tão sério.

Uma gota de suor escorre pelas costas de Hana. Jo é especialista nisso: surpresas desagradáveis.

— Uma ficha criminal *é, sim,* uma coisa séria. A gente só estava preocupada com você.

— Ele se envolveu com as pessoas erradas. Ponto-final. Nem todo mundo é perfeito, sabe? Nem todo mundo pode passar o dia inteiro cantando musiquinhas alegres e ensinando crianças a fazer contas.

Hana olha para ela. *Pronto. Era só o que faltava.* É por isso que essa viagem é uma má ideia. Porque, como sempre, Jo é capaz de destruí-la com meia dúzia de palavras escolhidas a dedo. E o pior de tudo é que aquilo não é uma brincadeira, é *exatamente* o que o resto da família pensa dela — um clichê, atolada até os joelhos em massinha de modelar, cantando os nomes na chamada.

Nenhum deles conseguiria imaginar como as coisas são de verdade: os dedos grudentos das crianças, prontos para beliscar; as maquinações complexas de seus cérebros, que eles falam sem qualquer filtro; e como, após um semestre com elas, Hana sabe exatamente que tipo de ser humano vão se tornar.

Conforme Seth vai se aproximando, Jo acena, toda sorridente de novo. *Virou a chave.*

— Uhul — grita. — Você chegou!

Hana reage um segundo depois. Um homem forte, de bermuda e camiseta, vem andando na direção delas. Sua altura, seu jeito de andar, o boné de beisebol enterrado na cabeça — aquilo tudo é tão familiar que chega a dar um frio na barriga. Com o sol ofuscando a visão dela, é difícil enxergar o rosto dele, mas a semelhança é perturbadora. Apesar do que a lógica está lhe dizendo, seu coração acelera antes de a realidade a acertar.

É claro que não é ele. Liam se foi. Está morto, morto, morto.

Engolindo em seco, ela se recompõe. Então nota outra pessoa, mais franzina, vindo logo atrás de Seth. É Caleb, o namorado de Bea. Mas Bea não está ali. O que faz Hana perguntar:

— Cadê a Bea?

— Ela deu pra trás. — Jo fala ainda mais alto. — Eu te disse, não?

— Não — responde Hana, seca. — Quando foi isso?

— Semana passada. Apareceu alguma coisa no trabalho, eu acho. Uma viagem para os Estados Unidos.

Bea cancelou. Isso não deveria ser nenhuma surpresa. Ela sempre foi viciada em trabalho, mas, nos últimos anos, aquilo havia se agravado muito.

— Então, ela mandou o Caleb no lugar. Um tapa-buraco.

Jo dá de ombros.

— Vai ser legal poder conhecê-lo melhor.

— Você não achou melhor remarcar para uma data em que a Bea pudesse vir?

— Não. Já era tarde demais e, além do mais, nós estamos precisando disso, Han. — Há uma expressão determinada em seu rosto. — Nos reconectar. — E, antes que Hana possa retrucar, Jo começa a andar pelo cais em passos longos e saltitantes. — Vou lá me encontrar com eles.

Mas, assim que passa por Hana, ela derruba a própria mochila, apoiada em cima de sua mala. E, como está aberta, o conteúdo logo se espalha: uma escova, um diário, uma bolsinha. Uma garrafa d'água pela metade sai rolando pelo cais.

— Merda...

Jo a pega e enfia tudo de volta de qualquer jeito dentro da mochila antes de voltar a correr em direção a Seth.

Hana está prestes a ir atrás quando percebe que Jo se esqueceu de pegar uma coisa: uma folha de papel toda amassada. Ela se abaixa e a recolhe. Seus olhos percorrem a página.

Está escrito *Hana*, e depois há três pequenas frases iguais, porém as duas primeiras riscadas.

Eu sinto muito. Eu sinto muito. Eu sinto muito.

3

Elin chega em casa se desfazendo em suor, um círculo úmido ao redor do colarinho, deixando sua roupa um tom mais escuro de azul. Sua pele está queimando, não por causa do exercício, mas pela conversa que teve com Anna enquanto subia de volta pelo morro. Elas ficaram de papo furado no começo, mas Elin sabia o verdadeiro motivo da ligação. *Steed entrara em contato com ela. Disse que tinha visto Elin.*

Ela repete a conversa na cabeça:

— O Steed te mandou mensagem, não foi?

— Mandou, ele ficou preocupado...

— É o Hayler, não é? Ele voltou.

Algo parece latejar dentro de sua cabeça: *Hayler. Hayler.* O primeiro caso que se infiltrou em seus pensamentos, como um parasita, corroendo tudo por dentro. Hayler havia assassinado duas garotas, amarrado seus corpos a um barco e deixado o motor fazer o trabalho. Ela o havia deixado escapar. Aquilo a devastou: o caso de Hayler foi responsável pela pausa em sua carreira, seu afastamento repentino e brutal da equipe de investigação de crimes graves, o trabalho que ela tanto amava. Foi o caso que marcou o início de seus ataques de pânico, o começo de sua ansiedade.

Apenas quando descobriu que a noiva de seu irmão havia sido assassinada na Suíça foi que as trevas que a engoliam perderam a força. Apesar de devastadora, a experiência respondeu a uma pergunta com a qual ela vinha se debatendo havia meses — sim, ela ainda queria ser detetive. Então ela tomou a decisão de voltar à ativa, mas Hayler havia feito o mesmo. E na pior hora possível: seu lento retorno para a equipe ficaria ainda mais lento. Eles não iriam querê-la por perto...

Sua saliva parecia mais grossa, as palavras saíam desajeitadas.

— Eu consigo lidar com isso, Anna. Se voltar para a equipe, nem preciso me envolver no caso, posso fingir que não sei o que está rolando.

O silêncio ficou pesado. *Anna está constrangida*.

— Não, não é o Hayler. Aquele menino que você viu na praia estava desaparecido há alguns dias. Suicídio. Já estava morto quando o barco passou por cima dele.

Não foi o Hayler.

Ela havia se precipitado, chegado a uma conclusão equivocada. Havia entrado em pânico, como sempre fazia. O pensamento brota em sua mente, mas Elin o ignora enquanto abre a porta.

Em seguida, caminha pelo corredor do apartamento. Ainda não consegue se referir ao lugar como sendo sua casa; parece algo que precisa ser tratado com cuidado, um objeto precioso que pertence a outra pessoa, e ela sabe que isso não está certo. Dois meses se passaram, ela já *deveria* sentir como se o apartamento fosse dela.

Não é culpa do lugar. Ele é espaçoso e bonito — parte de uma construção em arco no estilo da regência, com vista para o mar. Eles haviam tomado todas as decisões importantes juntos: design simples, paleta neutra, móveis escolhidos a dedo. Um sofá em forma de L, um tapete de juta, uma poltrona amarela cor de gema de ovo.

Ao longo de todo o processo, Elin se mostrou muito empolgada — queria ressaltar sua flexibilidade, provar para Will que tinha virado a página e que, dessa vez, não olharia mais para o passado. Mas ela estava fazendo exatamente isso, e não conseguia evitar. Sentia falta de seu apartamento: de ficar sentada em seu sofá fofinho de dois lugares, de olhar a chuva caindo na porta da casa ao lado, de ler enquanto comia, sem nenhuma interrupção.

Will está sentado no sofá, com o notebook aberto. Elin escuta fragmentos de frases:

— O prêmio agora é a prioridade... — Ele fala baixo, mas com um senso de urgência, o celular colado em seu ouvido.

Will é arquiteto, e seu trabalho é tanto uma carreira quanto uma paixão. O amor que demonstra pela profissão é uma das coisas de que Elin mais gosta nele: a maneira como percebe o mundo de outra forma, sensível a um grau de beleza que estará sempre fora do alcance dela.

Ela vai até a cozinha e se serve de um copo d'água. Instantes depois, Will se vira em sua direção.

— Voltou cedo.

— Acabei decidindo pegar um pouco mais leve hoje. — Ela termina de beber a água. — Quem era?

— Jack. O projeto em Stoke Gabriel saiu do papel. — Ele inclina a cabeça e fica examinando-a. — Algum problema?

Ele a conhece bem demais.

— Meio que sim. — Sua voz sai trêmula. — Fiz papel de boba.

Ela explica o que aconteceu: como foi atrás de Steed, a ligação constrangedora com Anna. A expressão no rosto de Will se suaviza.

— Eu não esquentaria a cabeça com isso... Hayler foi o seu último caso. Seria estranho se você *não* pensasse nele.

— Mas não foi só isso, eu entrei em pânico... me fez pensar no Sam.

— Elin, você conseguiu todas as respostas que queria. Você já pode seguir em frente.

Will tinha razão, mas, apesar de ela ter conseguido respostas acerca da morte do irmão, havia aquelas que ela jamais havia considerado, nem em seus momentos mais sombrios. Seu irmão mais velho, Isaac, não estava lá quando Sam morrera, ainda criança, como ela achava. *Era ela*. Quando ele caiu na água e sua cabeça bateu numa pedra, ela congelou. Não fez nada para ajudá-lo.

— Ninguém culpa você. Você era só uma criança.

— Mas... eu acho que o meu pai me culpou... O Isaac disse que está pensando em me visitar. E isso me fez lembrar de uma coisa que eu não achei que fosse importante na época, mas agora...

— O quê? — pergunta ele, com delicadeza.

— No dia em que meu pai foi embora, ele tinha planejado uma subida naquelas pedras das quais dá pra se atirar no mar. Não consegui pular, tive uma crise de choro quando cheguei no topo, estraguei tudo. Depois, meu pai disse: *Você é uma covarde, Elin. Uma covarde.* No fim, isso acabou sendo a última coisa que ele me falou. Mais tarde, meus pais tiveram uma briga, e ele foi embora no meio da noite.

— Mas o que ele disse não tinha nada a ver com Sam...

— Tinha, sim. Esse foi o motivo pelo qual meu pai foi embora, e ele tinha razão. Eu sou uma covarde. Hoje fiz a mesma coisa, fugi.

— Você não é covarde. Está progredindo. Num ritmo constante.

Ela assente, mas a velha Elin não precisaria de passos constantes. Ela era decidida, ambiciosa. Bem-sucedida. A velha Elin não teria sido transferida temporariamente para Torhun. Aquele trabalho era repetitivo, massacrante; coordenar as idas de porta em porta para fazer perguntas, as gravações das câmeras de rua, os depoimentos de testemunhas. Não tinha a menor graça.

— Eu sei que não é a mesma coisa — comenta ele.

Ela dá de ombros.

— Nada é.

Seria difícil algo chegar aos pés dos altos riscos envolvidos na equipe de investigação de crimes graves, o ritmo furioso da sala de ocorrências, o rigor intelectual em destrinchar as sutilezas de um caso, a identificação de estratégias, o plano de ataque. Nenhuma outra coisa chegava nem perto, mas e se, agora, aquilo fosse demais para ela?

Will dá uma conferida no celular.

— Minha última reunião é às quatro. Quer jantar fora? Num lugar bom? Pra conversar direito?

— Acho uma boa. Por sinal, ouvi você falando em prêmio. Que notícia legal...

Seu rosto se enrubesce.

— Ah, um projeto foi selecionado para ser finalista de um prêmio.

— Isso é ótimo!

Elin fica surpresa de ter que forçar um sorriso, enquanto uma parte sua, minúscula e malvada, sente inveja. Em sua cabeça, sua carreira deveria estar decolando como a dele, mas não é o caso. É Will quem está bombando, parecendo ter um motor nas costas, enquanto ela segue dando braçadas.

Ao se esticar, a barra de sua camiseta sobe. Ele parece não estar tão animado com aquilo, e é aí que tudo fica terrivelmente claro. *Ele está tentando minimizar a situação.* Aquilo era pior do que se ele a tivesse ignorado.

— Que projeto é esse?

— O retiro. LUMEN. — Ele sorri, obviamente orgulhoso. — Foi bem inesperado.

LUMEN. O bebê de Will: um retiro luxuoso que ele havia projetado em uma ilha a alguns quilômetros da costa. O retiro dera uma nova cara à ilha, com a firma de Will enterrando seu passado com uma mistura arrojada de arquitetura modernista e brutalista repleta de cores mexicanas. Um projeto que ele amava, uma das primeiras coisas que mencionou quando eles se conheceram: *"Estamos reinventando tudo, mas também trabalhando com a paisagem, usando pedras da antiga escola, extraídas da própria ilha..."*

— É um prêmio nacional, vai colocar a firma no mapa.

Não só isso, pensa Elin. É um reconhecimento de sua criatividade — uma validação da sua ideia de transformar a percepção que as pessoas tinham da ilha.

— Parabéns, e você não precisa se conter por minha causa. Os meus problemas não têm que te colocar pra baixo. Eu preciso aprender a lidar com eles.

— Falar é mais fácil do que fazer, eu sei. — Ele sorri. — Tá a fim de um cafezinho? Eu tenho algum tempo entre as reuniões.

— Seria ótimo, deixa só eu anotar o meu tempo... Só fiz metade do treino, mas... — Elin procura seu caderninho. O relógio registra seus tempos, mas, mesmo assim, ela gosta de anotá-los no papel. A única área em sua vida na qual ela faz progressos tangíveis.

Elin levanta os olhos, sentindo que Will a observa. E identifica pena em seu semblante.

Ele desvia o olhar para o chão — pego em flagrante, envergonhado.

4

Hana observa o bote inflável se aproximar lentamente das docas, deixando um rastro de espuma branca para trás. Em sua cabeça, fica repetindo as palavras que acabou de ler.

Eu sinto muito. Eu sinto muito. Eu sinto muito.

Ela tinha razão: a viagem não era apenas uma maneira de reaproximar a família. Jo a havia organizado por algum motivo, e Hana estava certa de que tinha a ver com o bilhete que caiu da mochila da irmã.

— Jo Leger? — O piloto salta para o cais, e a embarcação fica oscilando sobre as ondas.

Enquanto a amarra ao cais, o piloto cumprimenta o grupo por trás de seus óculos espelhados com um sorriso de entusiasmo ensaiado. Ele é jovem, talvez uns vinte e tantos anos, e está de camisa polo branca engomada e bermuda.

— Sou eu — apresenta-se Jo, sorrindo.

Hana consegue ver que ela está aliviada de a fase de cumprimentos forçados e esquisitos já ter sido superada — os abraços de urso extremamente empolgados que Jo deu em Caleb contrastando demais com os abraços meia-boca de Hana.

— Meu nome é Edd — apresenta-se o piloto, vindo na direção deles.

Seth se apresenta, sorrindo, apertando vigorosamente sua mão e estufando o peitoral largo. É bem a cara dele. Seth é atleta, além de um cara bonito, pensa ela, olhando para os músculos firmes em seu braço.

Hana se lembra de quando o conheceu, num café perto da casa em que moravam. Seth havia se apresentado — ostentando uma falsa modéstia — e depois passou a se revezar numa espécie de flerte com a mãe e as irmãs, olhando para elas por tempo demais, distribuindo elogios. Ele obviamente esperava que as pessoas o considerassem atraente, e, embora de fato ele fosse — alto, barbudo, musculoso — e ela realmente concordasse, aquela autoconfiança era muito broxante. Aquela *arrogância*.

O olhar de Hana encontra o de Caleb quando o aperto de mão finalmente termina, e eles trocam um sorriso.

É a primeira vez que ela de fato olha para ele. A bermuda cargo e a camiseta desbotada do Pac-Man transmitem a atitude calculada e blasé de um nerd do Vale do Silício que não está nem aí para nada. De certa maneira, até faz sentido; Caleb é um acadêmico, mais velho que todos eles, mas continua insistindo em se comportar como um estudante.

Fisicamente, ele é o exato oposto de Seth: magro, com as feições muito marcadas e o tipo de cabelo castanho sem charme que o faz desaparecer em qualquer multidão. Hana ainda se lembra da surpresa de sua mãe quando Bea o apresentou no ano passado. Seus namorados anteriores costumavam ser, para citar a mesma expressão constrangedora usada pela mãe, bem mais "fortes e saudáveis".

Alguns dias depois, a mãe ainda estava em cima do muro: *tem alguma coisa nele que parece um tanto hipócrita*. Durante o jantar, naquela noite, todos teriam um vislumbre disso: comentários sobre política e educação que escaparam por causa da bebida. Aquilo não incomodava Hana. Ela admirava aquela confiança em dizer coisas com as quais concordava, mas nunca havia verbalizado. Ela sempre se importou demais com o que as pessoas pensavam a seu respeito.

Quando se encontraram novamente — dessa vez, só as irmãs e Caleb —, ela gostou ainda mais do sujeito. Ele tinha uma inteligência aguçada, um humor seco e o tipo de confiança discreta que costuma passar despercebida ao lado de alguém mais espalhafatoso como Seth. Caleb conseguia se equiparar a Bea intelectualmente, e, diferente da maioria das pessoas, não tinha receio de bater de frente com ela. O cérebro feroz de Bea intimidava quase todo mundo — deixando as pessoas ou mudas, ou na defensiva.

— Então, quantas pessoas estamos esperando? — pergunta o piloto.

— Só mais uma. — Jo ri. — Na verdade, ela está bem ali.

Maya está vindo na direção deles, meio correndo, meio andando pelo cais, o cadarço de um de seus tênis surrados arrastando pelo chão. Ela está com o figurino de sempre: um vestido cinza soltinho no corpo bronzeado e curvilíneo. Um lenço rosa-choque com uma estampa de abacaxis brancos meio folgado na cabeça mal consegue domar o cabelo volumoso e cacheado.

— A gente quase te deixou aí. — Jo abre um sorriso. — Eu…

Mas Jo nem consegue terminar a frase antes de Maya se jogar em cima delas, puxando Jo e Hana para um abraço triplo, fazendo com que elas trombem e rocem os cotovelos. O abraço é meio constrangedor; como se aquele gesto estivesse enferrujado pela falta de uso. Quando Maya as solta, sua mala despenca de seu ombro — uma bolsa preta e maltrapilha que parece estranhamente leve e pequena.

Jo arregala os olhos.

— Tem certeza de que você trouxe tudo aí?

Hana contém um sorriso. Jo havia mandado a elas uma lista enorme de itens para a viagem. *Camiseta de neoprene. Chapéus. Sapato à prova d'água. Protetor solar.* E daí por diante.

— Lógico. Eu segui *a lista* nos mínimos detalhes. — Maya dá uma piscadinha, olhando para Hana.

— Beleza, então vamos nessa — diz o piloto, já se adiantando em direção ao bote.

Quando Hana está embarcando, ouve-se um estrondo. Ela leva um susto. A alguns metros dali, adolescentes estão pulando do muro próximo ao restaurante direto no mar, seus calções inflando como balões enquanto eles vão caindo. O estalo seco quando colidem contra o mar a perturba.

— Tudo bem? — questiona Jo, sentando-se ao lado de Hana e inclinando a cabeça na direção dela.

Há um toque de compaixão em sua voz, junto com alguma outra coisa. Irritação? Frustração?

— Sim, sim. Me assustei com esses garotos, foi só isso.
— Tem certeza de que você não está mais...
— Não estou mais o quê? — rebate Hana de forma abrupta.

Jo dá de ombros, mas Hana sabe o que se passa pela cabeça dela. *Tem certeza de que você não está mais ansiosa?*

Seu comportamento nesse último ano, sua incapacidade de sacudir a poeira e dar a volta por cima, havia, na visão de Jo, tornado Hana uma pessoa imperfeita, debilitada. E Jo acreditava que aquilo era, de alguma forma, uma decisão *dela*, e que, a essa altura, Hana já deveria ter virado a página.

Essa era sua lembrança mais forte do ano passado, depois do acidente de Liam. Jo olhando para ela, não com empatia, mas examinando-a, como se estivesse procurando por alguma fissura no luto de Hana, algum sinal de que aquilo seria passageiro.

Mesmo agora, Jo tem dificuldade em se referir diretamente àquilo, apelando, em vez disso, para os eufemismos: depois do "acidente" de Liam, ela queria que Hana "melhorasse" rapidamente. Dá para usar um milhão de termos vagos, mas todos querem dizer a mesma coisa: "Supera!"

De repente, o barco se afasta do cais com um solavanco de aceleração, e Jo ri quando cai por cima de Hana, toda sorridente.

A chave virou de novo.

Hana olha para a irmã com profundo asco.

Ela não deveria ter vindo. Aquilo foi uma péssima ideia.

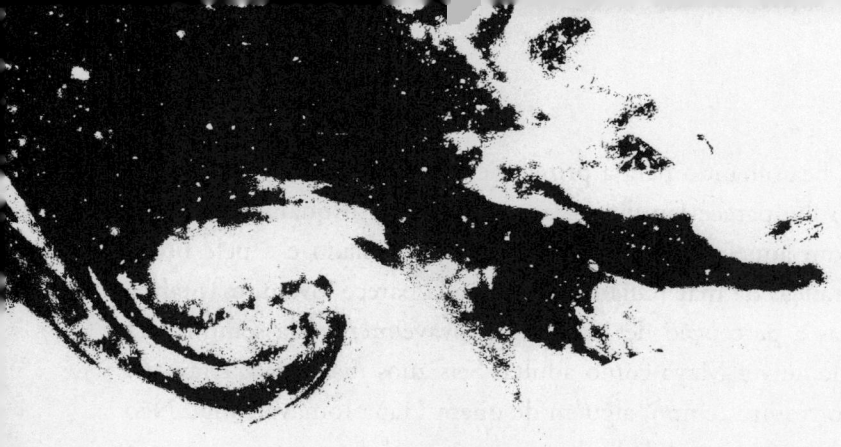

5

— Estamos quase chegando — anuncia Edd em meio ao barulho do motor. — Só mais uns minutinhos.

Hana olha para o relógio, o mostrador salpicado de gotículas de água salgada. Eles já estavam navegando há mais de vinte minutos. Em seguida, ela olha para a praia lá atrás: quase não é possível enxergar a estrutura de madeira do cais. A agitação e o barulho do continente já parecem muito distantes.

Sacando o celular, Jo gesticula com a mão para que Hana e Maya se aproximem uma da outra.

— Vocês duas, olhem para o mar.

Elas obedecem, a cabeça das duas colidindo suavemente enquanto o bote oscila.

— Nós vamos chegar pela parte de trás da ilha — informa o piloto. — Nunca construíram nada deste lado. A mata é muito fechada.

Caleb assobia baixinho. Hana arregala os olhos, sentindo uma pontada de ansiedade enquanto observa a vegetação densa. Dá para imaginar como deve ser escuro ali dentro — a luz do sol filtrada até praticamente desaparecer por entre os galhos das árvores, que se curvam uns sobre os outros como dedos entrelaçados, escondendo o céu.

— Nossa, fazia muito tempo que a gente não se via. — Maya se vira para Hana. — Somos realmente péssimas em manter contato, né?

— Verdade.

Hana fica olhando para a prima. Seu rosto, visto de perto, de repente não lhe parece familiar. Ela não lembrava o quanto Maya era bonita, com aquele cabelo volumoso e encaracolado e a pele bronzeada, heranças da mãe italiana. Maya ainda parece jovem, mas talvez seja apenas a percepção de Hana — provavelmente ela sempre terá dificuldade de ver Maya como adulta. Seis anos mais nova, Maya *foi* criança por muito tempo, alguém de quem Hana tomava conta. Não era apenas sua personalidade; havia um grau de incerteza em Maya, como se ela ainda não soubesse direito qual era o seu lugar no mundo. Maya parecia estar sempre à deriva, indo de um lugar para outro, de uma pessoa a outra.

— Eu não devia ter dito *somos* — continua Maya. — Eu é que sou um lixo em manter contato.

— Tá tudo bem — consola Hana, mas aquilo parece meio insensível, então ela se esforça para assumir um tom mais doce: — Eu não esperava que fossem ficar segurando minha mão para sempre.

Porque foi exatamente isso que Maya fez, durante meses, após a morte de Liam. O acidente as havia reaproximado, embora de forma temporária. Maya era sua fortaleza — discreta e extremamente confiável, enquanto o resto das pessoas voltou a viver a própria vida. Hana não sabia bem se o resto da família tinha se cansado ou apenas se esquecido, as minúcias do cotidiano tomando conta. Depois da morte de Liam, aquilo havia sido uma das coisas mais difíceis para ela: a sensação de estar sozinha no momento em que mais precisava das pessoas.

— Mas, e agora, como você está se sentindo sobre tudo? — Maya olha nos olhos da prima. — Liam…

— Eu sinto falta dele. Não imaginei que fosse ser desse jeito, tão… físico — responde ela.

Hana não consegue traduzir em palavras as sensações físicas; o terrível nó na garganta quando olha para o lado dele da cama, o vazio no peito quando pensa no futuro que eles jamais terão.

Tudo que eles haviam perdido. Porque o luto é isto: perda.

Hana perdeu tudo: a perpétua barba por fazer de Liam, o jeito como ele dava vida às coisas, falando do mundo de uma maneira tão visceral que era como se ele estivesse abrindo um mapa dentro da cabeça dela. Para Liam, a vida era uma grande aventura. Rios a serem desbravados de caiaque, montanhas a serem exploradas de bicicleta. Ele enchia o mundo de cor e, sem ele, o mundo passou a ficar no escuro. *Ela* estava no escuro, e não sabia como sair dali.

O piloto interrompe seus pensamentos:

— À esquerda, vocês podem ver os chalés.

É possível ver as construções de relance aninhadas em meio às árvores — um ângulo reto cor-de-rosa contrastando com o azul do céu, uma grande janela quadrada refletindo a luz do sol.

O retiro fica no topo de uma falésia, conectado à praia por uma sequência sinuosa de degraus. Há várias construções baixas e amplas pintadas em cores vívidas, com tons de azul e pêssego. À direita, um pouco abaixo delas, levemente deslocada, vê-se uma piscina com o fundo de vidro projetando-se sobre as pedras.

— E aí, o que você achou? — Seth dá um cutucão em Caleb. — Olha só o que a Bea está perdendo, hein?

— Pois é. — Caleb dá de ombros. — A gente vai ter que voltar uma outra hora.

Hana percebe a reação de Seth àquela resposta morna: a maneira como fica sutilmente analisando Caleb. Está na cara que ele está desconfortável com a linguagem corporal de Caleb, ou melhor, com a falta dela, com o fato de que ele não está se esforçando para ser seu amiguinho.

Maya inclina o corpo para a frente e fala em voz baixa:

— E aí, o que você achou disso? Quando a Bea cancelou, eu achei que ele também não viria.

— Você sabia que ela não vinha? — Hana repara que ela havia usado o tempo passado.

— Aham. Jo me mandou mensagem umas semanas atrás.

Hana assente, e fica nítido para ela que o fato de Jo não ter lhe dito nada não havia sido um simples descuido. Ela omitiu a informação deliberadamente, para que Hana não cancelasse também. A irmã não tinha certeza se a outra viria se soubesse que Bea havia cancelado — o equilíbrio da relação delas sempre dependeu da presença das três irmãs.

Bea e Jo eram dois extremos — silêncio *versus* barulho. Introversão *versus* extroversão. Estudo *versus* esporte. Hana, no meio-termo, sempre achou que não parecia certo estar com só uma delas; sentia-se como se estivesse se encaminhando demais para um daqueles extremos.

— Estou feliz por você ter vindo — diz Maya, baixinho. — Eu sempre me pego pensando que a gente deixou a nossa promessa de lado, né?

A promessa: *Ficar juntas. Nunca esquecer.* Hana se retorce, pensando na ingenuidade daquilo. Elas tinham feito "a promessa" quando eram crianças, depois do incêndio na casa de Maya durante uma visita de família, um incêndio que devastou não apenas a casa dela, como também sua família. Todos conseguiram sair, exceto Sofia, a irmã caçula de Maya. Seu quarto estava vazio quando procuraram por ela, de modo que os pais acharam que a menininha já tinha saído antes deles. Quando perceberam que não era isso que tinha acontecido, eles tentaram entrar de volta na casa, mas os bombeiros não permitiram. Foram eles que acabaram encontrando-a, escondida, apavorada, debaixo de sua cama, porém ela havia sofrido queimaduras tão severas que levaram a garota a ter um AVC. Os danos cerebrais e as exigências de cuidado resultantes se mostraram pesadas demais para os pais de Maya, e Sofia agora vive numa casa de repouso nos arredores de Bristol.

A promessa era de ficarem juntas, Maya e as primas, mas seu vínculo outrora inabalável não resistiu até o final da adolescência.

— Chegamos! — anunciou Jo, pegando suas malas enquanto o bote ia se aproximando do cais. Um funcionário está esperando por eles, segurando uma bandeja com sucos em copos compridos, o líquido dentro deles parecendo um exuberante pôr do sol alaranjado.

— Que incrível... Era exatamente do que a gente precisava antes do passeio de caiaque.

Maya olha para ela com uma expressão intrigada.

— Caiaque? Mas a gente acabou de chegar.

— Eu reservei um horário pra gente — Jo consulta seu Fitbit — daqui a meia hora.

— A gente não vai nem desfazer as malas?

— Achei que todo mundo estaria louco pra pular na água.

Maya balança a cabeça, seu rosto impassível.

Alguns minutos depois, quando o bote atraca, Jo é a primeira a desembarcar. Em seguida, se vira e estende a mão para Hana.

— Desculpa pelo que eu disse antes, perguntando se você estava bem — murmura ela, ajudando Hana a subir no cais. — Eu só quero que seja uma viagem gostosa...

Há certa vulnerabilidade em sua expressão enquanto ela investiga o rosto de Hana à espera de uma reação. Jo não costuma agir assim — demonstrar sentimentos, quanto mais pedir desculpas —, o que faz Hana começar a duvidar da conclusão a que havia chegado quanto à carta que encontrara. Talvez, tudo se resumisse a isto: um pedido de desculpas por não ter estado ao seu lado. Nada além disso.

Mas quando Jo engancha seu braço no dela, Hana não consegue relaxar.

Ela sabe que não deve abaixar a guarda.

6

Elin cutuca um último pedaço de frango grelhado em seu prato, meio desanimada, antes de deixá-lo de lado. Embora as portas para a varanda do restaurante estejam abertas, não há vento, e o lugar está lotado, o que apenas intensifica o calor. Três ou quatro grupos grandes estão aglomerados no bar, e o excesso de pessoas está transbordando para a área das mesas.

Will aperta a mão dela, e Elin sorri. Com o sabor agridoce do vinho na língua, é como se eles estivessem em um dos seus primeiros encontros — o ritual e a celebração de comer fora, a escolha dos pratos e das bebidas, as pessoas olhando.

— Ei, alerta de sunga. — Will aponta para a porta nos fundos do restaurante.

Elin segue o olhar dele. Um homem na casa dos sessenta está caminhando pela praia usando uma sunga verde. Aquela era uma piada interna dos dois durante o verão. Eles haviam se tornado especialistas, classificando as sungas de acordo com o caimento da peça na bunda, a altura da cintura, a cor e a transparência.

— O que você acha? Um nove?

— Jamais... Um sete — responde ela, serena. — Tem forro em algumas áreas cruciais.

Will ri, mas, à medida que o sorriso desvanece, ela percebe certa tensão em seu rosto.

— Falando sério agora, tem uma coisa que eu queria te perguntar.

Elin pega a taça de vinho.

— Parece horrível.

— Na verdade, não é. Eu queria te mostrar isso — diz ele, pegando o celular no bolso e virando a tela para que ela a veja. — Mensagem da Farrah. Ela disse que não vai poder nos encontrar este fim de semana. Está atolada no trabalho.

Farrah, a irmã mais velha de Will, trabalha como gerente no LUMEN. Eles estavam sempre se metendo na vida um do outro — o que, para Elin, sempre pareceu um pouco esquisito, algo que beirava o desconfortável, mas, né, aquela era a família de Will. Mensagens e ligações o tempo todo.

— E daí? Você já tinha dito que as coisas estavam corridas esta temporada.

— Eu sei, mas ultimamente ela tem agido de um jeito meio estranho. Não parece a mesma pessoa. Mamãe e papai disseram que ela parecia distraída quando foi visitar os dois semana passada. Eu conversei com ela sobre isso, mas você sabe como minha irmã é. Nunca demonstra fraqueza.

Assim como todos vocês, replica Elin mentalmente. Apesar de a família fazer questão de se mostrar aberta — com grandes encontros e conversas íntimas durante o almoço —, ao longo do tempo ela foi percebendo que a abertura é seletiva. Eles evitam revelar qualquer coisa que possa colocá-los numa posição de desvantagem.

— Será que é algum namorado?

— Acho que não. — Will esfrega sua aliança de prata desgastada. — Ela não saiu com mais ninguém desde o Tobias. — Ele faz uma pausa. — Às vezes fico me perguntando se ela não contaria o que está acontecendo para alguém de fora da família. — Então hesita novamente, e Elin já sabe o que está por vir. — Vocês acabaram não saindo, né?

Elin puxa o prato lentamente em sua direção, uma tática para ganhar tempo.

— Saindo?

— A Farrah não falou sobre isso na última vez que a gente se encontrou? De vocês duas saírem?

Elin assente. Sabe que deveria ter feito um esforço, mas acabou deixando para lá. A relação das duas nunca foi muito fácil, desde o princípio. O primeiro encontro delas foi um almoço várias semanas antes de Elin conhecer os pais de Will.

Você vai gostar dela — tinha dito Will, enquanto eles a esperavam no café, preparando-a para o encontro, *ela gosta de esportes e é divertida que nem você*. Mas tudo de que Elin conseguia se lembrar era o olhar de escrutínio de Farrah, aquela sensação instantânea de que a cunhada havia detectado algum defeito nela. Elin sabia o que aquilo significava: uma mensagem. *Você não serve para o meu irmão.*

Desde então, ela e Farrah vinham mantendo certa distância cautelosa uma da outra. As duas disfarçavam bem nas conversas: faziam um monte de promessas vazias de se encontrarem, que nunca se concretizava porque Elin suspeitava de que nenhuma das duas queria, de fato, fazer aquilo.

— Vou mandar uma mensagem para ela — diz Elin, por fim. — Pra combinar.

Ele se inclina para a frente e dá um beijinho em seus lábios.

— Você já pode parar de fingir. — Ele sorri. — Eu sei que o santo de vocês não bate, mas ela provavelmente se sente mais intimidada por você do que o contrário. Você tem que dar uma chance para as pessoas. É a mesma coisa com a transferência. Deixa rolar. Vê o que acontece.

Elin faz que sim com a cabeça, olhando para ele, prestando atenção nos detalhes — suas sardas, o cabelo loiro-escuro, os óculos de armação preta que destacavam suavemente seus olhos —, e isso a faz sentir uma profunda ternura.

Ele tem razão. A volta ao trabalho vai trazer obstáculos, mas ela precisa fazer o que ele disse. *Deixar rolar. Ver o que acontece.*

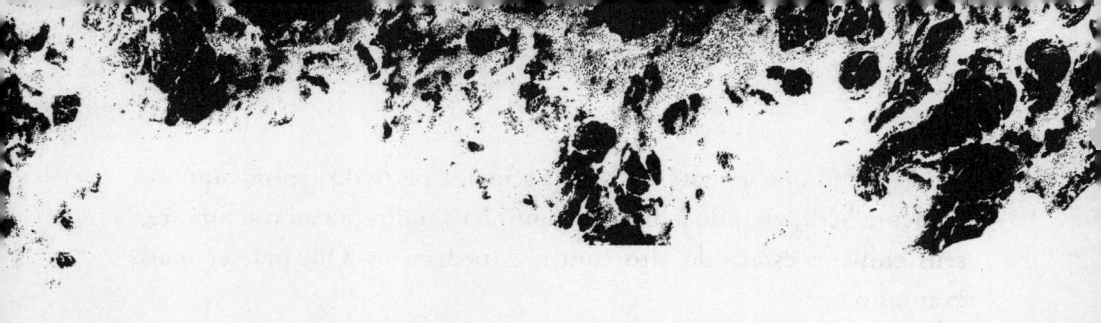

7

— E aí, gostaram? — pergunta Jo, gesticulando na direção do prédio principal, a alguns metros de distância, e sorri.

Ainda com o suco na mão, Hana para ao lado dela e respira aquele aroma de férias: pinho, flores e terra banhada pelo sol.

— É lindo.

Ela vira e observa as paredes rosa-chiclete, os telhados planos, as janelas. Tudo é lindo, mas seu olhar insiste em se voltar para o mar.

A vista é de tirar o fôlego: faixas reluzentes de cores surreais, azuis e verdes luminosos, emoldurados pelos ciprestes à sua volta. O horizonte, ao longe, parece estar sendo cozido pelo calor: uma panela gigantesca, prestes a ferver.

— O restaurante fica à direita, o espaço de yoga e as salas de exercício, à esquerda.

Hana assente. Era exatamente como ela havia imaginado no barco: as áreas comuns do retiro tinham sido construídas ao redor daquele platô, para desfrutar dessa mesma vista. De forma muito inteligente, o local cria uma ilusão de total isolamento. Não é possível enxergar nenhum pedaço de terra, apenas mar: um azul interminável.

— Eu amei — comenta Seth, colocando um dos braços em volta dos ombros de Jo. — Você escolheu muito bem.

A expressão de Caleb é de indiferença. É impossível saber no que ele está pensando: se está em dúvida quanto àquilo tudo ou se apenas não é um grande fã da natureza.

— Acho que a gente vai passar a maior parte do tempo aqui — comenta Seth, virando à direita. Caminha em direção ao restaurante, seus chinelos estalando alto contra as pedras. — Ou, pra ser mais exato, no bar.

Hana vai atrás dele, prestando atenção em tudo. O restaurante fica em uma enorme área aberta, com uma varanda e um bar que se estendem por sobre a falésia, além de uma vista arrebatadora do oceano.

Embora esteja quase na hora do almoço, os funcionários, em seus uniformes brancos, ainda estão servindo o café da manhã. Há uma pérgula de madeira coberta de plantas e flores, com um enorme toldo em formato de vela protegendo-a do sol e luzinhas penduradas em fios entre os pilares. Vasos de cores berrantes com cactos enormes decoram a varanda.

Do ângulo em que está, Hana consegue ver o balanço de corda: o lugar mais instagramável em todo o retiro. Um dos hóspedes o está usando, roçando seus pés na superfície da água.

Então eles dão a volta, contornando o pavilhão de yoga, e os olhos de Hana detectam os chalés um pouco mais abaixo, escondidos em meio à vegetação exuberante.

— É uma caminhadinha até o nosso — revela Jo, olhando na mesma direção.

— É muito longe? Eu... — Mas ela para, de repente, impactada pela visão da rocha logo acima.

Hana esperava que seu formato fosse menos impressionante quando visto de perto, mas é ainda mais pronunciado: um perfil da própria Morte. Ela fica observando o que parece ser a silhueta de um capuz, um braço estendido e uma foice.

E é nesse ponto que seus olhos se fixam — na curvatura suave daquela lâmina feita de pedra.

Hana desvia o olhar, que acaba se cruzando com o de Seth. Ele encara a rocha e, em seguida, olha para ela, com um sorriso estampado nos lábios.

Apesar do sol que aquece seus ombros desnudos, Hana sente um calafrio.

8

—O guia disse que as cavernas ficam a uns dez minutos daqui. — A voz de Jo se amplifica pela água quando ela se vira do assento da frente do caiaque para duas pessoas. — Pelo que entendi, dá pra passar remando por elas, e sair uns cem metros depois.

Conforme ela enfia o remo na água, cada músculo de suas costas se destaca, perfeitamente definido por uma camada fina de protetor solar.

Maya, num caiaque só para ela, a cerca de um metro de distância, simula uma expressão de horror.

— Está se divertindo? — diz ela movendo apenas os lábios.

Hana dá um sorriso forçado. Apesar de aquilo não ser muito cansativo — o caiaque segue num ritmo constante pelas águas tranquilas —, ela está um pouco enjoada, e ainda consegue sentir o gosto ácido do suco que eles tomaram quando chegaram. Ela não devia ter bebido aquilo, não quando estava prestes a fazer exercício. O calor também não ajuda, pensa Hana, sentindo o suor pinicando suas costas dentro da camiseta de neoprene.

Na verdade, Hana preferia estar no chalé, com os pés para cima, apoiados nos azulejos azul-turquesa da piscina, e um copo de água com gelo ao seu lado. O lugar era tão bonito quanto nas fotos — paredes brancas, piso de calcário marrom-claro, plantas tropicais frondosas em cada canto. Um clima meio fim de semana na fazenda, com móveis de vime, vasos enormes de terracota, tapetes de tecido grosso. Quadros pintados em tons intensos de vermelho-ferrugem, rosa e azul.

Pra que toda essa pressa pra sair? Por que a Jo não consegue aproveitar o momento?

A Bea nunca teria feito uma coisa dessas, pensa Hana, irritada. Bea, assim como Hana, teria ficado enrolando na hospedagem, onde as duas analisariam, juntas, cada detalhezinho: as obras de arte minúsculas compostas de pedaços de madeira alvejada aplicados às paredes, as formações surreais de cactos.

Hana até tentou ficar para trás, inventou algumas desculpas, mas todas foram ignoradas. Bea teria ajudado nisso. Ela é uma das poucas pessoas capazes de colocar Jo em seu lugar.

— Ei, vocês três. Chega de conversinha. Nós precisamos dar uma acelerada se vocês quiserem voltar a tempo do almoço — diz Seth.

Ele e Caleb estão bem à frente, também em um caiaque para duas pessoas. Eles formam uma dupla muito improvável — as costas largas e bronzeadas de Seth contrastando fortemente com o corpinho miúdo de Caleb, que veste uma camiseta de neoprene azul-clara. Aparentemente, é Seth quem está fazendo a maior parte do esforço — as remadas de Caleb são desengonçadas, e seu remo parece raspar a superfície da água em vez de mergulhar fundo.

A ilha faz uma curva na direção dos chalés e, ao mesmo tempo, a água adquire um tom mais escuro e intenso, com enormes colunas de algas se erguendo do fundo do mar. Hana sente o corpo tremer, experimentando a resistência delas à medida que vão se enrolando em seu remo.

Conforme o último dos chalés fica para trás, a paisagem domesticada dá espaço a algo mais selvagem: as enormes paredes de árvores que ela havia vislumbrado quando chegaram à ilha. Pinheiros misturados com coníferas, carvalhos e arbustos repletos de espinhos. A alguns metros dali, os rochedos se curvam de forma abrupta para dentro, formando uma pequena enseada. Está deserta, sem pessoas ou pranchas.

Jo as leva mais para perto dali. Então, erguendo o remo, ela aponta.

— Tenho certeza de que é ali. Reconheci pelas fotos da entrada. Dá pra dar a volta depois que você entra por ali.

Apreensiva, Hana observa a pequena passagem de calcário, tão estreita que mal dá para seguir com o caiaque.

— É bem apertada. — Caleb coloca o remo deitado sobre o colo. — Tem certeza de que é o lugar certo?

— É mais espaçoso lá dentro. Outras pessoas já fizeram isso... A gente vai primeiro, não é, Han? Para mostrar o caminho pra vocês.

Hana percebe o tom de desafio na voz de Jo. Ainda sentindo o gosto ácido na garganta, ela engole em seco e assente.

— Claro.

Lentamente, elas atravessam o arco de pedra. Caleb tinha razão: quando chegam na abertura, é tão estreita que não dá para remar, é preciso parar e deixar que o movimento da água as conduza até o interior da caverna. Hana fica tensa à medida que as laterais do caiaque vão raspando nas paredes, produzindo um som forte de arranhão, mas, instantes depois, elas chegam no interior do local.

Logo de cara, a iluminação na caverna fica turva e melancólica. O teto de calcário é baixo e úmido. Cracas e conchas cobrem as pedras. Está um pouco mais largo agora, com espaço para remar dos dois lados.

— Tudo bem aí? — Jo se vira.

— Tudo certo. — A voz de Hana ecoa pelo teto baixo e pelas paredes.

Conforme elas avançam, vai ficando ainda mais escuro, a água quase preta. Um cheiro almiscarado de peixe permeia o ar parado.

Logo adiante, a passagem se estreita novamente.

— Tem certeza de que esse caminho dá a volta?

— Lógico que sim. — Hana percebe o toque de impaciência na voz da irmã. — Aguenta um pouco. — Jo procura o tubo fino da lanterna pendurada num cordão elástico em seu pescoço e a liga. O feixe de luz ilumina uma curva na passagem uns vinte metros à frente. — Não falei?

O medo de Hana dá lugar a uma repentina euforia, algo que não sentia há muito tempo. Aventuras como aquela estiveram fora de cogitação desde a morte de Liam. Ele era a pessoa ativa. Sem ele, seu esporte favorito era deitar e roncar.

O canal de água por fim se alarga o bastante para que mais um caiaque possa remar ao lado. Jo aponta a lanterna para a frente, um fraco feixe se espalhando pela água. A luz torna a superfície nebulosa — um azul-esverdeado sinistro — e projeta sombras compridas nas paredes da caverna. Formas incompreensíveis aparecem nas pedras, numa mistura frenética de cores e texturas.

Hana segue remando, prestando atenção em tudo.

— Isso aqui é maravilhoso — comenta ela, olhando ao redor.

Jo sorri. Hana percebe que era disso que elas estavam sentindo falta nesses últimos anos: uma experiência compartilhada como aquela. Cafés, refeições rápidas, alguma aventura para viverem juntas. Novas recordações para serem construídas.

E está prestes a verbalizar o sentimento quando escuta a voz de Jo saindo em um murmúrio. Hana percebe, decepcionada, enquanto a irmã vira a câmera ao seu redor, que o sorriso que pensou ser para ela era, na verdade, direcionado ao celular. Isso é que é passar tempo em família. Será que essa viagem é apenas para servir de conteúdo para o Instagram e o TikTok? Um exercício de autopromoção?

— Será que não dá pra gente passar uns minutos longe desse maldito celular? Você está documentando absolutamente tudo… Nunca sente vontade de viver o momento, de fato, em vez de ficar sempre gravando?

Jo fecha a cara e se vira para a irmã.

— Han, pelo amor de Deus, dá uma animada, é por causa disso que estamos aqui. Eu preciso produzir conteúdo sobre o retiro para justificar a nossa estadia. — Ela balança a cabeça. — Com você é sempre assim. Sempre julgando. Que coisa.

Percebendo a mágoa no rosto da irmã, Hana hesita, arrependendo-se de ter aberto a boca. Talvez estivesse julgando rápido demais.

Mas antes que pudesse dizer qualquer coisa, a expressão de Jo se suaviza.

— Mas você tem razão, eu vou parar. — O tom de sua voz não está mais exaltado. — Eu me esqueço do quanto isso pode ser exaustivo para outras pessoas. O Seth diz a mesma coisa. Eu entendo, mas é que, às vezes, tudo isso... — Ela gesticula com a cabeça na direção do celular. — É muito mais fácil do que o mundo real.

Hana olha para ela com curiosidade.

— Como assim?

— Essa versão editada da minha vida que eu coloco nas redes. Às vezes prefiro essa versão. Não tem nada dessa confusão da vida real, essas dinâmicas esquisitas entre as pessoas.

Hana sorri.

— Você está insinuando que *a gente* é confusa?

— Um pouco. — Jo abre um sorriso. — As coisas entre nós estão um pouco estranhas, né? Eu fico me perguntando se forçar uma coisa que não existe mais é uma boa ideia. Você, eu, a Maya. — Ela hesita. — Aliás, como estão as coisas entre você e a Maya?

— Tudo certo, quer dizer, a gente ainda está meio que colocando a conversa em dia, mas fora isso...

— Tem certeza? Ela não disse nada?

— Sobre o quê?

Ela nota algo nos olhos de Jo antes de a irmã sorrir.

— Nada específico.

Porém, conforme elas seguem remando, aquele sorriso continua congelado em seu rosto. Por tempo demais para parecer genuíno.

9

Hana fecha a porta do banheiro e atravessa o restaurante, costurando por entre as mesas abarrotadas de clientes. Ela inspira aqueles aromas deliciosos, o ar carregado do cheiro de carne assada e, ao fundo, um toque da resina da madeira. Vindos de cima, raios de luz se entrecruzam e iluminam garrafas de vinho pela metade, fazendo brilhar pequenas poças de azeite e travesseiros de focaccia.

A vista dali é de outro mundo, os intensos azuis do mar e do céu diurno despidos, revelando tons mais suaves e sutis. Sua distração lhe cobra um preço: ela tropeça e seu tornozelo escapa da sandália, que se prende numa pedra meio solta.

Bebi demais, pensa Hana, sentindo a leve tontura típica do álcool. Ela está naquela fase feliz da embriaguez: seus sentidos estão aguçados, de modo que o ar lhe parece morno e líquido em contato com a pele. *Ele está líquido mesmo*, pensa, mas, quando olha com mais atenção, percebe que é o calor da grelha que está fazendo o ar à sua frente tremular e ferver.

Apesar disso, consegue identificar muito bem a pessoa parada à esquerda da grelha: Seth. Está conversando com uma das funcionárias do lugar, jogando a cabeça para trás enquanto ri. *Isso é clássico do Seth*: sua necessidade de flertar e seduzir engloba as garçonetes e qualquer outra pessoa que estiver ao seu redor.

Se esse flerte vai levar a algo a mais, Hana não tem certeza, mas tomara que não, pensa ela, olhando para Jo, que conversa com Caleb, o celular na mão.

Esta noite ela está deslumbrante. Após alguns drinques, sua expressão está relaxada, aberta, o vestido preto de bordado inglês ressaltando os pontos mais claros em seu cabelo e o bronzeado de sua pele. A mãe delas era metade sueca, e Jo havia herdado grande parte dos genes nórdicos clichês — olhos azuis e cabelo loiro, além do senso eclético que ela tinha para se vestir. Em Hana, a echarpe em cores berrantes que a irmã tinha sobre os ombros, com detalhes em verde e cor-de-rosa, pareceria exagerada, mas em Jo, por algum motivo, funcionava. Não pesava o seu visual.

— Achei que você não ia mais voltar. — Maya sorri. — Já estava quase mandando uma equipe de busca.

— Eu... — Mas Hana nem consegue terminar sua frase.

Jo está com seu celular em riste, reproduzindo um vídeo. Um vídeo *dela*, percebe Hana, momentos antes, quando havia tropeçado. Jo passava a cena em câmera lenta, a expressão de pânico de Hana — olhos arregalados, boca aberta —, um quadro horrendo após o outro.

Um grande sorriso se espalha pelo rosto de Jo. Seth, de volta à mesa, também sorri.

— Foi mal. — Jo ri, as luas verdes em seus brincos de madeira colidindo suavemente contra as bochechas. — Eu estava fazendo uma panorâmica do restaurante e... — Ela cai na gargalhada de novo.

Hana fica olhando para ela sem desviar os olhos, seus sentidos, de repente, dolorosamente aguçados.

— Você não está pensando em postar isso, né? — Um calor sobe pelo seu corpo e enrubesce suas bochechas.

— Não, jamais faria isso. — Jo estica o braço por cima da mesa. — Meu Deus, você não ficou *chateada* de verdade, ficou? Eu só estava brincando.

Hana não se contém e recusa o contato da irmã.

— Brincando...

Mas então para quando seu olhar encontra o de Maya: é um sinal de alerta. *Não reaja.* Ela assente. Maya tem razão. É ela quem vai se dar mal se contra-atacar.

É em momentos como esse que Hana queria que Liam estivesse ali. Ele teria apertado sua mão por baixo da mesa e mudado de assunto. Ele era bom naquilo: sentir empatia pelas pessoas, colocá-las para cima. Foi uma das primeiras coisas nas quais Hana reparou quando o conheceu, numa festa de aniversário.

Alto, pele escura e levemente musculoso, ela o notara imediatamente e, quando começaram a conversar, ficou surpresa com o quanto ele era tímido, uma falta de percepção fofa quanto à própria beleza.

Mais tarde, naquela mesma noite, os dois acabaram juntos perto da fogueira no quintal dos fundos. Com um olhar de admiração, ela testemunhou Liam defender uma colega que estava sendo criticada por não ter filhos. Hana ficou comovida com a maneira como ele reagiu, e eles acabaram conversando — uma daquelas conversas sem papas na língua sob o efeito do álcool que só dá para ter com um estranho porque você acha que nunca mais vai voltar a vê-lo.

Então, naquela noite, Hana voltou para casa com duas certezas: a de que queria vê-lo de novo e a de que, caso isso acontecesse, ela acabaria em cima de uma mountain bike. A obsessão de Liam com o assunto havia consumido, pelo menos, metade da conversa. E, ao se lembrar daquilo, Hana se pega sorrindo, mas logo se recompõe. Precisa reprimir aquele pensamento, expulsar o visitante indesejado.

— Eu te entendo — diz Caleb, olhando para Hana. — Às vezes queria poder voltar uns vinte anos e ter uma refeição que nem nos velhos tempos.

— O que você disse? — pergunta Jo, arrastando sua cadeira para mais perto.

— Só que essa coisa toda do vídeo é meio demais de vez em quando. — Ele dá de ombros.

Jo balança a cabeça, exasperada.

— Eu já vi esse olhar antes. Você se considera superior a isso, né? A Bea já disse a mesma coisa.

Ele franze a testa.

— Como assim?

— Eu tenho visto o que ela posta nas redes sociais. Toda essa baboseira pseudointelectual sobre programas de TV e livros. A Bea não costumava ser assim. Ela sempre dizia que, se você é mesmo um intelectual, não vai sentir a necessidade de ficar empurrando goela abaixo das pessoas o que você lê ou assiste, nem sair por aí usando isso como se fosse uma medalha que prova o quanto você é inteligente.

Caleb se retrai todo, apertando os lábios até formarem uma linha fina. *Jo tocou num ponto fraco.* Ele muda de assunto:

— Sabe, eu tinha lido sobre esse lugar antes de a gente vir, achei que talvez fosse meio superestimado, mas, quando você está aqui e vê aquela rocha de perto… — Ele estica o pescoço para olhar na direção da falésia. — Aquele troço tem toda uma presença, né?

Seth assente.

— Me faz pensar que o que as pessoas dizem pode ter algum fundo de verdade.

— E o que elas dizem? — Caleb tira sarro do tom dramático de Seth.

— Que ela é amaldiçoada, entre outras coisas. Não é de se estranhar, levando em conta tudo o que aconteceu por aqui ao longo dos anos.

— Tipo?

— Essa história da peste, o incêndio na escola… O Creacher… Acho que não preciso dizer mais nada…

— Não, não precisa — interrompe Maya. — Embora seja uma boa história, acho que ela não combina muito com o nosso clima descontraído.

— Falando em clima descontraído, acho que vou tomar mais um drinque. — Então, pegando o cardápio das bebidas, Jo começa a ler em voz alta: — *Sunset Sailor: Bacardi Oro, Diplomático, Angostura, abacaxi e laranja.*

— A Bea adoraria esse — comenta Caleb, chamando um dos garçons com um gesto. — Ela está numa fase de drinques no momento. Até comprou uma dessas coqueteleiras lá pra casa…

— Queria que a Bea tivesse vindo — murmura Hana quando os drinques de todos chegam alguns minutos depois. Ela toma um gole do seu. É forte, carregado no rum. — Não é a mesma coisa sem ela.

— Bom, vamos brindar a ela — diz Jo enquanto levanta seu copo, iluminando o líquido vibrante. — À Bea!

Maya é a única que não faz o mesmo.

Hana olha para ela, chocada ao vê-la contendo as lágrimas.

— O que foi?

— Não é só a Bea que está faltando — solta Maya. — A Sofia devia estar aqui também.

— Meu Deus, lógico. — Hana aperta com força a mão de Maya, culpando-se por não ter se dado conta.

— Às vezes cai a ficha de tudo que ela está perdendo — continua Maya, secando os olhos.

Jo levanta seu copo mais uma vez.

— Aos amigos que não estão aqui... — E, apesar da empatia em seu rosto, há um toque de indiferença em sua voz. Todos bebem em silêncio até que ela fala de novo: — Vamos dar um pulinho na praia? — Em seguida, pergunta se estariam velhos demais para nadar pelados.

Depois disso, a conversa logo retorna ao clima leve e divertido de antes, mas Hana percebe que o rompante de Maya incomodou Jo.

É como se Maya tivesse maculado a noite que Jo havia planejado, jogado uma pedra no que era, até então, um lago de águas completamente tranquilas.

10

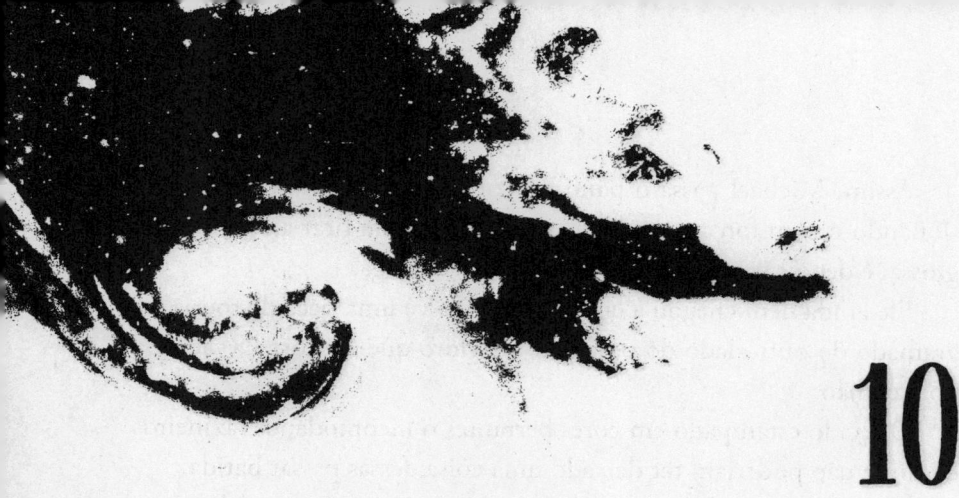

Dia 2

Michael Zimmerman atravessa o restaurante com um pano e o lustra-móveis em mãos.

Ele observa o cenário: as cadeiras vazias, o piso de pedra cinza-claro, as luzinhas, cada uma imitando um pequeno sol reluzente. Gosta daquele horário, antes de os hóspedes acordarem. Cedo assim, o sol parece estar de olhos meio fechados, como se ainda não os tivesse aberto por completo, relutante em encarar o mundo.

Além disso, naquele turno o trabalho era brincadeira de criança. O retiro já havia sido limpo na noite anterior. Ele precisa apenas procurar os detalhes que a limpeza deixou passar: uma garrafa enfiada num canto, sem tampa, ainda pingando cerveja; marcas gordurosas de dedos nos corrimãos...

Não consegue fazer muito mais que aquilo, pensa ele, sentindo uma pontada aguda na lombar. Seus dias de trabalho duro acabaram, o corpo destroçado depois de anos dando aulas de educação física e fins de semana jogando rúgbi. Estava na hora de desacelerar, mas ele não queria parar totalmente, o que tornava aquele trabalho um meio-termo perfeito.

Vai ter gente suficiente para manter você longe de encrencas, sua esposa teria dito, e era verdade. Ficar sozinho nunca traz nada de bom. É tempo demais para pensar.

Assim, Michael passa o pano no corrimão uma última vez, pressionando-o com força com a ponta dos dedos para tirar a sujeira mais grossa, e depois vai em direção ao pavilhão de yoga.

Ele ainda nem chegou à entrada quando vê uma peça de roupa no gramado do outro lado do parapeito de vidro que contorna a fachada do pavilhão.

O tecido estampado em cores berrantes o incomoda; os faxineiros da noite não poderiam ter deixado uma coisa dessas passar batida.

Michael aproxima-se lentamente e se inclina sobre o vidro para pegá-la, mas, assim que sua mão chega perto do tecido escorregadio, algo nas pedras lá embaixo atrai seu olhar.

Ele leva um susto. *Você está imaginando coisas.*

Mas, quando olha com mais atenção, fica claro que não é isso.

Michael começa a tremer. Sua mão fraqueja e se abre, deixando a echarpe serpentear de volta para o chão.

Em um só movimento, ele desvia o olhar das pedras, vira-se de costas para o precipício e começa a vomitar. A cada novo espasmo, porções regurgitadas do cereal servido todas as manhãs para os funcionários se espalham pelas pedras claras do piso.

11

Elin está sentada à sua escrivaninha, as coxas ainda latejando por conta da corrida. Ela adora estar no escritório de manhã cedinho, o silêncio e o cheiro cítrico do desinfetante, a luz difusa revelando a poeira na tela do computador. Pequenos detalhes que ela só percebe nesse momento, quando seu cérebro está livre, ainda sem o peso dos vestígios do dia.

Ela precisa de toda a ajuda que conseguir nesse caso; daquela fagulha vital que lhe falta há tanto tempo. Houve mais um assalto a uma residência na noite passada, o mais recente de uma onda de crimes semelhantes, e os ladrões levaram milhares de libras em joias e aparelhos eletrônicos, mas pouco dinheiro em espécie. Nas últimas semanas, Elin havia aprofundado as investigações. Eles foram à imprensa para pedir a ajuda de testemunhas e requisitar imagens de câmeras de vigilância, mas esses esforços se mostraram inúteis. Os peritos não encontraram nada.

Ela estava sentindo a pressão: *se não fizesse progresso na investigação, como eles achariam que ela estava pronta para voltar para a equipe de investigação de crimes graves?*

Elin dá uma olhada nos depoimentos das testemunhas. A quadrilha — e tem certeza de que *é* uma quadrilha, devido ao volume de crimes — é profissional: eles identificam alvos que não têm nenhum tipo de segurança nem câmeras de vigilância, seja na casa ou na vizinhança.

— Bom dia.

Ela levanta a cabeça. *Steed*. Ele abre um sorriso fácil e faz a mochila escorregar do ombro para o chão. Está irradiando calor, duas manchas de suor brotando debaixo de seus braços.

— Pelo amor de Deus, já está quente a essa hora. Eu ia vir de bicicleta, mas mudei de ideia — diz ele, depois puxa um shake de proteína do bolso lateral da mochila e tira a tampa.

— Hoje à tarde a temperatura vai passar dos trinta — acrescenta Elin, que fica feliz com aquele papo furado, certa de que ele não vai mencionar que a viu na praia.

Steed é uma pessoa muito discreta. Elin tinha percebido isso quando começaram a trabalhar juntos; ele sabe quando deve deixar algo para lá.

— O que temos para hoje? — indaga ele, tomando um gole do shake.

— Houve mais um arrombamento ontem à noite. Precisamos checar de novo todas as câmeras de segurança num perímetro de meio quilômetro da propriedade. Eu sei que tem alguns restaurantes ali perto, o iate clube do outro lado. Temos que tentar encontrar alguma coisa por aí. Um segundo... — Ela para, vendo o nome de Anna piscando em seu celular.

Elin fica nervosa ao relembrar sua última conversa. Mas não há nenhuma referência ao dia anterior. A voz de Anna está tomada pela urgência.

— Recebemos uma denúncia a respeito de um corpo nas pedras, lá na ilha Cary, no retiro.

— No LUMEN? — pergunta, sentindo uma bola na garganta com aquela sincronicidade: o prêmio de Will.

— Isso. Tudo bem pra você ir até a cena e avaliar a situação? Você é quem está mais perto. A ambulância e a perícia vão te encontrar no cais, em Babbacombe. O barco da polícia vai levar vocês até lá.

Você é quem está mais perto. Faz sentido, mas Elin sabe que Anna sugerir que ela vá não tem só a ver com o fato de estar nas redondezas. É um voto de confiança nela, e em suas habilidades, depois da conversa que tiveram no dia anterior.

No entanto, as dúvidas das últimas semanas aparecem para bagunçar seus pensamentos. E se não for capaz de lidar com aquilo? Mas Elin rebate rapidamente a ideia; claro que ela é. E está pronta.

— Com certeza. Só vou arrumar as minhas coisas aqui e já estou saindo.

Assim que se despede, percebe que Steed estava ouvindo.

— Aconteceu alguma coisa?

— Acharam um corpo na ilha Cary. Tá a fim de ir comigo?

— Com certeza — responde ele, e então endireita a postura. Uma empolgação que tenta disfarçar rapidamente ao pegar o celular meio de qualquer jeito para conferir alguma coisa.

Porém, assim que Elin começa a preparar meticulosamente sua bolsa, na qual leva de tudo, de sacos para provas até material para perícia, uma onda de agitação percorre seu corpo.

Apesar do envolvimento de Will com o LUMEN, ela nunca foi até a ilha. Nunca teve vontade — nenhum local tinha. O passado daquele lugar era pesado demais.

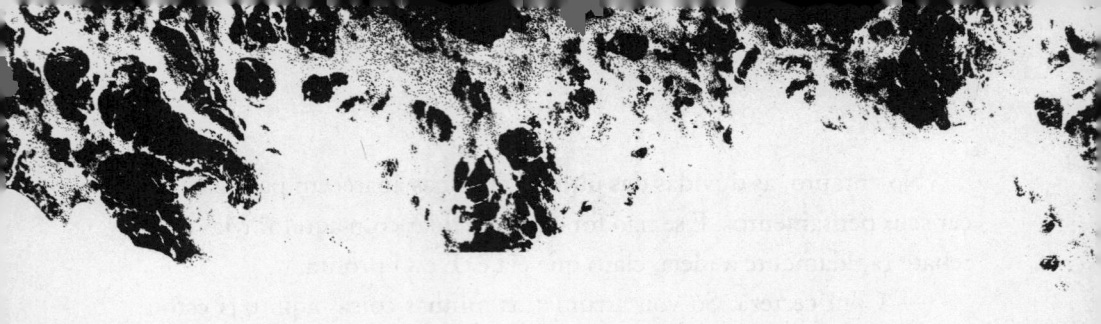

12

O barco da polícia diminui a velocidade, e o motor vai reduzindo seu barulho a um ronronar molhado à medida que eles vão se aproximando do cais.

Os peritos, Leon e Rachel, e os dois paramédicos olham admirados para o retiro, mas, quando o barco finalmente atraca, tudo que Elin está sentindo é um pavor sem fim.

Tinha visto a ilha em fotos, mas aquilo era diferente. Havia alguma coisa selvagem ali, algo de primitivo e implacável. E, apesar de tentar se concentrar no que Will havia criado, a natureza é quem domina, atraindo seu olhar: o emaranhado de árvores, as faces da falésia, os pássaros empoleirados no alto, na penumbra, e aquela pedra.

A Pedra da Morte.

Lembranças passam num piscar de olhos.

Uma sequência de imagens na imprensa: barcos da polícia, pessoas fazendo buscas no meio da floresta, o rosto inchado de Larson Creacher na ficha criminal em todos os noticiários, uma mecha solitária de cabelo comprido enroscada por cima de seus ombros.

— Está pronta? — A médica se vira, tirando Elin de seus devaneios, enquanto desembarca segurando a bolsa.

Distraída, Elin concorda com um meneio de cabeça. Alguém está vindo em sua direção, acenando. *Farrah*.

— Conhece? — pergunta Leon, lançando-lhe um olhar curioso.

— É a irmã do Will. Ela é gerente do retiro.

— Isso não vai ser meio esquisito? — pergunta Rachel, afastando a franja escura dos olhos.

— Não.

Elin não se incomoda com aquela pergunta tão franca. É uma das coisas que tornam Rachel tão boa no que faz. Isso e o seu talento inesgotável para dar sempre um pouco a mais de si.

Farrah para e indica a localização do corpo para os médicos. Quando chega até as docas, ela cumprimenta Elin:

— Nem me toquei que eles mandariam você.

Elin assente.

— Esse é o agente Steed, e estes são os peritos que vão examinar a cena do crime.

Farrah gesticula na direção dos médicos, que sobem pelas pedras à sua esquerda.

— Eu disse a eles onde ela está, mas não sei se tem muita chance... — Ela se distrai por um instante. — Nosso socorrista disse que assim que chegou lá ele já sabia.

— Os paramédicos precisam checar mesmo assim.

— Claro. — Farrah franze a testa sutilmente, como se estivesse questionando Elin. Ela já havia feito isso antes. Aquilo dá a Elin a sensação de que a cunhada não a leva a sério. — Vou com vocês até lá.

— Você sabe quem é? — pergunta Elin, enquanto o grupo começa a seguir Farrah.

— Não, ela não era funcionária, e nenhum dos hóspedes foi dado como desaparecido, mas ainda está cedo. Muita gente nem acordou.

— De onde exatamente ela caiu?

— Do pavilhão de yoga — responde Farrah, apontando para o alto, para uma estrutura de madeira empoleirada no topo de uma falésia que se estende dramaticamente acima deles.

Elin nota o parapeito de vidro que circunda o pavilhão: a única barreira entre as pessoas e as pedras ali embaixo.

— Ela caiu por cima do parapeito?

— Caiu.

— Que altura ele tem? — pergunta Steed.

— Chega mais ou menos na minha cintura. — Farrah balança a cabeça. — Ainda não consegui entender direito como uma coisa dessas foi acontecer.

Mas Elin sabe que é possível cair por cima de um parapeito de praticamente qualquer altura. Afinal, já presenciou quedas catastróficas de mezaninos, uma numa casa, outra num hotel. Em ambas as ocasiões, havia álcool envolvido, mas, aqui, ela não tem como fazer essa associação. Não ainda.

Farrah parece ter muita dificuldade em olhar para as pedras.

— Foi o Michael, o faxineiro, quem a encontrou, disse que tinha visto uma echarpe do outro lado do parapeito. Talvez ela tenha se inclinado para pegar e perdeu o equilíbrio.

— Talvez, mas até descobrirmos mais coisas, precisamos analisar todas as hipóteses possíveis.

A regra de ouro de uma morte inexplicável é que ela deve ser tratada como suspeita até que se prove o contrário.

— Onde está o Michael agora?

— No pavilhão de yoga. O policial no telefone disse para ele esperar lá, e não deixar ninguém chegar muito perto. Nós improvisamos um cordão de isolamento com um pedaço de corda e colocamos um membro da equipe para ficar de guarda do lado de fora, como ele nos mandou fazer.

— Ótimo. — Elin pensa rápido: vai ter que dividir para conquistar, separar Rachel e Leon para que possam examinar os dois cenários ao mesmo tempo. — Leon, você pode subir até o pavilhão com a Farrah e começar por lá? Steed e eu vamos acompanhar a Rachel.

— Claro. É só me mostrar o caminho.

13

Elin e Steed acompanham Rachel por entre as pedras na base das falésias. Há pedras pequenas e planas intercaladas com enormes pedregulhos empilhados uns em cima dos outros; destroços que despencaram com o tempo.

Já suando, Elin enxuga a testa com as costas da mão. Contornando a falésia, ela consegue ver os paramédicos debruçados sobre o corpo, falando baixinho.

Ela olha para a cena: uma mulher magra, de cabelo claro, trinta e poucos anos, estirada sobre as pedras. Está usando um vestido preto, seu braço dobrado num ângulo nada natural. O lado de sua cabeça que está mais perto da pedra está afundado, a magnitude do impacto destroçou uma grande parte de seu crânio. Massa cinzenta e fragmentos brancos de ossos contrastam com o cinza-claro da rocha e com a poça escura de sangue debaixo de sua cabeça.

Incomodada, Elin engole em seco. Algumas imagens, como aquela, são tão impactantes que você nunca está preparado para ver. Ela sabe que aquilo ficará em sua cabeça por muito tempo depois desse caso ter sido resolvido.

— Daquela altura ali, ela não tinha a menor chance — diz Steed friamente.

O médico mais velho, Jon, um homem alto e corpulento, diz:

— Ela está morta. — Então gira o pulso para olhar o relógio. — Morte ocorrida às 7h33. — Em seguida, virando-se para Elin, ele começa a remover a luva. — Ela já está em estado de rigidez cadavérica. Ferimentos profundos visíveis na cabeça, múltiplas lesões na coluna e na pelve. Ferimentos superficiais compatíveis com uma queda dessa altura.

Elin olha para cima, tomada por uma terrível sensação de vertigem quando enxerga os cumes irregulares da falésia. Não consegue não imaginar a queda: o corpo da mulher se retorcendo e girando em pleno ar, o tremendo barulho do crânio se esfacelando contra as pedras ali embaixo.

Ao voltar-se mais uma vez para a mulher, Elin concentra o olhar em seu rosto. Os olhos estão fechados, o direito escurecido por uma escoriação sangrenta. Sua mandíbula está solta, puxada para baixo.

Depois, começa a descer o olhar, examinando o vestido e os sapatos. Uma das sandálias estilo gladiadora saiu um pouco do pé, deixando à mostra as unhas pintadas de azul-escuro. Elin quer preservar aquele fragmento da mulher em suas lembranças, a única parte dela que ficou intocada.

— Algum documento de identidade?

— Nada, e não encontrei nenhuma bolsa ou celular. Ou ela não estava com eles, ou se perderam em algum momento durante a queda — responde Jon, e pigarreia. — Acho que vamos pegar o barco de volta e deixar vocês assumirem a partir daqui, se estiver tudo bem.

Suas palavras a fazem entrar em ação. Elin enfia a mão dentro da bolsa, tira dois kits contendo trajes forenses, botas e luvas e entrega um deles a Steed.

— Tudo bem se eu começar? — Rachel coloca o capuz de seu próprio traje.

Elin assente. Eles vestem as roupas, o barulho do tecido amplificado pelo silêncio do lugar. E ficam esperando enquanto Rachel fotografa o corpo, com a poça de sangue em volta da cabeça da vítima.

Alguns minutos depois, Rachel deixa a câmera de lado e começa a apalpar o corpo, examinando os bolsinhos nas laterais do vestido da mulher. Confirma que estão vazios.

— E a rigidez?

Ela avalia.

— Eu diria que ainda não está completa. Ela está aqui há algumas horas, mas não mais que doze.

Isso dá a Elin algum parâmetro: a mulher provavelmente havia caído no comecinho da manhã.

— A gente pode virar o corpo? Procurar outros ferimentos?

Elin está atrás de sinais específicos de algum tipo de ataque: um tiro, marcas de perfuração. Com cuidado, Steed passa por cima do corpo, parando exatamente de frente para Rachel. Eles contam até três e viram a mulher. Rachel examina as costas e pernas.

— Nada. Não estou vendo nenhum outro ferimento além dos danos provocados pela queda, escoriações nas mãos e nos braços. Nenhum ferimento de defesa evidente, nenhuma lesão ou sinais de imobilização dos pulsos. As unhas parecem limpas também.

Elin assente. Pelo que Rachel está dizendo, aquilo parece ter sido uma simples queda, mas ela não pode descartar a hipótese de que a vítima tenha sido empurrada. Um empurrão bem calculado por trás teria obtido o mesmo resultado sem provocar qualquer ferimento de defesa evidente.

Enquanto Rachel pega a câmera, Elin vira-se para Steed.

— Vamos isolar a área com fita. Defina um caminho de acesso e abra uma folha de registro da cena do crime. Não imagino que vá aparecer ninguém bisbilhotando por aí, mas é melhor prevenir. E, se você puder tomar as medidas necessárias para preservar a cena do crime, eu vou atualizar a Anna e depois dar uma conferida no Leon.

— Por mim tudo certo. — Steed dá um passo à frente, e seu rosto fica vermelho.

Elin para por um instante.

— Tudo bem com você?

— Tranquilo. — Ele pigarreia. — É só que… Aconteceu uma coisa parecida com uma pessoa da minha família… Isso traz lembranças.

Ela tenta consolar o colega, mas, pela maneira como ele pisca rapidamente, percebe muito bem que Steed ainda está tentando domar seus sentimentos. Elin quer reconfortá-lo, mas sabe que caso se renda a qualquer emoção, perderá o foco que tanto está se esforçando para manter.

— Bom — diz Elin, por fim, acenando com a cabeça. — Te vejo em breve.

Ela tira o traje e começa a fazer o caminho de volta pelas pedras, mas, a alguns metros da cena, para, cega por um clarão repentino que parece ser emitido do topo da falésia. Quando Elin vira a cabeça, o clarão desaparece, mas volta a aparecer conforme ela anda: um brilho em forma de semicírculo cintila no centro do seu olhar toda vez que pisca.

Aquilo leva um tempo até desaparecer e, mesmo quando acontece, Elin ainda fica meio perturbada.

Está começando a ter uma sensação ruim quanto àquela ilha, uma placidez esquisita que, por algum motivo, parece antinatural e malévola.

14

Hana acorda suada, os lençóis enroscados no corpo como um nó. Sua cabeça está latejando e o quarto gira quando ela se senta na cama, a cadeira de vime no canto e a costela-de-adão ao seu lado se alongam e se esticam diante de seus olhos.

Aquela sensação a deixa desorientada e nervosa e, por um instante, ela se vê de volta — aos dias repletos de pânico após a morte de Liam. Não era apenas um luto, e sim dois: a perda de Liam e também a perda do sonho que eles tinham de formarem uma família, destruído antes mesmo de começarem. Alguns meses antes do acidente, eles haviam feito alguns avanços tímidos em direção à fertilização *in vitro*.

Hana estava sendo consumida pelo arrependimento.

Por que eles não tinham começado o processo mais cedo? Tomado alguma atitude em vez de apenas conversar sobre isso? Pelo menos assim ela teria alguma coisa de Liam. Algo em que se agarrar enquanto o resto do mundo desmoronava.

Outra onda de náusea.

Jogando as pernas para fora da cama, Hana vai até a pia do banheiro e enche o copo com água. Então, pega seu nécessaire de remédios. Ela está virando a própria mãe, pensa, tirando dois comprimidos de paracetamol da cartela. *Esteja sempre preparada.*

Hana joga os dois comprimidos na boca e a enche com muita água, depois dá aqueles goles generosos que alguém só dá quando está de ressaca.

O celular está na mesinha de cabeceira. Ela pega o aparelho e vai até a janela.

Um quadro perfeito de verão: céu azul, árvores, a curva amarelo-canário de uma rede na varanda.

Hana tira uma foto e fica olhando as que tirou na noite anterior. A primeira a faz sorrir: uma foto em grupo na praia, todos felizes, de costas para o mar. A imagem está fora de foco, o fotógrafo — Caleb — obviamente se mexeu quando a tirou.

Depois de jantar, eles tinham ido até a praia como Jo sugerira. No fim das contas, ninguém mergulhou, mas ficaram conversando sobre a vida e o mundo, os pés na água. Hana teve uma conversa intensa e meio constrangedora com Caleb, os dois empoleirados nas pedras no canto da praia — alguma coisa sobre o trabalho dele e políticas ambientais. Em dado momento, Jo e Seth tiveram uma discussão de bêbado que acabou tão depressa quanto começou.

O interlúdio na praia terminou com uma ligação para Bea, que acabou caindo na caixa postal. Em seguida, eles enviaram para ela a foto em grupo. Hana sorri, imaginando o sorriso de Bea quando viu a foto, eles queimados de sol, seus sorrisos iluminados pelo luar. O que estava escrito mesmo na mensagem que acompanhou a foto? Alguma coisa melosa e sentimental. *Queríamos que você estivesse aqui. Caleb está mandando um beijo...*

Ela respondeu com: *Pessoal... amo todos vocês, mas estou em um evento de trabalho. Depois nos falamos.*

Hana consegue imaginar Bea nesse evento, ocupada e solícita, dizendo todas as coisas certas, no tom adequado. É assim que ela enxerga a tal Bea 2.0: inteligente, vestindo roupas caras, usando joias discretas, o cabelo claro preso. Nada parecida com a irmã insegura e fissurada em livros com quem ela havia crescido, e que detestava se arrumar.

Assim, segue passando as fotos: Caleb tirou algumas da mesma pose em grupo, mas, quando chega à última imagem, uma sensação incômoda percorre seu corpo. Ele obviamente tinha tirado aquela foto quando o grupo começava a se dispersar, sem aguentar mais o esforço de manter o sorriso. *Não consigo mais*, lembra-se de Seth dizendo enquanto ria.

Hana ainda estava com um meio sorriso no rosto, mas Jo tinha se transformado. Ela olhava para Hana e, obviamente, não havia percebido que ainda estavam tirando fotos. A expressão em seu rosto é perturbadora, o semblante congelado de uma maneira estranha e sombria.

Hana não consegue entender o que é aquilo. *Medo? Ódio?*

Seus pensamentos se voltam para o bilhete que havia caído da mochila de Jo. Talvez houvesse mais coisas ali do que imaginava.

Ela vai até a bolsa de viagem e vasculha o bolso lateral onde havia enfiado a carta, ainda no cais. Alisando-a cuidadosamente entre os dedos, ela olha novamente para as palavras.

Hana,
Eu sinto muito. Eu sinto muito. Eu sinto muito.

Seu estômago se revira. Parte dela sente a necessidade de bater à porta de Jo naquele mesmo instante e perguntar o que aquilo significa, mas outra parte rejeita a ideia, ciente do drama que aquilo inevitavelmente desencadearia.

Fica calma e deixa isso pra lá.

É tudo o que precisa fazer. Uma semana juntas e, depois, elas podem retornar ao contato mínimo de antes. Agora ela é adulta, pode decidir com que frequência vê a irmã e o tipo de relação que elas têm.

Essa foi uma das poucas coisas boas que vieram do que aconteceu. Nos últimos meses, depois que todos se afastaram, deixando-a sozinha com sua tristeza, Hana percebeu que, se ela era capaz de sobreviver à morte de Liam, então era capaz de sobreviver a qualquer coisa.

Hana era mais forte do que pensava.

15

Quando Elin chega ao topo da escada que vem da praia, faltam poucos minutos para as oito da manhã.

O retiro está começando a despertar; funcionários de camisa branca trabalham no restaurante, um grupo de nadadores caminha em direção à praia. É nítido que alguns hóspedes perceberam que tem algo acontecendo. Eles perambulam às voltas do pavilhão de yoga com um desinteresse falso e calculado, sem querer dar a impressão de que estão curiosos, mas mesmo assim olhando.

Prestes a vestir seu traje e colocar a proteção nos sapatos, ela se detém por um momento ao ver que Farrah se aproxima.

— Imagino que ela realmente esteja...

Elin faz que sim.

— E acho que já faz um tempo — informa.

A boca de Farrah se contrai um pouco antes de ela se recompor, indicando o restaurante.

— Michael, o homem que a encontrou, está esperando lá. Você queria falar com ele...

— Ah, sim, eu quero. Me dá dois minutinhos. Preciso... — diz, gesticulando na direção de Leon.

— Claro. Venha até nós quando estiver pronta.

Já devidamente paramentada, Elin se abaixa para passar pelo cordão de isolamento. Leon está agachado ao lado do parapeito, passando um pincel no vidro.

— Tudo bem por aqui?

— Tudo. — Ele aponta com o queixo para um vômito ali por perto. — Fora alguns ossos do ofício.

— Isso é do cara que a encontrou?

— É.

Elin dá uma olhada por cima do parapeito e logo recua. Por mais assustador que seja olhar para cima, olhar para baixo é muito pior — seus olhos mergulham até as pedras pontiagudas lá embaixo. E, vista desse ângulo, a silhueta destroçada do corpo da mulher a afeta de uma maneira diferente.

— O que você acha da altura do parapeito?

Leon continua pincelando o vidro.

— Com certeza é baixo o suficiente para cair por cima dele por acidente. Eu teria colocado um mais alto.

— Encontrou alguma coisa no vidro?

— Sim. Uma sequência incomum de impressões do lado de lá... Tanto de dedos quanto de palmas. Pelo que o cara disse, tenho quase certeza de que são dela. Aparentemente, limpam o vidro toda noite, e ele passa um pente-fino de manhã. Tudo indica que ela caiu de frente e, em algum momento, virou o corpo, como se tivesse tentado se agarrar, mas não conseguiu.

Elin se aproxima do parapeito. Um pó prateado destaca as impressões que cobrem o vidro — uma mancha parcial de mão, digitais borradas —, mas ela sabe que aquilo não prova nada. As marcas podem ser o resultado tanto de uma queda acidental quanto de um empurrão.

— Ela derrubou alguma coisa por aqui?

Ele balança a cabeça.

— Eu dei uma olhada, mas, fora a echarpe, nada — diz ele, apontando com a cabeça para um pedaço de tecido dentro de um saco plástico no chão.

— Onde ela estava, exatamente?

— Na grama, do outro lado do parapeito, mas eu não acho que foi isso, necessariamente, que provocou a queda. A echarpe pode ter se soltado *quando* ela caiu.

Elin examina a echarpe dentro do saco. Tem cores berrantes — uma estampa abstrata e moderna com manchas cor-de-rosa e verdes.

— Você não encontrou mais nada?

— Só isso... — Ele aponta para algo do outro lado do parapeito. — Tem um entalhe na grama ali, um pouco antes do precipício. Parece consistente com algo consideravelmente pesado sendo colocado nesse ponto.

— Mais pesado que a echarpe?

— Sim, e num lugar diferente também, um pouco adiante de onde encontrei a echarpe. Como não ventou nem choveu, a marca foi preservada. Não dá para afirmar, com certeza, que foi feita ontem à noite, mas, se tivesse sido feita há alguns dias, acho que a grama já teria se recuperado.

— Alguma conclusão?

— Na verdade, não. É uma marca pequena e quadrada. Talvez ela tenha derrubado alguma outra coisa quando caiu. Pode ter se soltado durante a queda.

— Bem, vou pedir para a Rachel dar uma olhada ali. — Ela faz uma pausa. — Beleza, vou te deixar trabalhar. Estou indo falar com o cara que encontrou a vítima.

Ao tirar o traje e os protetores dos pés, Elin percebe que a pequena multidão de hóspedes aumentou, fazendo com que um dos funcionários tomasse a atitude de dispersá-la, conduzindo-os ao restaurante. Ela espera os hóspedes saírem dali e vai na direção de Farrah, que está sentada ao lado de um homem idoso, falando baixinho.

Farrah levanta os olhos.

— Elin, este é Michael Zimmerman. Eu contei que você queria conversar com ele.

Michael dá um sorriso forçado. Elin nota seus olhos na mesma hora. São lindos, com pálpebras pesadas e de um azul-claro que remete ao céu pela manhã. Imagina que ele deva ter uns sessenta e tantos anos e, a julgar pelas profundas rugas em seu rosto e pela barba de náufrago, provavelmente é o que Will chamaria de "lobo do mar" — um surfista veterano, nascido e criado no litoral.

Ela se senta de frente para ele e puxa o bloco de anotações.

— Michael, eu sei que isso não é fácil, mas espero que você possa nos ajudar a entender o que aconteceu de manhã. Vamos começar com: onde você estava antes de encontrar a vítima?

Ele assente, pega o boné na mesa ao seu lado como se fosse colocá-lo e, em seguida, o larga de volta onde estava. O topo de sua cabeça está clareado pelo sol, coberto de manchas.

— Eu me levantei por volta das cinco, como de costume, para começar o turno da manhã. Vim dar a última conferida na limpeza das áreas comuns. Afinal, não dá para ter certeza de que o turno da noite não esqueceu nada por aí, ou que os hóspedes não saíram no meio da noite e fizeram uma bagunça... — relata ele, levantando a cabeça na tentativa de encontrar nos olhos de Farrah alguma solidariedade em relação à natureza imprevisível dos hóspedes, mas ela está conferindo o celular.

— E a que horas foi isso?

— Pouco depois das seis. Eu tinha terminado tudo no restaurante e estava vindo para o pavilhão de yoga. E estava subindo os degraus quando vi uma peça de roupa do outro lado do parapeito. As cores eram berrantes, não tinha como não ver.

Michael então pega seu boné mais uma vez, fica revolvendo-o entre os dedos. Aquele gesto lhe é estranhamente familiar, e Elin é acometida por uma sensação repentina de reconhecimento, como se já o tivesse visto, ou alguma outra pessoa, fazendo aquilo antes.

— Continue — pede ela, com delicadeza.

— Eu fui andando até lá para pegar o lenço e foi aí que... — Ele umedece os lábios. — Foi aí que eu a vi, nas pedras, lá embaixo. Dava pra ver que ela estava... — Uma pausa. — Eu passei mal, como você provavelmente notou, mas assim que me recuperei eu liguei para a emergência e depois para a Farrah.

— E você não percebeu nada de estranho durante o seu turno? Nada de suspeito, fora do comum? Ninguém estranho andando por aí?

— Durante o meu turno não, mas...

Farrah tira os olhos do celular e lança um olhar penetrante na direção dele.

Ele muda de posição.

— Olha, provavelmente não tem nada a ver com isso, mas, na semana passada, aconteceu uma coisa estranha durante a noite. Eu tinha acordado porque, você sabe, na minha idade, a natureza chama. E, quando eu estava voltando para a cama, vi alguém andando por aqui, perto da pedra. Achei aquilo estranho, uma pessoa do lado de fora tão tarde da noite.

— Você estava no alojamento dos funcionários quando viu isso?

Ele assente.

— E eram exatamente que horas?

— Quatro, talvez um pouco mais. Fosse quem fosse, tinha uma lanterna e estava iluminando a pedra, como se estivesse procurando alguma coisa.

— Provavelmente era um hóspede — intervém Farrah, dizendo aquilo como quem não dá muita importância e, em seguida, se vira para Elin. — Alguns tiram fotos da pedra à noite. Não sei por quê, não dá pra ver praticamente nada.

Michael dá uma risada tristonha.

— Neste lugar, nada me surpreenderia.

Elin sente um calafrio.

— Como assim?

— Esta ilha não tem uma fama muito boa, né? Não me entenda mal, eles transformaram tudo por aqui, mas, às vezes, ainda dá pra sentir, de manhã bem cedo, quando não tem ninguém por perto.

— Sentir o quê? — Elin inclina-se para a frente, incomodada.

— Uma coisa... ruim. — Ele engole em seco ruidosamente. — Algumas semanas atrás, um hóspede disse a mesma coisa.

— Sério? — Ela se esforça para controlar a voz.

— Sério. O artista que fez a obra que está na recepção me contou que estudou naquela escola, a que pegou fogo. Disse que tinha vindo para ver sua obra e conhecer o retiro — continua Michael. — Ele adorou, mas disse... — O senhor faz uma pausa, seu semblante congelado por um instante enquanto pensa. — Ele disse que ainda conseguia sentir — diz, por fim. — A presença do mal aqui.

Farrah balança a cabeça ao ouvi-lo dizendo aquilo, naquele tom melodramático. Elin agradece e fecha a caderneta, mas não consegue ignorar o que ele disse com tamanha tranquilidade. Quanto mais tempo passa ali, mais consegue sentir também — essa presença e essa energia que vão além de todos os relatos.

Uma coisa intrínseca à própria ilha.

— Nós vamos precisar tomar um depoimento formal mais tarde, mas, por enquanto, está ótimo. Obrigada mais uma vez.

E, quando Elin pega sua bolsa, percebe que um homem vem andando em sua direção. Ele se aproxima de Farrah e murmura algo inaudível em seu ouvido.

Farrah vira-se.

— Este é Justin Matthews, nosso diretor de segurança. Ele encontrou as imagens da câmera de segurança do pavilhão. Eu não sabia bem se havia uma câmera por aqui, mas pelo visto há.

Um pequeno alívio.

— Podemos dar uma olhada agora?

— Com certeza.

Elin mal havia começado a se mexer quando ouviu um barulho: alguém andando rapidamente sobre o cascalho.

Ela sente um puxão no braço. Ao se virar, se depara com Michael bem atrás de si, numa proximidade desconfortável.

Ele aperta seu braço com força.

— O que eu disse antes — murmura ele —, eu estava falando sério. O que aquele homem me disse, ele tem razão. Tem alguma coisa podre neste lugar. Você precisa tomar cuidado.

16

Depois de tomar banho e se vestir, Hana penteia o cabelo e o prende num rabo de cavalo, algo que nunca dá muito certo porque seu cabelo é curto demais. *Amarrotado*, como Liam dizia, passando a mão nas pontinhas. *É uma tentativa, Han, mesmo que meio mais ou menos.*

Depois de dar a segunda volta no elástico, ela calça as sandálias e sai pelo corredor. Sente cheiro de café, amargo e perfumado, vindo da sala de estar.

Jo. Ela é sempre a que acorda mais cedo. É ela quem estará ali, fazendo café. *Aja com naturalidade*, diz a si mesma, estampando um sorriso no rosto. *Não reaja.*

Então descobre que não é Jo, e sim Maya quem está ali, sentada numa cadeira de vime banhada pelo sol, com um lenço verde enrolado no cabelo cacheado. Maya levanta os olhos, sorrindo.

— Você acabou de perder o café…

— Tudo bem, eu faço um pra mim. — Hana olha para o livro que repousa no colo da prima. — O que está fazendo?

— Desenhando — responde Maya, apontando para o que Hana agora percebe ser um caderno de desenho. — Não consegui dormir. É sempre assim quando eu bebo. Acordo no meio da noite e não consigo voltar a dormir.

— Sei bem como é, também não dormi direito. Acho que aquela coisa toda na praia foi um pouco de exagero. — Ela faz uma pausa. — Você viu a briga da Jo com o Seth?

— Uma parte. Ele recebeu uma ligação, não foi? De uma amiga. — Maya balança a cabeça. — Não entendo por que a Jo ainda fica surpresa... Ele sempre foi assim. Cheio de "amigas" — completa ela, fazendo as aspas com os dedos.

Hana para por um instante, tentando absorver o que Maya tinha acabado de dizer.

— Isso que você disse sobre ele ser sempre assim... Você conhece o Seth, digo, sem ser pela Jo?

Maya hesita, seu rosto fica vermelho. Ela abaixa a voz:

— Bom, eu não diria que *conheço*. Eu escalei com ele algumas vezes. É amigo de um amigo. Foi assim que a Jo o conheceu, através de mim. A gente saiu junto uma noite.

— Você nunca me contou isso. — Não apenas sobre como Jo havia conhecido Seth, mas sobre elas terem saído, pensa Hana, magoada.

— Não achei que fosse importante. E, no caso da Jo, provavelmente não é a história romântica que ela gostaria de compartilhar com seus seguidores... Uma noite de amassos bêbada num barzinho.

— E o que você achava dele? Antes da Jo, quero dizer.

— Achava meio idiota. Todo sorrisos e charminho na sua frente, mas pelas suas costas... "Superficial" seria uma boa palavra. — Maya dá de ombros e olha para o corredor, abaixando a voz ainda mais um pouco: — Também tinha uns rumores sobre ele ser agressivo, tentar intimidar os adversários nas competições de escalada. — Ela passa os dedos no piercing que fica na parte superior de sua orelha.

— O que houve? — A voz de Hana é quase um sussurro quando ela também olha para o corredor, uma parte sua convicta de que Jo vai aparecer ali a qualquer momento.

— Acho que essa agressividade dele transbordou com a Jo. Ontem à noite ele estava reclamando de ela ter bebido demais, dizendo que ela deveria pegar mais leve.

— Talvez ele só estivesse preocupado. Ela estava muito bêbada...

O semblante de Maya fica nebuloso. Hana muda de assunto, apontando com o queixo para o caderno de desenho enquanto espera que a máquina de café comece a funcionar.

— Não sabia que você ainda desenhava — comenta.

Maya sempre gostou de arte. Tinha começado a desenhar depois do incêndio: ilustrações oníricas e intrincadas.

— Faço uns rabiscos de vez em quando. A fama e a fortuna definitivamente me iludiram. — Ela olha para Hana. — É engraçado, né? Quando você é jovem, tem certeza de que vai dar certo na vida, e de que você tem todo o tempo todo mundo para isso. Eu realmente achei que depois da faculdade eu ia me dar bem. Ter sucesso, reconhecimento, que tudo se encaixaria, como num passe de mágica.

— Ainda pode acontecer. Você só tem 28 anos.

Maya ri.

— Sonhos. A gente precisa de tempo para eles, Han. De concentração. De dinheiro. A verdade é que eu sou boa, mas nunca vou ser brilhante.

Pega de surpresa, Hana se atrapalha toda tentando colocar a xícara debaixo do bico da máquina de café. Quando olha para Maya, percebe, pela primeira vez, o quanto a prima está magra, a luz da manhã destacando as cavidades de suas bochechas. A queimadura é visível: uma linha de pele enrugada e derretida que sobe por sua panturrilha. Jo também tem uma cicatriz — irregular e redonda, no braço. A de Bea mal se nota, um borrão difuso na lateral de seu pé direito.

Recordações permanentes do incêndio que transformou a vida de Sofia para sempre.

Hana foi a única que escapou ilesa. Aquilo a fazia sentir-se culpada quando elas eram mais novas, mas, olhando para Maya agora, ela se pergunta se as pessoas não se concentraram demais nas cicatrizes externas em detrimento do que estava acontecendo por dentro. Na época, todos chegaram à conclusão de que Maya tinha lidado bem com aquilo. *Crianças se adaptam com facilidade*, dizia sua mãe, mas talvez ela estivesse apenas reprimindo sentimentos — os quais estavam se manifestando só agora.

— Mas chega de falar de mim. A gente não terminou nossa conversa de ontem. Como você está?

Hana fica tocada. Há muito tempo ninguém lhe pergunta como ele está, ainda mais de forma sincera. Ela dá de ombros.

— Tem dias ruins e dias não tão ruins. Eu acho... — Hana hesita, pensando em como colocar aquilo em palavras. — Eu acho que *a maneira* como aconteceu não ajuda, não ter todas as informações. Se eu soubesse, seria mais fácil de processar. — Do jeito que aconteceu, tudo que ela tem são projeções lúgubres e gráficas em sua mente.

O que se sabe ao certo: numa manhã ensolarada de abril, Liam foi pedalar sozinho na Floresta de Haldon. Ele estava na trilha mais difícil, e tentou vencer um obstáculo chamado Queda Livre, uma rampa de madeira que terminava muito acima do solo. Na investigação, concluiu-se que ele não conseguiu sequer chegar ao final da rampa, caindo da bicicleta diretamente sobre a própria cabeça. Ele quebrou o pescoço, fraturando a vértebra C6.

Morreu na hora.

— Bom dia.

Hana se vira, desperta de seus devaneios. Seth está parado na soleira da porta vestindo uma samba-canção estampada com palmeiras, seu cabelo escuro todo rebelde, eletrizado.

— A Jo ainda não voltou?

— Como assim? — diz Hana.

— Ela saiu pra correr, mas nem me mandou mensagem pra avisar. Geralmente ela faz isso.

— Correr, nesse calor?

— É o que ela gosta de fazer depois de uma noite de bebedeira. Normalmente ela posta fotos dessa "Jo acabada" a cada quilômetro nos stories, reclamando sobre como é ruim correr de ressaca. — Ele olha para o celular. — Só porque eu falei, ela não postou nenhuma até agora. Acho que dessa vez a bebida pegou pra valer...

— Ela deve ter saído bem cedo — murmura Maya. — Eu estou acordada desde as seis.

— Provavelmente — concorda ele, dando de ombros. — Mas achei que a essa altura ela já teria voltado. Tá na hora do café da manhã.

Maya se levanta.

— Preciso jogar uma água no corpo, mas fico pronta em quinze minutos, se todo mundo quiser esperar.

Seth faz que sim com a cabeça.

— Vou chamar o Caleb e mandar uma mensagem pra Jo, avisando que nós subimos.

Conforme todos deixam a sala, Hana fica sozinha com seu café. Está prestes a tomá-lo lá fora quando vê o caderno de desenho de Maya em cima da cadeira. Tomada pela curiosidade, Hana vai até ele. Coloca o café na mesa e começa a folhear, sempre de olho no corredor. Rascunhos da face da rocha, um menor que o outro. Uma ilustração em forma de boneca russa.

Ela segue folheando, mas as outras páginas estão em branco. Quando está quase fechando o caderno, hesita por um instante e encontra um desenho perto das últimas páginas. *Um retrato de Jo.*

Hana sente um calafrio. Embora Maya tenha desenhado Jo de maneira muito realista — o nariz ligeiramente encurvado, os lábios carnudos, a leve covinha em seu queixo —, ela percebe que a *maneira* como foi desenhada é estranha. Todos os traços estão carregados, como se Maya tivesse pressionado o lápis com tanta força contra o papel que ele quase atravessou a página.

O efeito era curioso: era como se ela tivesse capturado Jo, mas estivesse, ao mesmo tempo, tentando subjugá-la com seu lápis, domesticando sua imagem a cada linha e a cada traço.

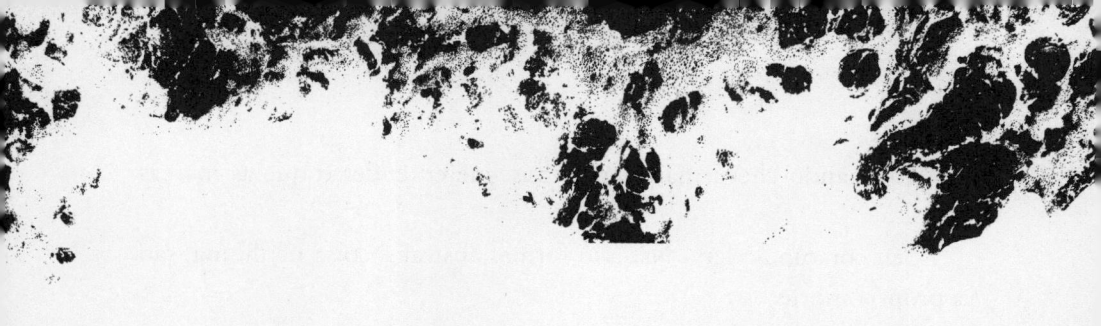

17

— Foi mal, eu não sabia que o Michael seria tão intenso — diz Farrah enquanto elas acompanham Justin pela trilha principal.

— Acontece. As pessoas costumam sentir essa necessidade de desabafar depois de passarem por algo assim, é uma maneira de lidar com o que viram. — Elin mantém o tom de voz sob controle, mas ainda está abalada enquanto escolhe suas palavras. — O que você achou do que ele disse, sobre alguém perambulando por aí?

Farrah balança a cabeça.

— Não faz sentido. Não dá pra ir até lá, não mais... — Ela interrompe o que está dizendo quando Justin para na entrada do prédio principal e as portas de vidro se abrem automaticamente.

Lá dentro é outro mundo. A área de recepção é linda, ampla e espaçosa, com um piso de madeira claro. O teto é de vidro e, à esquerda, uma das paredes também, iluminando bem o espaço.

A parede branca da direita é cortada abruptamente por painéis rosa-pastel do mesmo tom usado na área externa. Estes painéis dividem o espaço em duas zonas: uma área com cadeiras, de onde se consegue ver a rocha através do teto e da parede de vidro, e a recepção, do outro lado. Uma fileira de cactos enormes toma a parede dos fundos.

Elin foca na grande obra de arte em tapeçaria pendurada na parede atrás do balcão da recepção. É um padrão abstrato, redemoinhos coloridos que se entrelaçam com símbolos menores, parecendo marcas primitivas.

Só quando chega mais perto consegue entender o que as marcas são.

Seu coração acelera. Não são formas abstratas coisa nenhuma, são a própria morte.

Pequenas versões da rocha formando um padrão.

Elin continua encarando, desconfortável, à medida que vai enxergando cada vez mais delas — algumas tecidas na peça usando a mesma cor do fundo, camufladas.

Farrah olha na mesma direção.

— Lindo, não é? É de um artista britânico contemporâneo especializado em tapeçaria, e que estudou naquela escola que ficava aqui. É bem impactante vê-la aqui, não acha? — Ela olha para a parede de vidro. — De cara para a própria rocha.

Só então Elin presta atenção na tremenda formação rochosa acima dela, erguendo-se por cima do teto transparente e da parede de vidro. Aquilo lhe parece irreal. O tamanho da pedra, daquele ângulo, é muito opressivo; mais um metro e ela estaria dentro do prédio.

— Elin? Está tudo bem? Justin já está pronto para começar.

— Tudo bem.

Ela precisa forçar um sorriso enquanto Justin as conduz até uma sala no final do corredor.

— Já deixei tudo pronto.

Elin dá uma breve olhada ao redor. Múltiplas telas cobrem a parede dos fundos, cada uma exibindo uma imagem diferente do retiro. A sala está vibrando com um aroma familiar de escritório: o de café misturado ao cheiro plástico dos aparelhos eletrônicos.

Justin minimiza habilmente uma tela e maximiza outra.

— A câmera está posicionada na frente do prédio, virada para o pavilhão. Ela se move da esquerda para a direita — explica ele, os dedos se mexendo rapidamente pelo teclado. — Esta é a imagem ao vivo.

Elin reconhece imediatamente o pavilhão onde Leon está ajoelhado, examinando alguma coisa.

Os dedos de Justin flutuam sobre o teclado.

— Pra que horário eu volto?

— Vamos tentar por volta das onze da noite de ontem.

Ele começa a retroceder a gravação. A imagem é clara o bastante graças à iluminação externa, mas ainda possui a granulação e a nebulosidade de uma imagem noturna.

— Me peça pra parar se você vir alguma coisa.

Imagens se sucedem em alta velocidade na tela. Todas iguais; aquela mesma estática acinzentada.

11h00, 12h00, 12h30, 01h00…

— Espera… Eu vi alguém. Ali… — Elin aponta.

Justin volta a imagem e a reproduz na velocidade normal. No canto inferior esquerdo da tela, uma mulher aparece cambaleando na frente da câmera, trazendo alguma coisa pendurada na mão. Apesar da imagem mal iluminada, Elin tem certeza de que aquela é a mulher morta, o cabelo do mesmo comprimento, a mesma roupa.

A mulher para no meio do pavilhão de yoga e caminha em direção ao parapeito. Ela larga a echarpe em cima do corrimão e o tecido escorrega, caindo do lado de fora.

Alguns segundos depois, a câmera vira para a direita, de modo que ela não pode mais ser vista. Elin se inclina para a frente, frustrada, enquanto a imagem da câmera dá uma leve tremida e depois começa a voltar, devagar. Quando a mulher reaparece, está debruçada sobre o parapeito, como se estivesse se esticando para pegar a echarpe.

De repente, conforme ela se inclina ainda mais, seu pé começa a balançar de modo desajeitado no ar. É o suficiente para que ela comece a perder o equilíbrio e, assim que o movimento começa, não há mais como interrompê-lo. O peso de seu corpo e sua inércia a jogam por cima do parapeito, cabeça para a frente e pernas para o alto, seu rosto e seu corpo colados contra o lado de fora do painel de vidro.

Suas mãos ainda estão segurando o corrimão. Por um momento, Elin acha que a mulher talvez seja capaz de ajeitar o corpo, mas isso não acontece. Num segundo, sua mão direita escapa e a esquerda se transforma num estranho ponto de apoio, girando sobre seu eixo à medida que o corpo vai rodando ao seu redor, puxando suas pernas para baixo numa reversão completa da posição.

Elin prende a respiração e continua assistindo; é óbvio que a mulher não vai conseguir manter aquela posição por muito tempo.

E, enquanto observa a tela, tudo parece acontecer em câmera lenta. Aquela mulher lhe era uma estranha, mas, naquele momento, era como se Elin a conhecesse intimamente. Elin está dentro da cabeça dela, imaginando seu pânico, a sensação crescente de desespero enquanto sua mão vai escorregando por causa do suor e ela consegue sentir que está escapando.

O peso é demais para ela suportar. Ela cai.

Ninguém diz nada: eles permanecem olhando para o espaço vazio onde a mulher estivera. Um vazio acaba de se abrir e nenhuma palavra seria capaz de preenchê-lo.

18

O ar da manhã é estático, tomado pela fragrância almiscarada das flores. O grupo percorre sem pressa o caminho sinuoso de pedras em direção ao prédio principal, cruzando os finos raios de luz que conseguem atravessar os galhos compridos dos pinheiros.

A camaradagem embriagada da noite passada se dissipou e a estranheza é ressaltada pelos baixos níveis de açúcar no sangue e pela ausência do lubrificante social que é Jo. É quando a irmã não está lá que Hana consegue perceber o quanto ela preenche as lacunas que existem no grupo.

Seth fala sem parar enquanto eles fazem uma curva, pulando de um assunto para outro. Epicentros digitais. Uma viagem para São Francisco. Armas biológicas. Ele está falando rápido, como se aquilo fosse, de alguma maneira, ressuscitar a química entre todos, mas não é o que acontece. Eles caem no silêncio mais uma vez, cada um concentrado num som diferente: pássaros cantando. As vozes que escapam dos outros chalés. O som das sandálias de Maya no chão.

Maya engancha o braço no de Hana, sua pele surpreendentemente gelada.

— O Seth não gosta muito de ficar sem a Jo, né? — sussurra ela. — A gente nunca vê esse lado dele.

Hana faz que sim com a cabeça. Aquilo a deixa intrigada. Sempre achou que fosse Seth quem desse força a Jo, mas talvez seja exatamente o contrário. Sem ela, ele parecia perdido.

Maya vira a cabeça na direção dele.

— Ainda sem sinal da Jo?

— Deixa eu... — Seth apalpa a bermuda: bolso esquerdo, depois o direito. — Merda, deixei meu celular no chalé.

Todos param de andar.

— A gente espera. — Caleb dá de ombros enquanto Seth começa a descer de volta. — Sem pressa.

— Eu preciso mesmo mandar uns e-mails — diz Maya, começando a digitar uma mensagem no celular enquanto Hana a observa, mas ela percebe uma espécie de frustração em seus movimentos, um leve tremor na cabeça enquanto a prima escreve.

— O que foi? — Hana para ao seu lado.

Ela dá de ombros.

— O de sempre. Falta de trabalho. Se eu não conseguir alguma coisa logo, vou ter que me mudar para um apartamento ainda menor.

— O que houve com aquele trabalho para o qual a Jo te indicou?

Maya fica séria.

— Era temporário. Me chutaram de lá faz alguns meses já. Não apareceu mais nada desde aquilo.

Hana não conseguia entender a dificuldade que Maya tinha com trabalho. Ela era tão forte em todas as outras áreas da vida — escalava montanhas, tinha posições políticas muito firmes —, mas lhe faltava atitude quanto à própria carreira. Seu diploma em belas-artes nunca serviu para nada e, embora tenha trabalhado em diversas coisas, seu coração não parecia estar em nenhuma delas: atendente em galerias, auxiliar de biblioteca, assistente pessoal virtual.

Maya olha para ela.

— Han, vai na frente, pega uma mesa pra gente. Eu fico aqui esperando com o Caleb para o Seth não pensar que foi abandonado.

— Tá bem. Vou indo, então — responde, captando a mensagem. — Encontro vocês lá.

Sem pressa, Hana sobe pelo caminho. Embora seja difícil fazer aquilo no calor, sente um alívio no peito; como se um peso tivesse sido removido dali. Era horrível dizer aquilo sobre a própria família, mas ela sentia que conseguia respirar melhor quando estava sozinha.

Já no topo, ela vê um grupo de hóspedes em volta do pavilhão de yoga. Mais pessoas estão indo para lá, e ela estica o pescoço para tentar ver o que eles estão olhando.

Seus olhos absorvem tudo de uma vez: a fita azul e branca ao redor do pavilhão, o funcionário solene do LUMEN parado à sua frente, mas o que mais chama sua atenção é um objeto colorido.

A única coisa colorida em contraste com o tom neutro e claro do piso do pavilhão.

Há um momento de estranheza quando seus olhos focam e depois desfocam do saco plástico amassado com o tecido em cores berrantes dobrado dentro dele. Ela sente a temperatura do corpo aumentando, não só pelo sol que bate em seu rosto, mas também pela conclusão à qual está chegando.

É a echarpe que Jo estava usando na noite anterior, aquela que a mãe delas havia trazido de uma viagem para a Ligúria. Vibrante, com cores berrantes que pareciam manchas de tinta.

Mas por que estaria ali?

Ela vê um homem ao lado do tecido, vestindo um daqueles trajes brancos enrugados.

É então que tudo se encaixa em sua cabeça. O homem, a fita azul e branca e o tecido dobrado dentro do saco. Ela sente náuseas e sua cabeça fica pesada, como se a ilha tivesse, de repente, se transformado num barco, e o chão estivesse em movimento.

Hana respira fundo uma vez, depois outra, sente que está perdendo o equilíbrio e acaba abrindo os braços para recuperá-lo. Ela registra que naquele momento a boca do homem está se abrindo, dizendo alguma coisa, mas não consegue ouvi-lo. Só as gaivotas que gritam lá no alto e o sangue que corre por dentro de seus ouvidos.

Hana faz um movimento brusco para a frente, na direção do pavilhão.

Dois passos e ela escorrega. Seus calçados, as sandálias gladiadoras que escolheu porque havia algo de jovem e descolado nelas, têm um solado completamente liso. É como se a fina camada de areia na trilha fosse óleo. Ela abre as pernas de uma maneira estranha e cômica, a perna esquerda estatelada à sua frente.

Ao se recompor, começa a se mover novamente, abrindo caminho por entre a multidão aglomerada na frente do pavilhão. O funcionário que faz a segurança estica o braço para detê-la, mas Hana joga todo o peso de seu corpo para a frente e o supera. Com movimentos rápidos, ela entra no pavilhão, meio andando e meio correndo na direção do homem de traje branco perto do parapeito na outra ponta. Ele se vira, arregalando os olhos com a surpresa.

Ele levanta a mão, a boca se movendo em câmera lenta.

— Não — diz ele, e aquilo reverbera na cabeça de Hana de uma forma grandiosa, impactante e exagerada, como se estivesse ouvindo debaixo d'água.

Somente quando seus olhos identificam as setas desenhadas no vidro é que tudo faz sentido.

Ela anda na direção do parapeito e se debruça, pressionando a cintura contra o vidro, para olhar para as pedras lá embaixo. Seus olhos passam por um homem e uma mulher em trajes brancos e chegam até um corpo estirado no chão.

Vestido preto, cabelo claro esparramado contra a rocha.

Hana sente que está perdendo o ar.

Em sua cabeça, ela está esperneando e gritando como uma criança, soltando urros que fariam sua garganta doer.

Quando finalmente consegue respirar, o ar sai na forma de um suspiro.

Ela está morta. Sua irmã está morta.

19

Elin rompe o silêncio:

— Vou precisar de uma cópia dessa gravação.

Não apenas para o arquivo do caso, pensa ela, mas para examinar melhor a queda. Alguma coisa nas imagens deixou uma pulga atrás de sua orelha, mas ainda não sabe dizer o que é. Talvez…

Ela não consegue concluir o pensamento. Ouve um clique alto.

A porta se abre e um funcionário do retiro entra na sala, visivelmente abalado.

— Farrah, desculpe incomodar — diz ele, trêmulo —, mas tem uma mulher, lá fora, no pavilhão de yoga. Ela está gritando.

A mulher de cabelo escuro no chão ao lado de Leon está se abraçando, os joelhos encostados no queixo. Seu cabelo é uma bagunça indefinível derramada sobre seu rosto, escondendo suas feições.

Elin tem uma sensação perturbadora e terrível ao calçar o protetor nos pés e passar por debaixo do cordão de isolamento. Mais de perto, pode ver que os joelhos da mulher estão esfolados e sangrando, fragmentos de cascalho e areia salpicando as feridas. Ela está abraçada ao saco que contém a prova, seus dedos apertando com tanta força que o plástico está quase rasgando. Essa visão faz Elin pensar numa criança que se recusa a largar seu cobertor favorito.

Agachado ao lado dela, Leon está falando baixinho, provavelmente tentando persuadi-la, de alguma forma, a soltar a echarpe, mas a mulher não responde. Quando ela levanta a cabeça e o cabelo sai da frente do seu rosto, seus olhos estão cristalizados num vazio que incomoda Elin.

O olhar que Leon lança para Elin é de desespero.

— Foi mal, não consegui impedir. Ela passou correndo pelo funcionário de guarda ali na frente e pelo cordão de isolamento.

— Tudo bem. Eu assumo daqui — diz Elin, se agachando ao lado da mulher. — Olá — cumprimenta ela, com delicadeza. — Sou a detetive Warner. Você sabe o que está dentro desse saco ou a quem ele pertence?

A mulher levanta o olhar.

— É uma echarpe. Da minha irmã. — Sua voz sai tão baixa que Elin tem dificuldades para ouvi-la. — Minha mãe trouxe para ela da Itália. — A voz se esfacela. — Eu olhei lá pra baixo. É a minha irmã.

Elin assente, sentindo gotas de suor brotando em sua testa.

— Olha, vamos tirar você daqui pra podermos conversar melhor, mas, antes disso, você poderia me dar esse saco? É importante que o que está dentro seja preservado, para tentarmos entender o que aconteceu.

A mulher balança a cabeça sem dizer uma única palavra e lhe entrega o saco. Depois de passá-lo para Leon, Elin ajuda a mulher a se levantar e começa a conduzi-la pelo pavilhão. Elas estão quase se abaixando para passar pelo cordão de isolamento quando ouvem uma voz.

— Hana? O que aconteceu?

Elin levanta o olhar. Uma mulher escultural, de cabelo claro, avança em sua direção a longas passadas, um celular na mão. Está vestindo roupas esportivas — um short de corrida num tom forte de azul e uma regata preta. A faixa azul-marinho que mantém seu cabelo longe do rosto está empapada de suor.

— Han? — repete a mulher. — O que foi? — Ela se aproxima, fazendo menção de entrar no pavilhão, mas se detém quando vê a fita.

— Infelizmente, houve um acidente — responde Elin. — Uma pessoa caiu do pavilhão. Hana acha que é a irmã dela.

— É ela, eu sei que é. — Hana olha para o parapeito às suas costas. — Jo, é a Bea.

— Bea? — Os tênis de Jo marcam um ritmo nervoso no chão. — Isso é impossível.

Desta vez um pouco mais alta, a voz de Hana sai trêmula:
— É a Bea.
Jo passa a mão no braço de Hana.
— Mas a Bea está nos Estados Unidos. Você sabe. — Ela se volta para Elin, abaixando a voz: — Desculpe, minha irmã passou por um episódio traumático recentemente. É provável que ela esteja em choque, confusa depois de ver essa pessoa...
— Eu *sei* que é ela. — A voz de Hana segue trêmula quando a mulher aponta para o saco plástico que contém a prova ao lado de Leon. — Aquela é a echarpe dela, igual à sua... Aquela que a mamãe comprou para vocês duas. Eu a vi lá nas pedras. É a Bea. Ela está morta. — A voz oscilante se transforma num choro baixinho.
Elin espera pela reação de Jo, mas era como se ela não tivesse escutado as últimas palavras da irmã.
— Olha, vamos falar com o Caleb — diz ela, se dirigindo a Elin. — Ele é o namorado da Bea. Provavelmente falou com ela hoje de manhã. Ei, Caleb! — chama ela.
Elin analisa o grupo que contorna o pavilhão. Uma turma diversa; uma mulher pequena, magra e de cabelo escuro acompanhada por dois homens. O mais alto tem a pele escura e uma barba cerrada, o outro, mais baixo, está de boné. Todos parecem incomodados ao perceberem o cordão de isolamento, Leon e seu equipamento.
— O que está acontecendo? — pergunta a mulher que se aproxima, parando.
Ela é baixinha, porém tem um corpo esguio e musculoso. *Pratica escalada*, chuta Elin, reparando nas mãos cheias de calos e no short folgado da Patagonia.
— Uma pessoa caiu. Um acidente horrível — explica Jo, então faz uma pausa. Ela se esforça para dizer aquelas palavras com calma, com uma solenidade que, de alguma forma, sugere que elas dizem exatamente o contrário; uma espécie de condescendência que diz: *Riam enquanto eu conto essa coisa ridícula.* — A Hana acha que é a Bea. — Ela se vira para Elin e faz um gesto na direção de Caleb. — Este é o Caleb, o namorado da Bea. Você falou com ela hoje, não falou?

Caleb abre a boca para falar e a fecha logo em seguida.

— Bom, para falar a verdade, não, não falei — informa ele, bem devagar. — Mas ela me mandou uma mensagem ontem à noite, quando a gente estava voltando da praia. — Ele puxa o celular do bolso e dá um toque na tela. — Disse que tinha acabado de jantar e estava voltando para o hotel. — Sua voz se suaviza. — Então, está tudo bem com ela, Han. Seja lá quem for a pessoa que tenha caído, não foi a Bea. — Ele para por um segundo e então diz: — Olha, deixa eu ligar para ela. Isso vai tranquilizar você. — Então ele toca a tela, leva o celular até a orelha e fica ouvindo o som de discagem, bem baixinho. A tensão é palpável enquanto o celular continua tocando, mas, após alguns segundos, ouve-se um zumbido. — Caiu na caixa postal.

— Caleb, tem a diferença de fuso, cara — diz, de um jeito meio atrapalhado, o homem mais alto. — Ela deve estar dormindo.

— Bom, se Bea estiver, Della, sua assistente, não estará. Ela está no Reino Unido.

Em seguida, Caleb afasta-se alguns passos, agitado, teclando novamente no celular. Enquanto ele anda de um lado para o outro, Elin fica ouvindo-o falando baixinho. Sua fala é muito lenta e deliberada. Ela não tem certeza se ele está tentando retardar o momento ou se é apenas a maneira habitual de Caleb falar.

Quando ele retorna, alguns segundos depois, com o celular ainda na mão, Elin percebe que seu olhar vai na direção do parapeito.

— Ela... — Ele para e se recompõe. — A Bea nem chegou a ir para os Estados Unidos. Ela cancelou a viagem ontem.

Suas palavras têm o mesmo efeito de um abalo sísmico. A expressão do grupo muda da descrença para o horror. Jo balança a cabeça.

— Eu mesma vou confirmar isso — diz ela, entrando rapidamente no pavilhão e passando por baixo do cordão de isolamento.

— Não — tenta impedir Elin, mas a outra é mais rápida.

Em três ou quatro passos, Jo está no parapeito. Quando ela volta, alguns instantes depois, seu rosto está inteiramente vermelho.

— Você tinha razão, Han. É... — Ela para, as lágrimas começando a escorrer. — É a Bea.

20

Elin escolheu conversar com os Leger em uma mesa num canto da varanda do restaurante, com vista para uma piscina praticamente deserta. Olhando para o fundo de vidro debaixo de toda aquela água e para as pedras pontiagudas lá embaixo, seu estômago se revira: *ela jamais confiaria naquele vidro.*

Enquanto espera que todos se acomodem, vai tirando o caderno de dentro de sua bolsa. O garçom traz uma jarra d'água e alguns copos e os coloca ao seu lado.

Jo se joga sobre eles.

— Han, toma aqui. — Ela empurra um dos copos vazios pela mesa, mas Hana não responde, está destroçando um lenço em suas mãos, gerando fragmentos brancos que flutuam até a mesa.

Elin pigarreia.

— Obrigada por conversarem comigo. Eu sei que é difícil, num momento como este, mas é importante para que eu entenda um pouco mais sobre a Bea, principalmente porque vocês não sabiam que ela estaria aqui.

— É claro. — Os olhos de Caleb, agora inchados de choro, encontram com os seus. — A Bea devia estar trabalhando esta semana nos Estados Unidos. Ela é advogada corporativa em Londres, mas sua firma tem um escritório em Nova York.

Elin assente, levemente abalada pela dicção impecável dele, que, por algum motivo, destoa da emoção em seu rosto.

— Ela planejava viajar com vocês, originalmente?

— Sim. — Jo gira seu celular sobre a mesa. — Essa viagem era pra ser uma coisa de família, com nossos parceiros. Fazia tempo que não nos encontrávamos.

— E de quem foi a ideia da viagem?

— Minha — assume Jo. — Bom, fui eu que organizei depois que alguém deu a sugestão, e achei que seria uma boa ideia. Então, como sou influencer, entrei em contato com o marketing do LUMEN e eles me convidaram para vir até o retiro. E aí eu convidei o restante do pessoal.

— Quando a Bea cancelou?

Jo fica reflexiva.

— Faz algumas semanas. Disse que tinha uma viagem de trabalho da qual não conseguiu se livrar, mas que o Caleb viria mesmo assim, para que a gente pudesse passar um tempo se conhecendo melhor.

Elin assente.

— E não houve nenhum sinal de que a Bea havia mudado de ideia? Nenhuma mensagem que talvez vocês não tenham visto?

— Não. Ela chegou a me dizer que o avião tinha pousado nos Estados Unidos no horário — informa Caleb. — A gente ficou em contato, trocando mensagens desde que ela chegou lá. — Então ele se corrige: — Desde que eu *achei* que ela tinha chegado lá. Como eu disse, ela chegou a me mandar mensagem ontem à noite. A gente estava na praia, mandou uma foto do grupo. Ela não atendeu à ligação, mas respondeu com uma mensagem. — Ele dá alguns toques em seu celular e o vira para mostrar à policial. — Olha. Isso foi... — Ele confere a tela. — Onze e três... a gente tinha acabado de voltar para o chalé. — Em seguida, ele vira o celular na direção dela mais uma vez.

Elin olha para as mensagens, assentindo.

— E depois disso, ninguém saiu de novo do chalé?

— Não — respondem os outros, balançando a cabeça.

Ela se vira para Caleb.

— E quando foi a última vez que você falou com a Bea?

Uma pausa.

— Não falo com ela desde quinta, quando ela viajou — responde ele, fazendo pausas. — Isso é comum quando ela viaja a trabalho. A gente não sente a necessidade de ficar falando o tempo todo um com o outro, ainda mais quando é uma viagem curta.

Elin faz sinal de que compreende, aquela sensação de incômodo crescendo cada vez mais. A queda de Bea foi um acidente, a gravação da câmera de segurança deixava isso bem claro, mas Elin está achando muito estranho o fato de que ela não *deveria* estar naquela ilha.

Por que ela viria sem avisar para ninguém? Com que intenção?

Só consegue pensar numa coisa, embora aquilo pareça impossível: Bea teria que ter, pelo menos, avisado ao retiro. Mas, ainda assim, decide verbalizar aquele pensamento, avaliar a reação deles.

— Seria possível que ela tenha pensado em fazer algum tipo de surpresa?

— Não — responde Hana de imediato, a primeira coisa que ela dizia desde que eles haviam se sentado. — Esse não é o estilo da Bea. Ela planeja as coisas.

— A Hana tem razão — concorda Caleb. — E por que ela se daria a todo esse trabalho?

Um silêncio pesado se estabelece e, enquanto olha para eles, Elin percebe o pescoço de Jo ficando vermelho.

— Na verdade, eu acho possível que ela tenha pensado em fazer uma surpresa, sim — diz Jo, numa voz baixa. — Talvez como um gesto.

— Um gesto? Não entendi... — Caleb se vira e olha para ela.

Faz-se um novo silêncio pesado, o qual Elin sabe muito bem que não deve tentar quebrar.

— Quando ela me disse que não vinha... — A voz de Jo está tensa e contida. — A gente teve uma conversa bem complicada. Eu tinha passado um tempão planejando isso aqui. Tinha organizado tudo, o que não é fácil, e ela foi lá e simplesmente desistiu, do nada. Eu fiquei chateada, senti como se ela não desse a mínima para todo o esforço que eu tinha feito...

Seth coloca a mão em seu braço.

— Jo, agora não...

— Não, mas foi assim que eu me senti. Quando a gente conversou, eu acabei esfregando algumas verdades na cara dela.

— Tipo quais? — questiona Hana, a voz alta, incontida.

— Eu só disse que ela precisava definir direito as prioridades da vida dela. Colocar a família em primeiro lugar. — Ela hesita. — Não olha assim pra mim, Han. É verdade. Nós não somos prioridade para ela, principalmente a mamãe e o papai. A quantos compromissos de família ela já faltou? O aniversário do papai no ano passado...

— Então, você acha que ela pode ter vindo para tentar fazer as pazes com vocês? — interrompe Elin, ao perceber que os ânimos estão ficando exaltados.

Jo faz que sim firmemente com a cabeça.

Elin se prepara para fazer uma nova pergunta, mas logo para: Farrah vem andando em sua direção.

Quando chega até a mesa, a cunhada se inclina e murmura em seu ouvido:

— Perdão por interromper — começa ela. — Mas acho que descobrimos como Bea Leger veio parar na ilha.

21

Ela pede licença e vai com Farrah até uma mesa a cerca de um metro de distância, onde um funcionário do retiro as espera.

— Este é o Tom, um dos instrutores de esportes aquáticos — apresenta Farrah.

A gerente sorri para ele de forma encorajadora, e Tom cumprimenta a detetive com a cabeça, dando um olá constrangido enquanto passa a mão pelo cabelo preto.

— Me desculpe, eu teria vindo antes, mas hoje não estou nesse turno. Acabei dormindo até mais tarde — explicou.

Parece óbvio que ele se vestiu com pressa. Sua camisa azul está abotoada da forma errada, e a bermuda cáqui está sem cinto, caindo de sua cintura.

— Sem problema. Você pode me dizer o que sabe?

Tom coloca os óculos escuros na cabeça e assente. Elin chuta mentalmente sua idade jogando um pouco para cima: deve ter uns 35, pelas rugas finas em volta dos olhos.

— Bea e eu nos conhecemos na faculdade. Estudamos juntos. Uns meses atrás, ela me disse que vinha para cá. Achei uma boa coincidência. Estava ansioso para nos revermos.

— E você sabia que ela havia cancelado a viagem?

— Sabia. Ela entrou em contato comigo algumas semanas atrás e me explicou que tinha desistido da viagem por causa do trabalho, mas disse que o resto da família ainda viria. Nem pensei mais nisso até que ela me mandou uma mensagem ontem, bem cedo, dizendo que tinha mudado de ideia. Ela me perguntou se eu poderia ajudá-la, me disse que queria aparecer sem avisar a ninguém e fazer uma surpresa para a família.

Mandou uma mensagem para ele ontem. Será que isso significava que aquela havia sido uma decisão de última hora ou ela só foi contar para Tom quando já estava a caminho da ilha?

— O que exatamente ela pediu para você fazer?

— Buscá-la e colocá-la para dentro. — Ele olha para Farrah, constrangido. — Foi uma péssima ideia, eu sei, mas a primeira coisa que ela faria ao chegar seria preencher o check-in e, como antes a Bea tinha uma reserva, eu sabia que ela teria onde ficar...

— Quando você a buscou? De manhã? Mais para a tarde?

Ele franze a testa.

— De noite, por volta das oito. Eu atraquei numa das caverninhas menores para que ninguém nos visse chegando, e dali nós fomos direto para uma sala de reunião no prédio principal.

— Ela disse a você por que não quis ir imediatamente ao encontro da família?

— Disse que a viagem tinha sido muito longa e que precisava beber alguma coisa para relaxar e botar a conversa em dia.

— Quanto ela bebeu?

— Não muito. Uns dois ou três drinques. Acho que ela não percebeu que estava ficando tarde — responde Tom, observando o mar, seu olhar indo automaticamente para um grupo praticando *stand up paddle*. — Mas ela não estava bêbada, se é o que você está me perguntando.

— E você não notou nada de estranho no comportamento da Bea?

Ele dá de ombros.

— Para mim é difícil dizer. Eu não sou muito próximo dela, não mais. Já faz muito tempo desde a faculdade. A gente só se falava de vez em quando, pelas redes sociais.

Elin aquiesce.

— Mais ou menos a que horas vocês pararam de beber?

— Umas onze e meia. Ela disse que ia até o chalé, fazer uma surpresa para eles. Eu indiquei a direção e depois disso ela foi.

Onze e meia. Ela havia sido gravada pelas câmeras por volta de uma da manhã. O que Bea fez entre o momento em que se despediu de Tom e sua queda? Pelo que a família tinha dito, ela nunca chegou até o chalé.

— Ela levou a mala junto com ela?

— Imaginei que sim. — Ele franze a testa. — Vocês não a encontraram?

— Não.

— Talvez ainda esteja na sala de reunião. — Ele inclina a cabeça na direção do prédio principal. — Eu posso mostrar onde fica.

— Por favor — agradece Elin, começando a empurrar sua cadeira para trás.

— Espera — diz Tom. — Antes de irmos, só mais uma coisa: quando você me perguntou se não notei algo de estranho… só agora estou me dando conta. Um pouco antes de ir embora, ela recebeu uma mensagem no celular. Disse que precisava ligar para uma pessoa. Dei privacidade para que fizesse a ligação, mas ela pareceu bem nervosa.

Elin fica ruminando o que ele disse com uma persistente sensação de incômodo.

Não consegue parar de pensar que tem alguma coisa faltando nessa história, uma parte vital da narrativa.

22

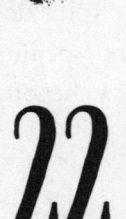

Hana observa enquanto Jo caminha na direção de Seth e Caleb, os dois de pé, ao lado do bufê do café da manhã, empilhando pães e doces grudentos em seus pratos, se servindo, ainda que ninguém quisesse. Tinha sido por insistência de Seth. *Vocês têm que manter a energia lá em cima.* Mas ela sabe que não tem nada a ver com isso, que não passa de uma distração. Uma maneira de evitar processar o que aconteceu.

Hana não pode culpá-lo. Ela também não está conseguindo processar: *A Bea está morta. A Bea estava aqui, nesta ilha, e agora está morta.* Nada daquilo parece real.

— Não consigo parar de pensar nisso, Han — diz Maya, girando o anel de prata em seu dedo. — Como ela deve ter se sentido caindo daquele penhasco. Quando eu estou escalando, às vezes tenho essa sensação, como se eu fosse cair a qualquer momento. Faz parte da adrenalina da coisa, mas, do jeito que foi, ela deve ter sentido muito *medo*.

A voz da prima falha. Hana segura a mão dela.

— Eu sei, não gosto nem de imaginar — diz.

Mesmo assim, é o que está fazendo: imagens horrivelmente explícitas ocupam sua mente. O momento em que Bea cai, em que sua irmã percebe que está despencando em direção ao nada. Um soluço lhe sobe pela garganta.

— Não é só a queda. — Os olhos de Maya também estão repletos de lágrimas. — Eu não consigo entender essa história de ela estar aqui e a gente não saber. Não é do feitio dela fazer algo assim.

É verdade. Bea não era espontânea, nunca havia sido. Desde criança, sempre foi muito organizada, quase a ponto da obsessão: as canetas arrumadinhas, a mochila pronta, sempre deixada ao lado da porta na noite anterior.

Hana tira um lenço limpo da bolsa e respira fundo.

— Mas você ouviu o que a Jo disse, sobre ter brigado com ela. Talvez ela tenha se sentido culpada mesmo, e aí tentou fazer uma surpresa pra gente.

— Talvez. — Maya não parece convencida. — Eu... — Ela para no meio da frase, como se estivesse tendo dificuldades para formular o que quer dizer.

— O que foi?

— É só que — retoma, por fim, secando os olhos. — Eu acho que alguém está mentindo sobre o que aconteceu ontem à noite.

— Mentindo sobre o quê? — inquere Hana, baixinho.

— Sobre não ter saído do chalé. — As palavras saem rapidamente, como se Maya estivesse querendo se livrar delas. — Alguém saiu. Eu ouvi.

— Mas todo mundo disse que... — Hana repassa o momento em sua cabeça, as respostas negativas à pergunta da detetive.

— Eu sei. Mas alguém saiu. Eu tenho certeza.

— Quando?

— Mais ou menos uma hora depois que a gente voltou... Meia-noite e quinze, por aí. Eu ainda estava mexendo no celular quando ouvi a porta. Olhei pela janela e vi alguém andando pelo caminho que passa na lateral do chalé. Não consegui identificar o rosto, estava muito escuro. — A voz de Maya fica um pouco mais alta. — Mas, sem nenhum pingo de dúvida, foi a nossa porta que abriu. Alguém saiu do chalé, Han, tenho certeza disso.

23

A mala prateada de Bea é elegante e parece cara, compacta o suficiente para ser levada a bordo, acondicionada no compartimento superior de bagagens de mão.

Cuidadosamente posicionada debaixo da longa mesa de madeira da sala de reunião, é a única coisa que destoa no ambiente. Apesar da conotação oficial, a sala compartilha da mesma atmosfera relaxada do resto do retiro. É difícil imaginar Bea ali depois do que Elin descobriu sobre ela; arrastando aquela mala de rodinhas, preparando-se para fazer uma surpresa para a família, cheia de vida.

Elin coloca luvas de látex, levanta a mala e a coloca em cima da mesa. Vasculhando seus conteúdos, se depara com itens tradicionais de viagem. Várias saídas de praia feitas de seda, com pouco tecido, decotes generosos, fendas nas laterais. Elin reconhece imediatamente aquela estampa chevron das revistas — Missoni. Bem cara. Percebe-se logo que o restante das roupas também é caro: uma mistura meio hippie de blusinhas de tricô com saias de algodão texturizado e shorts.

Aquilo lhe dá mais informações sobre quem Bea era como pessoa. Uma mulher bem-sucedida e organizada. No controle.

Ainda assim, algo a incomoda. Elin vasculha a mala mais uma vez. Então, percebe: nenhuma roupa de banho. Por que alguém viria a um retiro como esse e não traria roupas de banho? Pode ter sido um descuido, mas também pode sugerir que Bea fez as malas às pressas, e estava, de alguma forma, distraída.

Ela então pensa em como Bea avisou a Tom apenas ontem que estava vindo, e na ligação que ele a entreouviu fazendo. Repassa tudo aquilo na cabeça, novamente atormentada pela sensação de que existe uma outra narrativa correndo em paralelo ao que ela já sabe.

A essa altura, não há como dizer se é importante para o caso ou não, mas é algo que a está incomodando.

Elin coloca todas as roupas de volta ao devido lugar, peça por peça.

Está quase acabando quando ouve seu celular apitar: uma mensagem de Rachel.

Terminamos por aqui. Você pode descer quando terminar aí?

Elin digita uma resposta e está prestes a fechar a mala quando nota uma agenda dentro da rede que fica na parte interna da tampa da mala. Pela aparência gasta, é evidente que foi bem usada. Bea, assim como Elin, ainda prefere o papel ao digital quando se trata de fazer anotações.

A detetive folheia as páginas, seu olhar indo direto para o calendário. Está meticulosamente preenchido, com uma letra bonita e definida, exceto pelos últimos dias, em branco. Seguindo adiante, encontra anotações de inúmeras reuniões. Só quando chega à última página é que Elin encontra algo que captura seu interesse: dois sites.

Não são os sites em si que chamam sua atenção, mas a maneira como foram escritos. A letra, garranchada, foge totalmente do estilo organizado que aparece no resto da agenda, e os endereços estão escritos em diagonal na página, sublinhados diversas vezes.

Com certeza é a caligrafia de Bea, pensa ela, comparando o formato das letras.

www.fcf1.com, www.localhistory.org

Elin tira uma foto com o celular e coloca a agenda de volta em seu lugar.

Tanto os sites quanto a distração na hora de fazer a mala talvez não signifiquem nada, mas, mesmo assim, Elin começa a sentir alguma coisa ganhando vida — aquela sensação de movimento que se manifesta quando um monte de perguntas acumuladas começam, finalmente, a ser respondidas.

24

— Bom — Rachel enfia a câmera na bolsa —, acho que já fiz tudo o que podia do ponto de vista forense — informa, sua voz impregnada pelo tipo de cansaço que só é provocado pela concentração extrema.

Os olhos de Elin percorrem mais uma vez o corpo de Bea. Talvez seja sua imaginação, mas ela consegue sentir o cheiro do sangue no ar começando a putrefazer, tornando-se um odor metálico e almiscarado. Seu estômago se revira.

— Algum sinal de um celular? — pergunta ela a Steed, pensando na ligação que Bea fez quando Tom a deixou a sós na sala de reunião.

Rachel tira o capuz, revelando o cabelo molhado e uma marca na testa deixada pela roupa.

— Não parece que ela estava com nada quando caiu, a menos que tenha sido levado pelo mar. Mas é improvável, considerando o local onde o corpo foi encontrado. Leon não encontrou nada?

— Não. Eu achei a mala dela, mas o celular não estava lá.

— Provavelmente ela estava com ele, né? — Steed se aproxima.

Ele também está todo vermelho agora, uma queimadura de sol se formando em seu rosto. Ele alonga o corpo, sua camisa manchada de suor.

— É o que eu acho também. Nenhum outro sinal de nada? Leon encontrou uma marca na grama na beira do penhasco. Suspeitamos que ela pode ter derrubado algum objeto, que pode ter caído junto com ela.

— Não que eu tenha visto, desculpe. — Rachel está tirando seu traje. — O Leon terminou?

— Terminou. Ele está guardando as coisas.

— Você está satisfeita com tudo? — murmura Steed.

— Mais ou menos. As imagens da câmera de segurança são bem conclusivas. Apontam mais para um acidente do que para algo mais sinistro, só que tem algumas coisas me incomodando em relação aos motivos para ela estar aqui. Preciso de tempo para pensar nisso.

— Faz sentido. E o que você vai fazer em relação à cena do crime?

— Já podemos liberar. Vamos mandar o corpo para o necrotério. Vou passar tudo para a inspetora-chefe agora mesmo. Se ela concordar, eu chamo o barco da polícia.

Liberar a cena do crime era uma decisão muito importante, mas eles haviam coletado todas as evidências necessárias que não tinham ligação com os motivos de Bea estar ali. Steed assente.

Elin começa a voltar pelas pedras, mas, dessa vez, enquanto navega pela superfície irregular, ela vai mais devagar, como se estivesse se arrastando no meio da lama. Seu estômago ronca. Ela olha para o relógio: já passou muito da hora do almoço. Precisa comer e beber alguma coisa.

Ao chegar à areia, ela caminha em direção a uma sombra formada por uma rocha saliente da falésia.

Está quase tirando o celular do bolso quando se detém. Uma mulher vem andando a passos largos em sua direção, num ritmo irregular, lutando contra aquela areia fofa. *Hana.*

Ela para na frente de Elin e começa a puxar o vestido, nervosa.

— Queria falar com você a sós. — Seu cabelo está separado em dois chumaços generosos que pendem ao lado de suas bochechas, realçando o formato oval de seu rosto. — Eu sei que o que aconteceu com a Bea foi um acidente, e que isso provavelmente não é relevante, mas eu nunca me perdoaria se não dissesse nada. Numa situação como essa, é importante dizer tudo, mesmo que pareça idiota, não é?

— Mas é claro. Você quer se sentar em algum lugar primeiro? — pergunta Elin, apontando na direção de uns pedregulhos num canto da praia. — Ficar na sombra?

Mas Elin ainda nem tinha conseguido sacar seu caderninho quando Hana começou a falar:

— Minha prima, Maya, acha que alguém saiu do chalé ontem à noite. Quando você nos perguntou sobre isso, alguém... — Ela para, sem conseguir dizer a palavra.

— Alguém mentiu — Elin termina a frase para ela.

Hana faz que sim. Ela hesita por um instante antes de olhar para a policial, sua expressão nebulosa.

— Sabe, eu sempre achei que essa viagem era uma péssima ideia desde o começo. Tudo que eu tinha ouvido sobre essa ilha, os assassinatos, os rumores sobre aquela escola...

O coração de Elin dispara.

— Como assim?

— Um amigo do pai da Maya trabalhou na escola por um tempo. Não ficou muito. Ele disse a ela que este lugar não era nada legal. — Sua expressão fica carregada enquanto olha ao redor. — Agora que estamos aqui, eu entendo exatamente o que ele quis dizer.

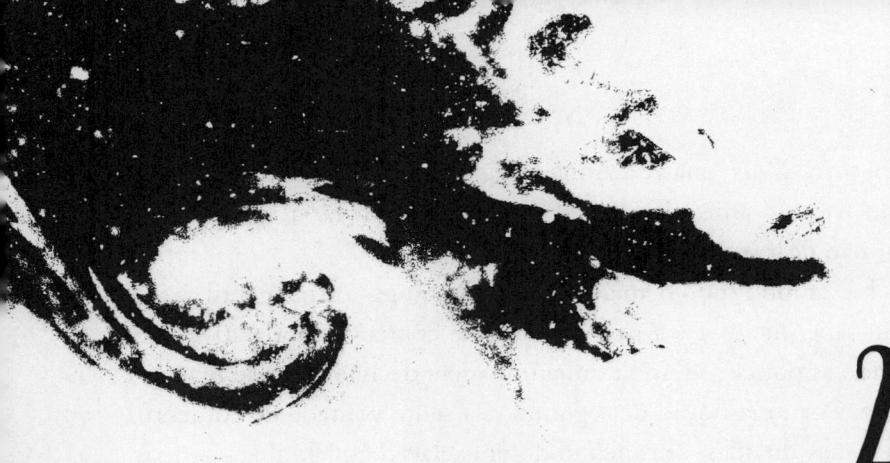

25

— As imagens das câmeras são claras? — O guincho medonho de uma gaivota lá no alto quase abafa as palavras de Anna.

— São, sim. Ela se debruçou sobre o parapeito para pegar a echarpe. Perdeu o equilíbrio. — Elin olha para a areia, aquele tom de branco puxado para o dourado, e a faixa de água brilhosa atrás dela. — Ao que parece, ninguém mais está envolvido. O Leon acha que a perícia no vidro corrobora com essa tese, mas só poderemos confirmar assim que tivermos certeza de que as digitais são dela.

— Álcool?

— É possível, mas precisamos esperar o resultado do exame toxicológico. Consegue pensar em algo que eu esteja deixando escapar ou posso liberar a cena?

— Não, acho que você cobriu todos os pontos. — Uma pausa. — Elin, tem mais alguma coisa?

Ela sempre esquece o quanto Anna a conhece bem.

— Alguma coisa não está batendo. Não é a queda em si, mas o motivo para ela ter vindo até o retiro. Se estiver tudo bem por você, talvez eu passe o fim de semana por aqui.

— Você quer que o Steed fique também?

— Para me dar um apoio moral?

— Se quiser pensar assim… Eu sei que te joguei em uma situação e tanto.

Elin sorri. Mais uma vez, Anna havia se antecipado. Ela nem havia pensado naquilo antes de a chefe mencionar, mas fazia sentido. Era melhor não ficar sozinha.

— E está indo tudo bem até aqui? — pergunta Anna, gentil.

Elin sabe que essa é a maneira dela de conferir se a detetive está segurando as pontas, se Anna tinha tomado a decisão certa de mandá-la até lá. Por uma fração de segundo, ela sente vontade de confessar tudo — suas dúvidas, seu incômodo em relação àquela ilha —, mas acaba dizendo:

— Tá tudo bem, de verdade.

O ruído monótono de um motor a faz olhar para cima. Consegue identificar a silhueta difusa do barco da polícia ao longe, acelerando em direção à ilha.

— Anna, eu preciso ir. O barco chegou.

Conforme se aproxima das pedras, o bote vai reduzindo a velocidade, cada pessoa dentro dele ficando mais visível.

Com uma expressão determinada no rosto, a detetive começa a andar de volta na direção de onde veio.

A breve estadia de Bea Leger na ilha está chegando ao fim.

O zíper do saco mortuário produz um som excruciante em meio ao ar estático, um rangido agudo enquanto um dente engancha em outro. Na metade do caminho, o zíper emperra. A mão de Rachel treme enquanto puxa e tenta novamente, levando o fecho para a frente e para trás. Uma nova faixa de suor brota em sua testa.

Steed fica trocando o peso de uma perna para a outra, impaciente. Ela vê que o parceiro está louco para interferir e resolver aquilo de uma vez.

Elin vira de costas, sua boca seca. Odeia essa parte: a impessoalidade de se fechar o saco mortuário, a transferência eficiente do cadáver até o necrotério.

Eles observam, em silêncio, os dois policiais carregarem Bea das pedras até o bote. Com a tarefa concluída, Rachel segue o piloto da polícia até o barco.

— Beleza — diz ela. — Estamos indo embora. Vou acompanhar o corpo até o necrotério para dar prosseguimento à identificação. Me ligue se precisar de qualquer coisa.

Elin acredita ter notado um tom de alívio na voz de Rachel. E acaba se certificando dessa intuição alguns minutos depois: enquanto o barco acelera, Rachel nem sequer se vira para olhá-los.

— Você não precisa esconder, você sabe, né — diz Steed, enquanto eles começam a andar de volta pela praia. — Não de mim, pelo menos.

— Esconder o quê? — pergunta a detetive.

Elin olha para um grupo fazendo *stand up paddle*, remando numa formação em triângulo. A pessoa que vai na prancha solitária da frente executa, sem a menor dificuldade, a postura do cachorro olhando para baixo. Impressionante como a morte de Bea praticamente não teve impacto no mundo. *Não é alguém que eles amam* — o rolo compressor da vida passa por cima de tudo.

— Como você está se sentindo — responde Steed. — As pessoas gostam de falar que se acostumam, mas acho que elas só aprendem a disfarçar melhor.

Por um instante, Elin fica abalada com a franqueza do parceiro — eles nunca haviam falado naqueles termos. Conversa fiada, bobagens, mas nada além disso.

— Você acha que a maioria das pessoas disfarça?

— Lógico que sim, todo mundo tem seus mecanismos de defesa para conseguir enfrentar as fases ruins. — Ele aponta para o próprio corpo. — Este é o meu. Fui uma criança muito magricela, corria muito com a minha mãe. Um psicólogo faria a festa, diria que isso é uma armadura, um mecanismo de defesa...

Elin tem dificuldades de imaginar uma versão magricela de Steed por baixo de todos aqueles músculos.

— Contra o quê?

— Bullying verbal e físico. Os caras do rúgbi não eram muito fãs do meu hábito de correr, e eu era bem nerd. Gostava de história, de arqueologia. Tiravam sarro de mim.

Elin lhe dá uma olhada de soslaio.

— É corajoso da sua parte dizer isso. Muita gente não admitiria uma coisa dessas, ainda mais neste ramo. — Eles descem das pedras e chegam à areia. — Nunca senti que eu pudesse dividir algo assim, não direito.

— Isso tem a ver com a pausa que você deu na carreira? — pergunta Steed.

— Em parte. Tenho medo de ficar paralisada. Aconteceu uma coisa no passado e eu congelei. Aí uma parte de mim tem certeza de que isso vai acontecer de novo.

Ele sorri.

— Ah, então é por isso que eu estou aqui: reforço.

— Como você adivinhou?

Elin sorri e sente que algo está mudando entre eles, uma tentativa de aprofundar laços se consolidando. Eles chegam ao começo dos degraus.

— Tá, eu preciso ligar para o Will. Vai na frente. — Ela quer que Will saiba por ela o que aconteceu, antes que ele descubra de alguma outra forma. — Depois eu vou precisar que a Farrah me diga qual é o meu chalé.

— Chalé? — Steed faz uma careta. — Então você não vai se espremer no alojamento dos funcionários comigo?

— Vou dar essa carteirada. — Elin ri enquanto eles começam a subir os degraus. — Na verdade, era a única coisa que eles tinham livre. Houve um cancelamento. — Ela faz uma pausa. — Eu só não pensei num detalhe... roupas. Sempre trago algumas na bolsa, mas...

Steed sorri.

— Não se preocupe. Eu trouxe umas peças. É o escoteiro dentro de mim: sempre preparado. — Subindo os últimos degraus, ele pergunta: — Tem mais alguma coisa que você quer que eu faça agora? Eu ia comer.

— Converse com os funcionários quando puder. Seja discreto, mas pergunte a eles se viram ou ouviram alguma coisa fora do normal.

Steed assente e abaixa a voz:

— Não olha agora, mas você tem um fã. À sua direita.

Ela espera alguns segundos e então olha. Michael Zimmerman está parado, de pé, perto do restaurante, com uma vassoura em mãos, olhando diretamente para Elin. Ao perceber que foi notado, no mesmo instante ele volta a varrer.

Elin examina sua figura corcunda e, de novo, tem uma sensação de familiaridade. É um sentimento confuso: agora não apenas tem certeza de que ele a lembra de alguém; ela o reconhece, já o viu antes.

— É o cara que encontrou o corpo.

— Ah, nem cheguei a perguntar. Ele ajudou em alguma coisa?

— Não sei bem. Ele estava… abalado. Não parava de falar sobre a ilha. Sobre a maldição. Ele acha que viu alguém andando ao redor da pedra à noite.

— Um hóspede?

— Imagino que sim. — Elin pigarreia, seus olhos ainda grudados em Zimmerman. — Tá, é melhor eu ligar para o Will. Não dá mais para adiar.

— Boa sorte.

— Valeu.

Elin anda apressada em direção à lateral do prédio principal, em busca de privacidade. Embora tenha certeza de que Michael Zimmerman não pode vê-la desse ângulo, ela também tem certeza absoluta de que ele continua olhando para ela, observando todos os seus passos.

26

— Você está no retiro? — Quando ele diz a última palavra, a imagem do FaceTime treme e fica pixelada, e a frase seguinte de Will sai ininteligível, entrecortada.

Elin aponta o celular para todos os lados em busca de um sinal melhor, mas a única imagem que vê com clareza é a do próprio reflexo suado no canto superior direito da tela. Demora alguns segundos até que a imagem de Will se estabilize e, junto com ela, a imagem do escritório dele, as plantas arquitetônicas enquadradas e penduradas na parede às suas costas.

— Estou. Uma mulher morreu. Caiu do pavilhão de yoga em cima das pedras.

Will puxa o ar de uma forma abrupta.

— Um acidente, imagino. — A tensão na voz reduz suas palavras. Ele está preocupado, é óbvio, mas também pensando em outra coisa que provavelmente jamais admitiria. *O prêmio.*

Elin sente um peso no coração.

— Foi. Eu vi as imagens das câmeras. E sei que você não perguntou, mas, até onde eu vi, os hóspedes lidaram muito bem com a notícia, depois que a Farrah contou para eles. Vida que segue. Estão mais preocupados com o próprio fim de semana.

Suas feições se suavizam, e seu rosto exibe uma tremenda expressão de alívio.

— Até simpatizar é uma merda quando algo assim acontece...

Ela assente.

— Pois é. A família dela está aqui, em choque total.

— Imagino. — Ele esfrega a testa. — E a Farrah? Vocês conversaram?

— Na verdade, é com ela que estou lidando. O gerente-geral tirou uns dias de folga. É a Farrah quem está segurando o tranco.

— E como ela está?

— Está bem, na medida do possível.

Ela inclina a tela para evitar o sol e, quando faz isso, seus olhos são atraídos por uma figura colorida ao longe. Uma pessoa usando uma camisa azul e boné andando rapidamente por trás da pedra.

— Que bom. — Will empurra os óculos mais para cima do nariz. — E então, quando você volta?

— Era o que eu queria te falar. Eu vou ficar aqui com o Steed, pelo menos por esta noite. Ainda tem uns pontos que eu preciso ligar.

Sua expressão é inescrutável.

— E você está de acordo com isso? Depois da nossa conversa sobre pegar mais leve? Isso foi um pedido da Anna?

— Não, mas ela não teria me mandado até aqui se não achasse que eu estava pronta.

Elin tira os olhos da tela e procura a pessoa que tinha acabado de ver. Ela ainda está em movimento, andando na direção da floresta ali perto.

Como se tivesse percebido que Elin o estava observando, o vulto dá uma rápida olhada em sua direção. Seus traços estão escondidos pela escuridão e ela não consegue identificar quem é, mas alguma coisa lá no fundo de sua mente dá um estalo.

— Entendi, mas eu estou preocupado… — Ele tira os olhos da tela. Suspira de forma pesada. — Apareceu uma coisa no Twitter. Você sabe que eu sigo a Polícia de Torhun, né?

Ela faz que sim com a cabeça.

— Bom… — Seu olhar volta a se encontrar com o dela. — Alguém publicou um tuíte com uma foto e marcou a Polícia de Torhun. Tenho quase certeza de que é você na foto.

— Que tipo de foto? — A voz dela vacila.

Ele não consegue encará-la direito.

— Acho que é melhor você mesma dar uma olhada. Vou te mandar. Imagino que eles tenham tirado do ar.

Ela abre a mensagem, o coração acelerado.

É ela durante um exercício militar em Exeter, alguns anos atrás. Está parada ao lado de um superior, embora ele tenha sido cortado da imagem. Isso, por si só, já teria tornado aquela foto desconcertante, mas não é nada comparado ao que fizeram ao rosto dela.

Alguém tinha se dado ao trabalho de remover seus olhos em algum programa de edição.

Dois buracos precisamente escavados.

Ela sente um arrepio. O efeito... é aterrorizante. Aquilo a faz parecer uma pessoa sem alma... vazia.

Suas mãos começam a suar, fechadas ao redor do celular, o sangue pulsando dentro de seus ouvidos.

Ela bate um dedo na tela e fecha a imagem.

— E aí? — pergunta Will. — Esquisito, né?

— Estranho, mas já aconteceu algo parecido antes, lembra? — Ela tenta desesperadamente projetar uma indiferença que não está sentindo. — No caso Hayler.

Ela havia recebido diversas mensagens na época, de várias fontes diferentes, em tom ameaçador. Durante a investigação, não dera muita bola para aquilo, imaginou que pudesse ser algum amigo ou parente de Hayler, ou, quem sabe, até mesmo uma pessoa aleatória. Um maluco se aproveitando do fato de o nome dela estar aparecendo nos jornais.

— Mas nenhuma daquelas pessoas tuitou uma foto, né? — insiste Will.

— Bom, não... — Ela faz uma pausa, ciente do rumo que a conversa pode tomar. — Eu vou falar com a Anna e, olha... — As palavras saem antes que consiga impedi-las. Ela sempre age assim: tenta interromper uma conversa emocional difícil antes mesmo de começar. — Se você está preocupado, por que não vem passar o fim de semana aqui? A Farrah me deu um chalé. Houve um cancelamento.

A tensão no rosto dele se dissipa. Will abre o sorriso que ela mais ama — um sorriso instantâneo, que toma todo o seu rosto, como se o sol tivesse saído de trás de uma nuvem de repente.

— Eu ia adorar. — Esse é o tipo de coisa que ele adora, uma viagem aleatória de fim de semana. — Quer que eu leve alguma coisa?

— Só coisas de praia. Não precisa de muito, vão ser poucos dias.

Ele assente.

— Beleza, são quase três da tarde. Acho que consigo pegar um barco lá pelas seis e pouco, talvez?

— Tá ótimo — responde ela.

Então, saindo de baixo da formação rochosa, Elin olha para a pedra. Só consegue ver as costas da figura, sendo engolida pela massa sombria de vegetação.

Enquanto se põe a andar, duas imagens se revezam em sua cabeça: a figura andando por trás da pedra e os buracos estranhos e perfeitos no lugar de seus olhos.

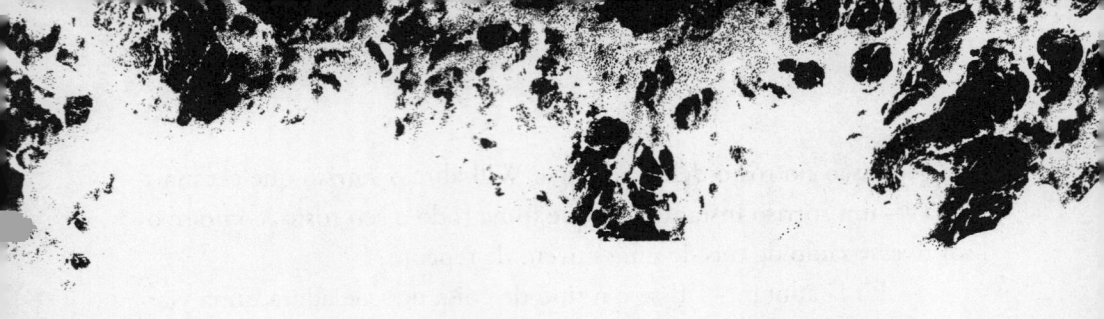

27

O copo d'água desliza sobre o balcão de madeira como se fosse um disco de hóquei sobre o gelo, impulsionado por sua própria condensação. O barman o intercepta, interrompendo sua trajetória, e depois o coloca na mão dela.

— Valeu. — Hana força um sorriso, mas ele se desmancha, seus lábios tremendo quando ela olha para si mesma no espelho logo acima do balcão.

A luz inclemente do dia é brutal. Seu cabelo está uma bagunça, sua pele lhe dá um aspecto doentio.

Ela sente as bochechas esquentarem ao imaginar o que a policial deve ter pensado a seu respeito, falando sobre alguém ter saído do chalé, sobre aquela ilha...

Envergonhada pelo escrutínio do seu próprio reflexo, ela vira toda a bebida de uma só vez e devolve o copo vazio para o bar. Não pode mais adiar aquilo, está na hora de voltar para o chalé.

Passando pelo pavilhão de yoga, ela vê que uma corda rústica substitui a fita usada pela polícia, junto com um aviso discreto: TEMPORARIAMENTE INTERDITADO.

Seu olhar vai até o parapeito onde se debruçou e viu o corpo de Bea. O pó prateado para identificar digitais e as setas feitas com marca-texto ainda são visíveis no vidro. É difícil desviar o olhar.

Ao dar meia-volta, Hana percebe que não está sozinha.

Jo está parada a um metro dali. Trocou de roupa, e pode-se ver apenas a silhueta de suas pernas compridas sob um vestido longo e folgado.

Seu pescoço está inclinado, como se estivesse olhando para baixo.

Um surto de raiva. *Não pode ser o celular. Não posso acreditar que ela saiu escondida para gravar alguma coisa, ou fazer uma selfie idiota para os seguidores.*

— O que está fazendo?

Jo se vira, num movimento preguiçoso que não lhe é costumeiro. Seus olhos estão vermelhos. No fim das contas, ela não estava com o celular na mão.

Hana sente uma pontada de culpa. Tinha feito aquilo de novo, um julgamento precipitado.

— Só estou olhando, tentando entender o que aconteceu. — Jo faz um gesto na direção do pavilhão. — Mas não está funcionando... — Ela muda de assunto: — Aonde você foi?

— Fui falar com a detetive sobre o que a Maya me contou. — Hana faz uma pausa. — Eu ia te contar, de qualquer jeito. Ela acha que viu alguém saindo do chalé ontem à noite, depois que a gente voltou.

— Alguém saiu de lá? Quando? — pergunta Jo, franzindo a testa.

— Por volta de meia-noite e quinze, quando a Bea já estava na ilha. Parece uma coincidência muito estranha.

A expressão no rosto de Jo relaxa enquanto ela balança a cabeça. *Ela nem levou a sério o que eu disse. Acha que estou desesperada para que as coisas façam sentido.*

— Han, às vezes as situações não têm respostas, nem culpados. Ela caiu, é uma coisa horrível, mas foi só isso. Sem teorias da conspiração. É uma merda, mas são as reviravoltas da vida.

Hana respira fundo. Não faz sentido insistir naquilo, ela vai acabar dizendo alguma coisa da qual vai se arrepender. Então muda de assunto:

— Cadê todo mundo?

— Voltaram para o chalé. Acho que o Seth saiu pra nadar.

— Saiu pra *nadar*?

— Saiu. — Jo adota um tom defensivo. — Não está exatamente o melhor dos climas por lá. O Caleb está num estado horroroso e a Maya... Bom, ela nunca foi uma grande fã do Seth, como você já deve ter percebido.

— Difícil não perceber. Por sinal, eu não sabia que eles se conheciam. Antes de você, quer dizer. Você nunca me contou.

— Não achei que fosse importante. — Jo dá de ombros. — Eles fizeram escalada juntos algumas vezes. Ela nunca me disse isso, mas eu acho que a Maya acredita que o Seth deu em cima dela em algum momento.

— E ele deu?

— Ele foi sincero quando eu perguntei. Disse que não se lembrava. Provavelmente, durante algum rolê. Obviamente significou mais para a Maya do que para ele.

A Jo sabe ser cruel quando quer, pensou Hana, vendo o sorriso da irmã adquirir contornos de escárnio. Em seguida, se lembra do desenho que Maya fez de Jo, as linhas traçadas com tanta força que produziram sulcos no papel.

— Mesmo assim, a reação do Seth é te deixar sozinha e sair para nadar... — É uma alfinetada, mas Hana não consegue se conter. Quer acabar com aquele ar de superioridade de Jo.

— Não — rebate Jo, baixinho, o sorriso sumindo de seu rosto. — Ele não está fugindo. Esse é o jeito dele de lidar com as coisas. Nem todo mundo é emotivo que nem você, Han. O Seth até é, mas só quando abaixa a guarda. — Ela para por um instante. — Igual a mim. Talvez seja por isso que nós combinamos.

Um silêncio estranho se instaura entre as duas. Há muito tempo elas não trocavam confidências desse jeito, e a sensação é esquisita, como se aquela intimidade não fosse uma coisa familiar.

— Bom, estou voltando pra lá.

Jo acena com a cabeça.

— Te encontro mais tarde.

Hana começa a descer os degraus, mas olha novamente para a irmã. Alguma coisa na postura de Jo a faz parar onde está. Jo permanece na mesma posição, mas seus olhos estão vidrados em alguma coisa bem na frente do pavilhão.

A corda? Os vasos?

Alguma coisa se manifesta nas lembranças de Hana, mas desaparece antes que ela possa entender o que é.

28

— Chegamos. — Farrah para na frente de um dos chalés pequenos, não muito longe da trilha principal. Andando na ponta dos pés, ela vai até uma janela e espia lá dentro. — Assim que o pessoal da limpeza acabar, você pode entrar.

Aquela é a primeira vez que Elin vê de perto um dos chalés. É uma versão em menor escala do prédio principal, tão bem instalado no meio da vegetação exuberante que chega a parecer que ele faz parte daquilo, uma estrutura quadrada brotando da terra, toda angulosa, coberta de vidro e pintada no mesmo tom cor-de-rosa das flores que pendem dos vasos do lado de fora. Ela sente uma pontinha de orgulho de Will.

— Lindo, né? — comenta Farrah, olhando para ela.

— Maravilhoso. O Will é muito inteligente. — Elin sorri. — Eu queria saber me expressar melhor. — Mas ela acha que está evoluindo nisso. Apesar de não ser nenhuma especialista, graças a Will ela hoje consegue enxergar poesia e personalidade em prédios, uma coisa que não sabia fazer antes. — Eu queria que o Will estivesse aqui, para descrever tudo para mim. Ele faz esse tipo de coisa soar muito melhor do que parece. Acho que é o entusiasmo dele, a positividade.

Farrah abre a boca para dizer alguma coisa, mas logo em seguida hesita, como se, por dentro, estivesse debatendo se quer mesmo dividir aquilo. Por fim, após um segundo, sua expressão se suaviza.

— Essa positividade é uma das maldições da família Riley. Nós gostamos de manter sempre um clima bom. Mas tem uma pressão meio estranha nisso. A gente até fica triste, às vezes, mas quando passa, passou, seguimos em frente. Saber que as coisas nem sempre precisam ser assim é bom para ele.

— Mas acho que ele tem dificuldade com isso às vezes.

— É porque o Will nunca precisou ser o mais forte. Ele sempre se escorou em mim. — Farrah ri. — Mas isso acabou sendo bom pra você. Ele se escora em mim, então não precisa se escorar em você.

Elin sorri.

— Ele tem sorte de ter você. — Ela se dá conta de que talvez tenha julgado a cunhada de uma forma equivocada, interpretado sua postura protetora como se fosse algo pessoal. — Não tenho ninguém na minha família com quem conversar, pelo menos desde que a minha mãe morreu. — Ela faz uma pausa. — O Will deve ter te falado sobre o Isaac.

Farrah faz que sim com a cabeça.

— Sim, falou… Como estão as coisas?

— Achei que estavam melhores, mas não está dando muito certo. Ele já deveria ter vindo me visitar aqui no Reino Unido, mas está sempre arranjando desculpas. — Elin vacila um pouco. — Desculpa, não sou muito boa com essa coisa de me abrir.

— Relaxa. Eu também não gosto de me sentir vulnerável. — Farrah olha para o chão. — Sempre parece que você está abrindo mão de uma parte de quem você é. Especialmente quando existe uma diferença entre o que as pessoas veem e o que você está sentindo por dentro.

O olhar de Elin se acende. Tirando Will, ninguém a havia realmente *visto* dessa maneira, ou mesmo se importado desse jeito, desde que sua mãe tinha morrido. O rosto de Farrah se enrubesce, e Elin percebe que a cunhada também revelou algo a respeito de si própria.

— E com você, está tudo bem? O Will comentou que você anda meio estressada ultimamente.

Farrah hesita por um momento.

— Eu não queria incomodar você com mais nada, pelo menos não nesse momento…

— É alguma coisa do trabalho?

— Não, é o meu ex. Não foi um término exatamente amigável, e ele ainda está enchendo o meu saco. Na verdade, ele veio até aqui umas semanas atrás, junto com um amigo. Fingiu que não tinha nada a ver comigo, mas dava pra perceber que ele estava me observando. Desde então, eu tenho recebido umas mensagens meio estranhas. — Ela aponta para o próprio celular. — Não é o número dele, mas tenho certeza de que é ele.

Virando a tela, Farrah mostra a mensagem para Elin: *Estou só observando. Esperando.* Farrah passa o dedo na tela. Outra mensagem: *Não vou desistir.*

— Que horror. Se ele continuar, eu posso dar uma olhada nisso pra você. Dar uma advertência a ele.

O rosto de Farrah é tomado por alívio.

— Eu queria ter falado sobre isso antes, mas tinha esperança de que fosse parar. — Ela respira fundo. — E tem mais uma coisa, eu... — Mas ela para de falar quando o celular de Elin apita. Então, balança de leve a cabeça e acrescenta: — Não se preocupa com isso, você precisa trabalhar. Conversamos depois.

— Mas...

— Tá tudo bem, de verdade. Isso pode esperar. — Farrah coloca o cartão que abre o chalé na mão de Elin. — Me avisa quando o Will chegar.

Assim que ela se vai, Elin olha para o celular.

É uma mensagem de Steed. *Eu sei que você não pediu, mas dei uma pesquisada na ficha do Zimmerman. Começou a trabalhar aqui faz alguns meses. Está limpo.*

Valeu, ela escreve de volta. *O que você acha de dar uma olhada na família também?*

Já estou fazendo isso.

Bom trabalho.

Elin sorri. Steed tem essa mesma predisposição a agradar as pessoas que ela reconhece em si mesma. É uma insegurança, como se sua palavra não bastasse, como se você tivesse que ouvir aquilo da boca de outra pessoa.

Ainda aguardando a equipe de limpeza terminar, ela decide investigar algumas coisas por conta própria. Procura a foto com os sites na agenda de Bea e digita o primeiro deles em seu celular: www.fcf1.com. O site carrega rapidamente: Financial Crime Fighters. Detalha denúncias de fraudes e crimes financeiros. O artigo em destaque trata de um esquema que roubou todas as economias dos investidores.

Decepcionada, Elin fecha a aba. Provavelmente era algum caso com o qual a firma de Bea estava envolvida. O outro endereço a leva a um modesto site histórico sobre a ilha Cary. Ela passa os olhos no texto: a história sombria da ilha, a maldição, o incêndio na escola, os assassinatos de Creacher. A escrita tem um tom macabro, o autor sem dúvida se regozijando com cada detalhe sórdido.

— Nós já terminamos, se quiser entrar — informa uma das faxineiras ao abrir a porta, sorridente.

Elin a agradece, mas não faz menção de se levantar, concentrada num parágrafo específico do texto.

Existem rumores quanto a cremações em massa na ilha, vítimas da peste queimadas para impedir que a doença se alastrasse. Diz-se que, ainda hoje, as cinzas decorrentes de tais cremações correspondem a mais de 40% do solo de lá.

A faxineira vai se afastando do chalé com seu carrinho, e Elin fecha a aba do navegador. Talvez tenha razão de achar que o clima pesado daquele lugar não venha única e exclusivamente daquela rocha: talvez esteja no chão em que estão pisando.

29

— Isso aqui é delicioso. — Will aperta os ombros de Farrah com um dos braços.

A mesa que Farrah havia reservado fica num canto da varanda, com vista para o mar. A comida foi servida como em um banquete — pratos decorados com lâminas finíssimas de beterraba temperadas com molho de ervas, fatias suculentas de filé, brócolis verdinhos. Outro prato está cheio de legumes empanados, pimenta em conserva e pães feitos na hora.

— Vantagens desse trabalho — responde Farrah, dando um sorriso grande e leve, mas Elin percebe uma ruga de preocupação se desenhando na testa da cunhada. Ela se lembra da conversa das duas mais cedo, sobre o ex de Farrah.

— E então, escolhi bem? — pergunta Will, servindo uma porção de salada em seu prato e indicando o vestido de Elin.

— Ah — exclama Farrah, e sorri. — Você deixou o Will fazer a sua mala. Tem que ter coragem.

Ele finge estar chateado e os dois caem na gargalhada. Elin sorri, mas é um sorriso forçado — ela se sente deixada para escanteio, como sempre acontece quando os irmãos se juntam. As semelhanças físicas são um espetáculo impressionante.

Will segura a mão de Elin.

— Enfim, é muito bom estar aqui, com vocês duas, mesmo que nessas circunstâncias. — Ele faz uma pausa. — E o Steed? Ele não quis jantar com a gente?

— Eu até convidei, mas ele já tinha comido. Disse que está checando algumas informações.

Na verdade, Elin acredita que ele está usando o trabalho como desculpa para passar um tempo sozinho. Apesar de sua sociabilidade, ela acha que os comentários de Steed sobre suas longas corridas solitárias queriam dizer que ele era, no fundo, um tanto introvertido.

Farrah assente.

— Você tem muita coisa pra fazer amanhã? Seria legal se divertir um pouco também, além de trabalhar.

— Não muito, só pegar alguns depoimentos. — Relutante em dar mais detalhes, Elin encerra a conversa enfiando um legume na boca.

O empanado se desmancha, incrivelmente delicado. Está recheado com ricota salpicada com algum tipo de erva. É delicioso, mas ela sente o estômago se contraindo quando o engole. É o calor, pensa. Mesmo a essa hora, está insuportável.

O celular de Farrah emite um som, e ela digita uma mensagem em resposta enquanto Will coloca a mão sobre a de Elin.

— Me sinto melhor agora que estou aqui. Aquela coisa do Twitter me pegou. Eu estava odiando pensar em você aqui, sozinha, com aquilo martelando na sua cabeça…

Elin não tem tempo de responder. O celular de Farrah toca, fazendo barulho e abafando o final da frase do irmão. Farrah olha para a tela, balançando a cabeça.

— Atende — diz Will, e Elin concorda.

Farrah olha para os dois e sorri.

— Então, parece que as coisas estão indo bem entre vocês duas, não? — comenta Will, baixinho, enquanto Farrah empurra a cadeira para trás e se levanta.

— Aham, tivemos uma boa conversa hoje mais cedo. Aquilo que você disse, sobre o ex, você tinha razão, eu… — Ela se detém. Farrah já está voltando na direção deles.

— Me livrei — anuncia Farrah, enfiando o celular no bolso. — Um fornecedor. Aqui nunca dá para se desligar do trabalho.

— Talvez uma outra taça ajude — diz Elin e, quando pega a garrafa de vinho e começa a servi-lo, percebe Hana Leger, a irmã de Bea, transitando pelo restaurante.

Seu cabelo está desarrumado e seu vestido branco, um tom mais escuro, como se tivesse absorvido os vestígios daquele dia. Elin é imediatamente impactada pela estranheza de Hana, pelo fato de ela não parecer exatamente à vontade dentro do próprio corpo. Esticando o pescoço, ela procura o restante de seu grupo.

— Quem é? — Will pega o vinho de sua mão e serve-se de mais uma taça.

— A irmã da mulher que caiu. Ela a viu, lá nas pedras.

Ele franze a testa.

— Ela não parece nada bem.

— Não mesmo. — Elin faz uma pausa, pensando se deveria ser honesta. — Eu conversei com ela mais cedo. Ela está nitidamente perturbada... Com essa questão da irmã, lógico, mas ela também falou sobre a ilha, sobre a maldição, a escola antiga...

Will meneia a cabeça.

— Pelo amor de Deus, eu não consigo entender essa fixação com o passado.

— Pois é — concorda Farrah, balançando a cabeça. — Bola pra frente.

Elin se retrai, não apenas por conta da rejeição instantânea ao que disse, mas também pela maneira instintiva com que Will e Farrah formaram um time.

— Mas eu acho que é natural as pessoas fazerem essas associações com a história da ilha. Com certeza tem gente que vem pra cá, em parte, por causa disso. Curiosidade. É muito bizarro, os assassinatos de Creacher, a maldição. Não dá para fingir que essas coisas não aconteceram.

— Toda a ideia por trás deste retiro era criar uma coisa nova aqui — diz Will, de forma ríspida. — Reimaginar o lugar — complementa, gesticulando na direção dos outros clientes do restaurante. — Parece estar funcionando para a maioria.

— Mesmo assim, não dá pra varrer tudo pra debaixo do tapete.

O sorriso desaparece do rosto dele. Os irmãos ficam ali sentados em silêncio. Dois rostos vazios, inexpressivos. Elin enrubesce. Já tinha feito aquilo outras vezes com a família de Will — arruinado o clima amistoso, destruído a atmosfera agradável de um barzinho no meio da noite fazendo um comentário controverso. Ela se odeia por isso. Ela e Farrah tinham feito progressos mais cedo. Mas agora Elin estragou tudo.

Farrah muda de assunto. A conversa se estende por mais algum tempo, mas sua dinâmica foi abalada. É um alívio quando o celular de Elin apita, alguns minutos depois. Ela vira a tela para si. Outra mensagem de Steed.

Talvez te interesse: Seth Delaney tem passagem pela polícia. Tráfico de entorpecentes. Substâncias pesadas.

Ela escreve de volta. *Obg. Amanhã eu pergunto.*

De imediato, não precisaria fazer mais nada, mas aquela é uma desculpa perfeita. Sendo assim, termina de beber seu vinho, empurra a cadeira para trás e levanta.

— O Steed mandou umas coisas, é melhor eu dar uma olhada. Vou deixar vocês aproveitando.

Will assente.

— A gente se encontra no chalé.

Elin sai andando a passos largos, mas não rápidos o suficiente para deixar de registrar o olhar intenso trocado por Will e Farrah.

30

Hana vai até a varanda com uma xícara de chá morno. O sol está quase desaparecendo no horizonte, mas continua tão abafado quanto algumas horas atrás.

— Ei — chama Caleb.

Ele está sentado na beira da piscina, com os pés dentro d'água. Grandes porções de protetor solar derreteram de suas pernas: uma camada delicada e gordurosa repousa sobre a água. Há garrafas de cerveja espalhadas ao seu redor e mais uma em sua mão. Ele olha para ela. Seus olhos estão vermelhos e inchados.

— Foi mal, eu não sei mais o que fazer.

— Faz total sentido. — Ela coloca a xícara de chá sobre a mesinha a alguns passos dali e se senta. — Você está em choque. Estamos todos.

— É que são tantas perguntas... Por que ela veio até aqui e não me avisou? Não consigo entender. — Ele toma um gole da cerveja. — A surpresa eu até entendo, mas não seria para mim. Fico pensando em todas as mentiras que ela deve ter me contado para manter toda essa farsa.

Hana assente.

— É normal se fazer essas perguntas quando algo assim acontece. Eu me fiz, com o Liam, não conseguia parar. Mas vai melhorando com o tempo.

— Você acha mesmo? — Caleb olha em seus olhos. — Já faz mais de um ano que o meu pai morreu e tem dias que são piores do que todos os outros.

Ao se inclinar para trás, ele acaba derrubando um pouco de cerveja. O líquido amarelado se derrama sobre a lajota, formando pequenas bolhas.

— Nossa, foi mal, eu não fazia ideia.

Ele dá de ombros, pega a garrafa e leva até a boca.

— Foi uma merda. Inesperado. Ele estava começando a colocar a vida nos trilhos depois de uns anos bem ruins, e aí puxam o tapete dele…

Caleb para de falar e os dois olham para cima, ouvindo passos. Seth aparece na soleira da porta.

Ele tinha trocado de roupa depois de nadar. Estava todo engomadinho: uma camisa de linho branco e uma bermuda azul bem passadas. O cabelo penteado para trás.

— Vou até o restaurante. Alguém quer alguma coisa?

— Eu, não — responde Caleb. — Hana?

— Estou bem, obrigada.

Seth hesita por um instante, como se quisesse dizer algo, mas apenas aquiesce e volta para dentro do chalé.

Quando ele está longe o bastante, Caleb balança a cabeça.

— Seth não consegue nem fingir, né? Todo arrumado desse jeito, como se nada tivesse acontecido, ainda em clima de festa.

— Sei lá… As pessoas têm jeitos diferentes de lidar com as coisas. A Jo comentou mais cedo que ele tem dificuldade de se abrir.

Caleb solta uma risada.

— Quando alguém diz isso eu sempre penso que é só uma desculpa conveniente para fazer o que bem entender. Gente como ele não se deixa incomodar por nada.

— Gente como ele? — pergunta Hana, embora possa imaginar o que ele vai dizer pelos comentários que deixou escapar desde que o grupo chegou à ilha. Suas opiniões estavam bem claras.

— Gente mimada, privilegiada, acostumada a pisar nas pessoas. Bea dizia a mesma coisa, e ela estava certa.

Bea dizia a mesma coisa.

— Como assim?

Ele dá de ombros.

— A Bea não era uma grande fã dele, podemos dizer assim, mas não acho que ela ficou surpresa quando eles começaram a namorar. Ela achava que os dois combinavam, o Seth e a Jo.

Hana fica quieta por um instante, sem saber o que dizer.

— Não tenho certeza disso, eu lembro que a Bea ficou preocupada quando eles começaram a sair. Por causa da história das drogas.

— Isso foi antes da discussão. Eu acho que foi ali que a Jo finalmente mostrou quem ela é de verdade.

Caleb fica mexendo os pés dentro d'água. O movimento produz pequenos círculos que se expandem.

— A discussão sobre o cancelamento da viagem? — pergunta Hana.

— Não, antes disso. — Caleb arqueia a sobrancelha. — Você não ficou sabendo?

— Não. Quando foi isso?

— Faz algumas semanas. A Jo foi lá em casa e elas começaram a discutir. Foi uma briga bem feia, pelo que deu pra ouvir. A Bea acabou deixando a Jo falando sozinha. — Ele dá de ombros. — Eu tinha certeza de que tinha sido por isso que a Bea cancelou. Não estava a fim de um segundo round. Eu achava que, em parte, a viagem para os Estados Unidos era uma maneira inteligente de escapar dessa.

— A Bea não chegou a te falar sobre o que foi essa discussão?

— Não, mas eu fiquei com a impressão de que a Jo ficou pegando no pé dela, rebatendo argumento atrás de argumento, só por inveja.

— Da *Bea*?

— É. A Bea nunca chegou a comentar, mas acho que isso era parte do motivo de ela nunca ter feito nenhum esforço para manter contato. Sim, ela estava sempre ocupada, mas acho que era mais uma desculpa para que não precisasse ficar fazendo aquilo.

— Fazendo o quê? — A voz de Hana sai trêmula.

Ela se pergunta se Bea também pensava o mesmo a seu respeito — que a irmã tinha inveja —, porque era verdade. Às vezes, também sentia inveja de Bea.

— Essa coisa de ficar se diminuindo para que as outras pessoas se sentissem melhor. Para proteger seus egos frágeis. Principalmente outras mulheres. Ela nunca achava que podia ser quem era, porque aquilo fazia as pessoas se sentirem ameaçadas.

Ele tem razão, pensa Hana, ficando vermelha, refletindo sobre seu próprio trabalho, os comentários sussurrados e sarcásticos entre suas superiores. Hana costumava se perguntar com frequência se algumas mulheres eram programadas para invejar o sucesso de outras: um mecanismo evolutivo que se deve domar ou reprimir e, se não for capaz de fazer isso, ignorar. Ela também carrega essa culpa.

Caleb dá mais um gole na cerveja.

— Acho que a Bea ficava mais feliz quando não estava com a família. Eu sei que é uma coisa horrível de se dizer, mas é verdade.

31

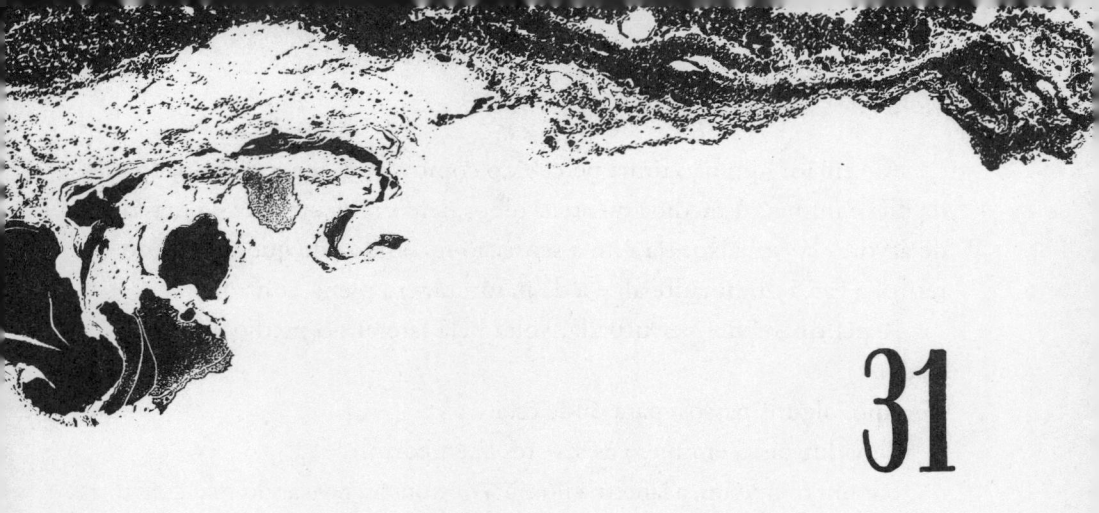

Elin está no caminho em direção ao prédio principal quando passa por um grupo de hóspedes vestindo roupas leves e rindo alto. Ela segue andando, mais e mais rápido, como se cada passo pudesse afastá-la mais de seu constrangimento, mas não é isso o que acontece; suas bochechas estão queimando enquanto ela repassa a conversa na cabeça.

Por que eu fiz isso? Mas sabe a resposta: bem no fundo, uma parte dela se sente ameaçada pela intimidade entre Will e Farrah. É horrível admitir, mas é verdade.

Ela contorna os fundos do prédio principal, então para a cerca de um metro de distância da porta e se encosta na mureta que protege a varanda. O frio da pedra proporciona um alívio delicioso, atravessando seu vestido e resfriando suas coxas.

Seus olhos são atraídos para a floresta suntuosa e sombria que começa depois do gramado, lá embaixo. Com as cores do céu adquirindo um tom pastel, o sol não tem mais força para penetrar por entre os galhos compridos das árvores, que se entrelaçam, formando copas densas. Um arrepio percorre sua pele, seus sentidos em alerta máximo.

Silêncio total.

Elin não consegue nem ouvir os barulhos do restaurante. Nada de talheres, risos ou conversas. Ali, do lado de fora, tudo parece mais selvagem. É como adentrar um outro mundo. Ela fica olhando ao redor, imaginando uma linha bem definida separando a parte da frente e a dos fundos do retiro.

Até então, Elin não tinha percebido como a área que o retiro ocupa da ilha é ínfima. À medida que seus olhos percorrem a tremenda massa de árvores lá embaixo, ela tem a sensação incômoda de que, apesar do retiro, a força dominante ali é a da natureza, em pleno controle.

Repentinamente perturbada, volta pela lateral do prédio até a entrada.

Após alguns passos, para onde está.

Uma luz pisca em meio às árvores lá embaixo.

Por um momento, a lanterna ilumina os troncos, revelando suas cores, o monótono marrom das cascas cobertas de um musgo tétrico e vívido.

Há um estalo seco de galhos se partindo.

O coração de Elin acelera.

Deixa de ser boba, repreende a si mesma. Provavelmente é algum funcionário ou hóspede, porém o medo é uma sensação instintiva. Apesar de sua bravata de alguns minutos atrás, a imagem de Michael Zimmerman falando sobre uma pessoa que tinha visto perto da rocha vem à sua mente, assim como a da figura que ela vira mais cedo.

A luz surge novamente.

Dessa vez, se move de maneira mais errática, saltando aos solavancos de uma árvore para outra, sendo engolida pelo matagal de tempos em tempos, conforme a pessoa vai se movendo. Elin diz a si mesma para ficar calma: *existe uma explicação.*

Mas qual? Por que alguém, mesmo que seja um funcionário, estaria numa floresta que parece quase impenetrável, e a essa hora da noite?

Desconcertada, Elin dá a volta rapidamente pela lateral do prédio e para, encostando-se na parede. Do canto do prédio, espera alguns segundos e olha para a escuridão.

Ela enxerga nitidamente um vulto saindo do meio das árvores.

A pessoa está usando uma blusa com capuz levantado, o que torna impossível identificar qualquer traço em seu rosto.

A figura para e começa a olhar ao redor como se estivesse procurando alguma coisa. Em seguida, volta a ligar a lanterna, o feixe de luz iluminando o chão e chegando até os fundos do prédio.

Parece que está procurando alguém. *Será que está procurando ela?*

Elin fica com as costas coladas ao prédio e o coração acelerado, mas a lanterna se apaga. Espera por alguns segundos, mas ela não volta a ser ligada.

Fosse lá quem a estivesse seguindo volta a desaparecer em meio à escuridão.

Caminhando pelo caminho de volta ao chalé, Elin está quase pegando o desvio à esquerda quando aparece alguém, saindo das sombras.

Ouve-se um barulho sutil de passos no chão. Seus pensamentos vão para a figura que ela viu no meio do mato.

— Elin?

Farrah.

— Achei que você tinha voltado para o chalé.

— Fui dar uma caminhada. — Com a respiração pesada, Elin passa a mão no cabelo, imediatamente imaginando como deve estar sua aparência, o cabelo todo desgrenhado e soltando do rabo de cavalo, seu rosto suado e vermelho. Ela força um sorriso. — E você? Veio acompanhar o Will?

— Não, eu ia, mas…

Ela hesita, e Elin nota uma coisa que não havia percebido em meio ao seu constrangimento: Farrah está com o rosto vermelho, e seus olhos estão molhados. Ela é acometida pelo pensamento de que a cunhada havia chorado, mas decide ignorá-lo.

— Desculpa pelo que aconteceu mais cedo — diz Farrah, quebrando o silêncio. — O Will está estressado por causa do prêmio e, como eu já te disse, entro no modo irmã protetora e começo a defendê-lo.

— Não tem problema. — As palavras de Farrah neutralizaram na mesma hora a atmosfera de constrangimento. Elin reflete sobre como deve ter sido para eles quando ela se levantou da mesa. — *Eu* é que peço desculpas, não devia ter jogado o clima pra baixo bem no meio do jantar…

— Deixa pra lá. Foi um dia difícil para todo mundo.

Farrah sorri. As duas falam por mais alguns instantes, e então a cunhada olha para o relógio.

— Enfim, já está tarde, é melhor eu deixar você voltar. Meu irmão vai mandar uma equipe de busca se continuarmos aqui conversando.

Após se despedirem, Elin começa a descer pelo caminho. Andou apenas alguns metros antes de avistar uma figura no topo das escadas que levam até o pavilhão de yoga. Ela se vira, confusa. *Farrah não teria como chegar lá em cima tão depressa...*

Olhando para cima, descobre que está certa: Farrah ainda está subindo pelo caminho.

Elin permanece parada, observando, e algo curioso acontece: em vez de seguir em frente, a figura fica imóvel, esperando.

Esperando Farrah?

Sua suposição está correta. Alguns minutos depois, quando Farrah chega ao final dos degraus, ela e seja lá quem for que está parado ali se falam brevemente e depois seguem subindo juntos os degraus.

Demora alguns segundos até que se dê conta. Elin se lembra da hesitação de Farrah quando perguntou se ela havia acompanhado Will de volta.

Será que aquele pedido de desculpas tinha sido apenas uma distração? Será que Elin quase a havia flagrado com alguém com quem a cunhada não queria ser vista?

Ela sente uma pontada amarga de decepção. Com a Farrah é sempre assim: dois passos para frente, um para trás.

Levando seu cartão até a fechadura do chalé, Elin não consegue não se sentir muito ingênua, como se Farrah tivesse acabado de mentir bem na sua cara.

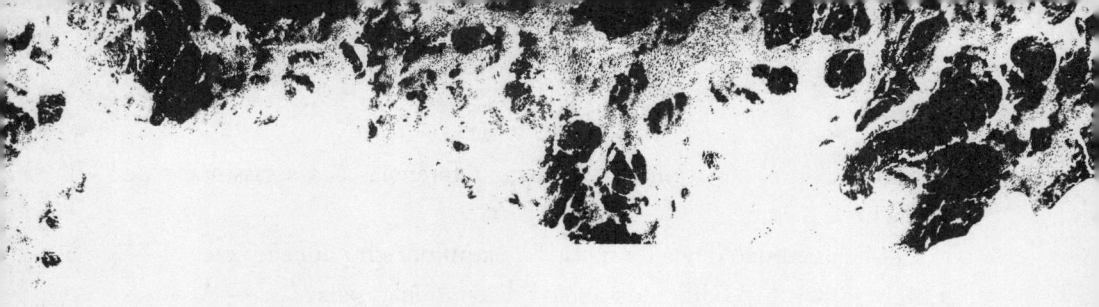

32

Dia 3

Na manhã seguinte, Elin acorda num susto após uma péssima noite de sono. Apesar do brilho intenso dos raios de sol que invadem seu quarto, fragmentos de um sonho ainda persistem: ela correndo por uma floresta escura, arbustos pinicando seu rosto e suas roupas...

— Ei — diz Will, repousando um dos braços em cima de sua barriga. — Está tudo bem. Foi só um sonho.

— Horrível. Foi um desses hiper-realistas — contou ela, esperando a respiração se acalmar. — Provavelmente só estou nervosa, é o meu primeiro caso sério depois de tudo, e ainda teve essa coisa do Twitter, além dessas histórias sobre a ilha. — Virando a cabeça para encontrar os olhos dele, ela acrescenta: — Desculpe por ter ficado falando disso ontem à noite.

Will tira o cabelo do rosto dela.

— Está tudo bem. Eu é que não deveria ter ficado tão ofendido com o assunto. É só que o passado da ilha... é um ponto meio sensível.

— Por quê?

Ele dá de ombros.

— Principalmente por causa da imprensa. No lançamento, mesmo depois que os jornalistas nos prometeram que falariam apenas sobre o retiro, alguns conseguiram encaixar referências aos assassinatos de Creacher e à escola.

— Mas eu não devia ter insistido naquilo. Acho que, às vezes... — Elin para, sentindo dificuldade para dizer aquelas palavras. — Às vezes eu me incomodo com a relação que você tem com a Farrah. Me faz perceber algo que eu não tenho.

— Com o Isaac?

— Aham. O fato de ainda não sermos próximos machuca, além de ficar sabendo que nosso pai entrou em contato com ele, mas não comigo. — Ela sente a garganta se fechando. — Ele obviamente ficou com aquela história de covarde na cabeça.

Will a puxa para mais perto.

— Não deixa isso mexer com você. Ele não é um bom pai. Que tipo de pai culparia a filha por ela ter ficado paralisada quando presenciou algo traumático?

— Eu sei, mas parte de mim ainda acha que o que ele disse vai acabar se provando a verdade, que alguma coisa vai acontecer aqui e aí eu vou ficar travada.

— Elin, se você está tendo esse tipo de pensamento, talvez você não esteja pronta...

Ele para. Há uma batida na porta. Nenhum dos dois faz menção de se levantar. Elin se acomoda em seu abraço.

Will dá um suspiro.

— Entendi a mensagem. Eu vou...

Soltando-se delicadamente dela, ele sai da cama e veste uma camiseta enquanto caminha em direção à porta.

Uma conversa sussurrada ocorre.

Quando volta para o quarto alguns minutos depois, a expressão no rosto de Will é funesta.

— Era a Farrah. Um hóspede que estava no chalé da ilhota desapareceu. Uma pessoa chamada Rob Tooley.

— A faxineira encontrou o quarto revirado? — pergunta Elin, tentando entender alguma coisa do discurso embolado e apressado de Farrah.

— Isso. Um amigo de Rob pediu para ela vir mais cedo, está tentando falar com ele desde ontem à noite. Nenhum sinal dele na ilhota, e a faxineira disse que o quarto estava um caos. E também parece que ele não dormiu lá. O amigo está preocupado por causa das circunstâncias dessa viagem. — Farrah fecha a porta da frente, empurrando-a com o pé. — Era para ele estar passando a lua de mel na ilhota privada, mas o casamento foi cancelado algumas semanas atrás. Então ele decidiu passar a lua de mel sozinho.

— Então o amigo está preocupado com o estado mental dele?

— Pelo jeito, sim.

Elin balança a cabeça. Uma pessoa desaparecer após um trauma emocional dessa magnitude não é um bom sinal, e tudo fica ainda pior quando se leva em consideração que aconteceu tão pouco tempo depois de toda a questão com Bea Leger...

Ela não estava gostando nada daquilo.

— Estou indo pra lá. — Em seguida, tirando o celular do bolso, manda uma mensagem para Steed. *Acabam de me avisar que um hóspede sumiu. Te mantenho informado.* Ela se vira para Will. — Eu te ligo.

Embora Will responda com um aceno de cabeça, o rosto impassível, ela consegue perceber a tensão oculta. Sabe no que ele está pensando, culpado: no retiro, seu bebê. No prêmio.

33

O acesso à ilhota é feito por uma ponte de madeira que balança à medida que a atravessam: tábuas finas oscilam sob os pés de Elin.

Ela tensiona o corpo. Cada movimento aumenta os espaços entre as tábuas, oferecendo vislumbres do mar resplandecente e das pedras mergulhadas nele.

— Tudo bem? — pergunta Farrah, um metro adiante. — O acesso não é fácil, mas faz parte da atmosfera de isolamento.

— Isso é que é isolamento. Eu nem consigo ver a casa.

Para se equilibrar, Elin se segura com força na corda que serve de corrimão, enquanto Farrah salta da ponte para a ilhota. Tudo que consegue ver é uma trilha estreita que se embrenha por um matagal de enormes pinheiros e carvalhos maduros.

— Foi assim que Will a projetou — explica Farrah. — Privacidade total da ilha principal.

Elin sai da ponte e acompanha Farrah pela trilha. Após cerca de cem metros, a parede de vegetação se abre, revelando uma versão maior do chalé. O azul-pastel das paredes externas é um tom mais claro que o céu, de modo que a casa parece se fundir ao mar e a ele, como se não tivesse limites.

— Acho que seria melhor colocarmos o protetor nos sapatos, só por precaução.

Assim, Elin tira dois pares da bolsa e entrega um para Farrah. Após colocá-los, Farrah segue em direção à porta. Faz uma barulheira quando abre, e as duas entram em um vasto espaço aberto, projetado para relaxar — uma enorme cama baixa à direita, sofás à esquerda.

O olhar de Elin é atraído pelas portas de vidro nos fundos, que levam para um deque de madeira com vista para o oceano. Num canto, nota um corrimão feito de aros entrelaçados — uma escada que leva direto para o mar. O lugar é um oásis idílico e privativo, o lugar perfeito para passar uma lua de mel, embora seja grande demais para apenas uma pessoa, pensa ela, sentindo uma pontada ao imaginar Rob chegando sozinho ao chalé.

Conforme ela vai explorando a casa, logo de cara fica evidente porque a faxineira ficou preocupada. A cama ainda está feita, mas é como se fosse o olho de um furacão, a única coisa que não está revirada. A porta do guarda-roupa à sua direita está escancarada, algumas roupas jogadas de qualquer jeito por cima das prateleiras.

Uma bolsa de viagem está virada de cabeça para baixo ao lado da cama, com livros espalhados ao redor. Elin vê um pequeno álbum de fotos jogado e aberto. Após andar com cuidado para não pisar nos livros, coloca um par de luvas e começa a folhear as páginas.

Polaroids.

Fotografias, a maioria selfies, de duas pessoas, que ela imagina serem Rob e a ex-noiva, vivendo a primeira onda da paixão, seus olhos brilhando, os dois se abraçando.

Tomando cuidado, Elin vasculha o lugar — o banheiro, a cozinha — e depois segue em direção à porta dos fundos, que dá acesso à varanda. O sofá-cama, a mesa e as cadeiras no centro estão intactos e o mar não revela nada além de seus tons de azul.

— E aí? O que você acha? — quer saber Farrah, quando Elin volta para dentro, seus passos fazendo o piso estalar.

— Difícil dizer. Não tem como saber se foi ele ou outra pessoa que fez essa bagunça.

Entretanto, olhando ao redor mais uma vez, seu olhar se detém nos cabos que escapam de um multiadaptador em formato de cubo encaixado na parede. Não tem nenhum dos aparelhos que se esperaria ver ligados a eles — um celular, um notebook, talvez uma câmera.

Será que foi um roubo que deu errado? Será que Rob teria ido até a ilha principal e arrumado briga com alguém?

— Costuma haver roubos por aqui?

Farrah faz um sinal com a cabeça em negativa.

— Não que eu sabia. Você acha que foi isso que aconteceu?

— É possível. Uma pessoa pode ter vindo até aqui sem que ninguém tenha visto. Em especial levando em conta o isolamento. E ainda mais à noite. — O olhar de Elin se desvia de Farrah e cai sobre o mar.

Não consegue se livrar da sensação crescente de incômodo. Privacidade é algo maravilhoso, porém o isolamento tem seu preço. Se alguma coisa acontecesse ali, ninguém veria nem ouviria nada.

— Tem alguma câmera de segurança aqui?

— Não, mas estou começando a achar que talvez a gente deva considerar isso, já que... — Farrah para. — Espera, alguém está me ligando.

Elin assente e olha para a imensidão do mar à sua frente. Alguém poderia sair dali para onde quisesse usando um barco — direto para o meio do oceano, sem que qualquer pessoa na ilha principal visse nada.

Farrah retorna, com uma ruga de preocupação se formando em sua testa.

— Era um funcionário da equipe de esportes aquáticos. Alguns equipamentos de mergulho desapareceram.

O pulso de Elin acelera.

— Há quanto tempo?

— Pelo visto, estava tudo lá quando eles encerraram as atividades ontem à noite. — Farrah faz uma pausa. — Eles também viram uma mochila boiando na água.

— Vou precisar dar uma olhada nisso.

Ela pega o celular para ligar para Steed, sirenes de alarme soando na sua cabeça. As palavras de Michael Zimmerman ecoam em seus pensamentos: *Tem alguma coisa podre neste lugar.*

Quanto mais ela fica na ilha, menos consegue evitar a conclusão de que ele está certo.

34

Quando Elin se aproxima da cabana de esportes aquáticos, o lugar está rodeado de gente. Funcionários e hóspedes circulam às voltas de um rack de pranchas meio vazio, fazendo barulho.

Steed está parado ao lado de Farrah, um pouco afastado, com o suor já brilhando na testa.

Farrah aponta para a frente.

— Tom, que você já conheceu, talvez seja a melhor pessoa para falar sobre barcos. Ele já está terminando ali com alguns hóspedes.

Tom está andando pela praia com dois hóspedes, levando uma prancha debaixo de cada braço. Listras grossas de protetor solar marcam seu rosto, como se ele fosse um guerreiro. Sua camisa de neoprene azul está coberta de manchas de sal, o material esticado por cima do seu corpo musculoso.

— Então, você falou com a sala de controle? — pergunta Steed, em voz baixa.

— Falei, sim. Eles abriram uma nova ficha de investigação para este caso.

— E o que você acha? — Seus pés afundam na areia fofa, que se espalha por cima dos sapatos.

— A coincidência é curiosa, mas não tem muito mais no que pensar. Parece que ele estava mal depois que o casamento foi cancelado.

Steed lança um olhar desconfortável para ela. Os dois ficam em silêncio, apenas observando, enquanto Tom vem em sua direção e acomoda as pranchas no rack. Depois de murmurar alguma coisa aos hóspedes, ele se vira.

— Farrah disse que vocês queriam dar uma olhada na mochila que encontramos, né?

Elin assente.

— Ela está muito longe daqui?

Tom franze o rosto. Pequenas rachaduras se formam na marca de protetor em sua pele.

— Uns minutinhos de barco, e mais tempo se for nadando, claro. Uns quinze minutos, mais ou menos. Vocês querem ir agora?

— Pode ser? Talvez precisemos de equipamentos de mergulho, por precaução.

Ele sabe o que aquele pedido significa. Ao instruir um de seus colegas, Tom engole em seco, o pomo de adão subindo e descendo pela garganta.

O bote vai cortando a água com suavidade. A superfície é lisa como a de um vidro, um espelho perfeito para as gigantescas falésias.

Poucos metros depois de saírem, o leito do mar tem uma queda abrupta debaixo deles. Elin não consegue parar de olhar para aquilo, a areia coberta de conchinhas ainda visível, mesmo naquela profundidade.

O fundo do mar vai se transformando à medida que eles se aproximam das falésias. Pedras enormes se estendem até quase a superfície, massas colossais repletas de faixas de algas flutuando por entre as fissuras, movimentando-se de acordo com as correntes.

Elin nota a testa franzida de Tom enquanto ele faz um desvio suave no curso da embarcação, para que adentrem mais o mar.

— Falta muito?

— Não, estamos quase lá. — Alguns minutos depois, ele desliga o motor e expira com força. — Chegamos. — Então ele aponta. — As indicações dos caras foram bem boas.

Elin vai até uma ponta do barco e olha para baixo. Uma mochila, só uma parte dela visível, flutuando no meio do mar. É à prova d'água, parecida com a que ela usa para andar de caiaque.

— Está presa em alguma coisa — comenta Steed, esticando o pescoço. — Uma pedra, aparentemente.

Elin está pensando em chegar mais perto quando enxerga algo a poucos metros de distância, do lado esquerdo do barco.

Uma forma escura, sobre a superfície de uma pedra. Seu coração acelera enquanto ela vai interpretando as curvas, o material do objeto. *É um pedaço de um pé de pato?*

— O que é aquilo? — questiona ela, mas Tom já está debruçado na lateral do barco, olhando para a água.

— Minha nossa — exclama ele. — Eu... — Mas nenhuma outra palavra sai.

Com um tremor angustiante, Elin olha para baixo.

O pé de pato está em um corpo usando um equipamento completo de mergulho.

— Olha a posição desse corpo — murmura Steed. — Tem alguma coisa errada aí.

É verdade: o corpo de fato está numa posição estranha, de lado; parece encaixado em meio às pedras, um braço e uma perna enfiados numa fenda, o equipamento em cima da pedra.

— Se parecem com os equipamentos do LUMEN? — pergunta Elin.

— Sim — responde Tom, sua voz um pouco mais aguda.

Em silêncio, ela se debate com os próprios pensamentos. Embora as chances de que o mergulhador esteja vivo sejam poucas, eles não têm tempo para esperar os paramédicos.

— Tom, você pode ir até lá e ver como ele está?

O funcionário do retiro balança de leve a cabeça, como se estivesse tentando se livrar do excesso de emoção.

— É claro — concorda.

Com as mãos trêmulas, ele pega seu equipamento e o veste. Saltando de costas do barco, com a facilidade que vem do hábito, atinge a água quase sem produzir respingos.

Enquanto o observam, Elin prende a respiração, agarrada à minúscula esperança de que, de alguma forma, graças a um milagre, o mergulhador — que, quem sabe, talvez tivesse ficado preso — tenha tido oxigênio o suficiente para esperar a ajuda.

Alguns minutos depois Tom retorna à superfície e sobe no barco. Ela espera ansiosa enquanto ele retira a máscara e remove o respirador.

— Ele está morto — informa, com a expressão sombria. — Consegui colocar meus dedos debaixo do capuz para sentir o pulso, mas, para ser sincero, dá pra ver que já faz algum tempo. Eu acho... — Ele está quase se engasgando nas próprias palavras, sua respiração curta, arfante.

— O que foi? — indaga Steed, apressando-o.

Tom vai tirando o tanque de oxigênio, as mãos tremendo.

— O cara que está aí embaixo, não sei se é quem vocês estão procurando. Eu tirei uma foto.

Ele estende o celular, as mãos ainda tremendo, e Elin acaba batendo com a mão na dele ao tentar alcançar o aparelho, que cai no chão do barco fazendo um grande barulho. Ele se agacha, pega o telefone e entrega para ela.

A tela está molhada e embaçada, e Elin a limpa com a camiseta. Quando a imagem fica nítida, seu coração acelera.

Tom tem razão.

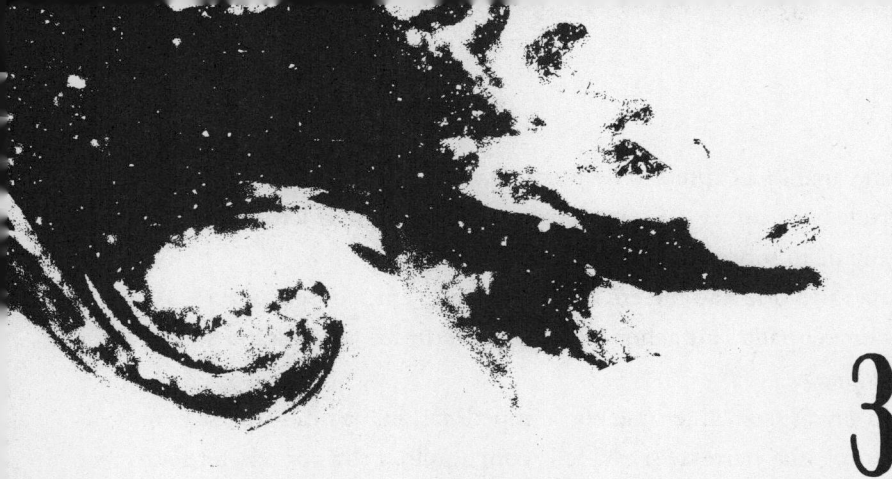

35

Ao sair do casulo de vapor do chuveiro, Hana sente, imediatamente, vontade de chorar de novo, mas as lágrimas não caem. O jorro emocional inicial de ontem se solidificou em algo maciço. Não é choque, é mais que isso, é uma sensação de anestesia, como se todas as suas terminações nervosas tivessem sido removidas.

Ela logo se veste e sai pelo corredor. Escuta sussurros ao longe, seu nome no meio de um monte de outras palavras. *A Hana disse...*

Jo e Maya.

Elas não estavam na sala, como esperava, mas do lado de fora, na varanda, segurando canecas de café. O macacão verde de Maya e o camisetão de Jo são o figurino típico de um fim de semana na praia, mas seus olhos inchados e cabelos sebosos anulam totalmente esse efeito.

— Ei — diz Hana, juntando-se a elas. O piso de pedra está morno sob os pés descalços. — Do que vocês estão falando?

— Ah, nada importante. — Maya coloca sua caneca na mesa, fazendo barulho.

Ela fica tensa.

— Mas eu ouvi o meu nome...

— A gente só estava se perguntando como você estava — intervém Jo, rapidamente. — Depois de ver a Bea daquele jeito, o choque que foi, a gente ficou preocupada, foi só isso. Ontem à noite você foi pra cama cedo.

Hana analisa a expressão de preocupação da irmã — a testa franzida, as rugas nos cantos de seus olhos azuis — e logo se lembra do que Caleb lhe disse sobre a discussão entre Bea e Jo.

Uma raiva que não lhe era comum acende em seu peito.

— Preocupada? Eu achei que, mais que tudo, você estaria se sentindo *culpada*.

As palavras saem antes que possa impedi-las. Hana fica surpresa consigo mesma, mas parte de si está feliz com aquilo. Feliz por não ter feito o que costumava fazer: se controlar, morder a língua. Ser *boazinha*.

Jo contrai todo o corpo.

— Como assim?

— Eu estava pensando. O que você fez, Jo, isso de fazer a Bea se sentir tão mal por não ter vindo a ponto de achar que tinha que vir até aqui sem avisar ninguém só pra acabar sofrendo essa porcaria de acidente... Eu estaria me sentindo culpada se eu fosse você.

Jo se senta mais para a frente.

— Você não sabe se foi por isso que a Bea veio, nenhum de nós sabe.

— Foi o que você disse para a detetive.

— Beleza, talvez esse tenha sido o motivo principal, mas sabe do que mais? — Os olhos de Jo se iluminam. — Eu faria tudo de novo. Não interessa como você vai tentar distorcer isso, colocando uma auréola na cabeça da Bea, mas nos últimos tempos ela andava muito *egoísta*. Cancelar essa viagem foi uma atitude de merda.

Maya põe a mão no braço de Hana. Os vários anéis de prata em seu indicador refletem a luz.

— Calma, tá todo mundo nervoso. A Jo acabou de falar com a mãe de vocês... Ela está arrasada. É um choque, ninguém está pensando direito. É natural querer descontar em alguém.

— Não. — O último resquício de compostura de Hana se esfarela. Sua voz sai bem falhada. — Eu não estou descontando em ninguém. Pela primeira vez na minha vida, eu estou dizendo a verdade. A Jo fez a Bea se sentir um lixo. É o que ela sempre faz, porque, bem no fundo, ela sente inveja. É um sentimento recorrente...

Jo pisca, como se tivesse levado um tapa.

— Inveja?

— Sim, e eu entendo, porque eu também já senti inveja dela algumas vezes, mas, com você, é pior. Sempre foi. A atenção que a Bea ganha do papai e da mamãe, as conquistas dela... Você acha que ela não percebia? Ontem à noite o Caleb insinuou que sim.

— Como assim? — questiona Jo, devagar.

— Ele disse que a Bea sabia o que você sentia por ela.

— Que idiotice. Eu organizei tudo isso. Por que eu faria algo assim se eu estivesse com inveja dela?

— Porque você queria que ela te visse em destaque — interrompe Hana —, que ela finalmente levasse a sério o que você faz. Vocês duas tiveram uma briga algumas semanas atrás porque, pela primeira vez, ela te confrontou e você não gostou nem um pouco — explode ela.

Era um chute baseado no que Caleb havia lhe dito, mas parecia plausível.

— Uma briga? — gagueja Jo.

Sua mão começa a tremer, ainda segurando a caneca de café.

— Sim. O Caleb me contou. Uma briga bem feia, e a Bea acabou te deixando falando sozinha. — Hana a encara. — Não foi? Ela finalmente descobriu quem você é, não é? Foi por isso que vocês brigaram?

Jo abre a boca para responder, mas não diz nada.

— Não — diz ela, por fim. — A Bea não tinha retornado algumas ligações minhas, foi só isso. As coisas saíram do controle.

— Foi só isso?

— Foi. Lamento decepcionar você. — A tremedeira de Jo se intensifica, e o café começa a escorrer pelos lados da caneca e a pingar no chão.

Hana olha Jo nos olhos e, em seguida, desvia, assustada.

Não é o que ela enxerga nos olhos da irmã que a incomoda, mas sim o que *não* vê.

Ela percebe que, ao longo dos últimos anos, havia perdido a habilidade de decifrar a irmã, de saber exatamente do que Jo era capaz.

36

Somente uma parte do rosto está visível, pálida com alguns pontos acinzentados, um respirador enfiado metade para dentro e metade para fora da boca. O coração de Elin acelera quando ela dá zoom na lente embaçada da máscara e vê os olhos do homem abertos, vidrados e mortos.

O capuz da roupa de mergulho, levemente torto, está apertando seu rosto, mas qualquer dúvida que Elin pudesse ter sobre a identidade do homem desaparece quando ela vê sua barba escura.

Seth.

Seu estômago se revira enquanto ela tenta se lembrar das poucas palavras que os dois trocaram. Não haviam se falado muito — ele parecia não saber muito bem como lidar com as emoções que gravitavam ao redor da morte de Bea, mas sua impressão geral tinha sido de vitalidade, de força. De alguém no auge da vida. Era quase impossível conciliar esta imagem com a da foto.

Dois integrantes de um mesmo grupo, mortos em tão pouco tempo. *Quais eram as chances?*

— Você o reconhece também? — pergunta Tom.

— Sim. Ele faz parte do grupo... Bea, a mulher que caiu. Seth é o namorado da irmã dela. — Elin demora a perceber que ele tinha dito "também". — Você se lembra dele de ontem?

— Não exatamente. Pra ser sincero, quando você e eu conversamos, eu sabia que você falaria com o Seth, mas aquela não era a primeira vez que eu o via. Nós já nos conhecíamos. Ele já tinha vindo ao retiro algumas vezes.

— Era um hóspede frequente?

— Acho que não o descreveria assim. Não sei se você sabe, mas a família do Seth é dona desta ilha. — Uma pausa. — Ronan Delaney. Pouca gente sabe disso. O retiro faz parte de uma rede de hotéis, então ele não está, de fato, envolvido no dia a dia.

— Eu não sabia. — *Por que ninguém da família Leger mencionou isso? É lógico que alguém deveria ter falado quando conversamos.* — Quando o Seth vem até a ilha, ele costuma mergulhar?

— Costuma, e é isso que eu estou achando o mais estranho, o fato de ele estar aqui sozinho, de ter se colocado nessa situação — responde Tom, um fio de água escorrendo de seu cabelo pelo rosto. — Mergulhadores experientes têm o protocolo profundamente internalizado... Você nunca mergulha sozinho. Seth sabia disso, e geralmente levava um instrutor ou um amigo junto. — Ele engole em seco. — Eu também não gostei da posição dele lá embaixo, assim, de lado. Depois de um acidente, em geral são os cilindros de oxigênio que ficam mais embaixo, seguidos pela parte mais pesada do corpo.

Ele hesita por um momento, como se estivesse com dificuldade de falar o que estava pensando, ou considerando se deveria dizer mesmo.

— Mais alguma coisa? — pergunta Elin, com delicadeza.

Tom assente.

— A válvula do tanque de oxigênio está fechada.

— Isso teria cortado o fornecimento de ar?

— Exato. — Ele contrai todo o corpo. — Ele teria sufocado.

— É possível fazer isso a si mesmo, de forma acidental? — questiona Steed, ainda olhando para a imagem.

— Não, acho que não, e mesmo que tivesse feito isso, ele teria corrigido a tempo.

Elin reflete sobre as palavras dele, o tom de sua voz, uma conclusão começando a se formar dentro de seu peito. Tom não está dizendo nada de modo explícito, mas ela está captando a essência da coisa.

— E o capuz... — Tom pega o celular de volta, toca na tela e depois devolve à detetive. — É como se tivesse sido puxado para trás.

Elin olha para a imagem: não há nada de natural nos vincos e nas dobras do tecido. Alguém ou alguma coisa o havia puxado.

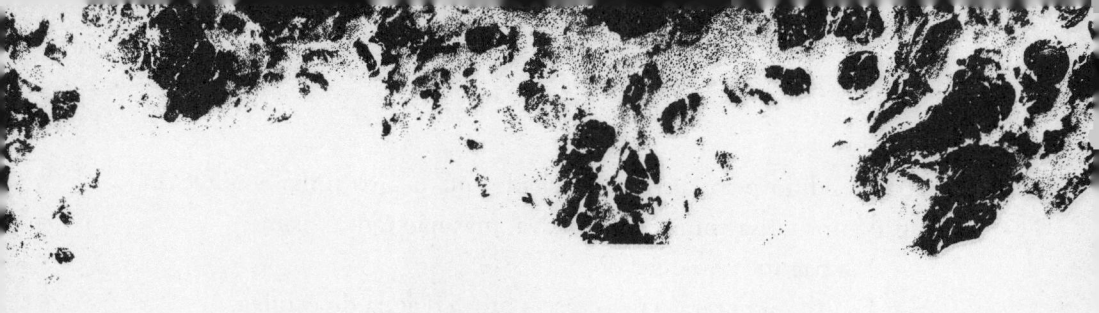

37

— Preciso fazer umas ligações para trazer a equipe certa para cá, mas, enquanto isso, dá pra deixar um barco aqui? Para garantir que ninguém chegue perto? — orienta Elin, rápido.

Mesmo debaixo d'água, preservar a cena de um crime é fundamental. Se não foi um acidente e as provas forem alteradas, toda a investigação pode ser comprometida.

— É claro. — Tom concorda com a cabeça, seu rosto ainda lívido. — Qualquer coisa que eu possa fazer para ajudar.

Steed olha para a praia.

— Tem algum lugar além dessa praia onde poderíamos trabalhar?

Tom pensa por um momento, e depois faz que sim com a cabeça mais uma vez.

— Tem uma cabana no pé da falésia. Não sei se está muito limpa, mas é bem isolada.

— Obrigada — diz Elin, devolvendo o celular de Tom e procurando o dela, mas, enquanto faz isso, o aparelho toca.

É Farrah.

A cunhada nem a cumprimenta:

— Tenho novidades — começa Farrah. — O homem que desapareceu não estava tão desaparecido assim, no fim das contas. Pelo jeito ele estava mergulhando de snorkel do outro lado do resort. Estava com o celular, mas o aparelho estava desligado. Só ligou de volta faz uns vinte minutos e apareceu um monte de mensagens. Acho que ficou um pouco ofendido pelo amigo ter achado que o pior tinha acontecido. Disse alguma coisa como "eu a amava, mas não tanto assim..."

— E a bagunça no quarto?

— Estava procurando pelo case à prova d'água do celular.

— De fato uma boa notícia. — Elin hesita por um momento, relutando em estragar a alegria de Farrah. — Mas, infelizmente, tenho que responder com uma má notícia. Aquela mochila que foi avistada... Nós encontramos um corpo perto dela.

— Eu sei que ela não está exatamente à altura das outras dependências do retiro, mas será que serve? Não sei quando foi que alguém abriu esse lugar pela última vez — diz Tom e em seguida se vira, seus pés levantando uma nuvem de poeira.

Steed começa a tossir, cobrindo a boca com a mão.

— Eu chutaria alguns anos — consegue dizer, meio engasgado.

Elin olha ao redor. O contraste com a cabana de esportes aquáticos na praia principal é gritante. Uma umidade almiscarada e salina impregna a atmosfera, o aroma rançoso de uma construção desativada na praia amplificado pelos detritos — boias gastas, coletes salva-vidas, um velho rádio em cima de um frigobar todo manchado. Todas as janelas, quadradas, estão riscadas e cobertas de limo, deixando apenas um pequeno círculo de vidro no centro de cada uma filtrando a luz do sol.

— É bem isolada, o que é o mais importante. — Encrustada ao pé da falésia, acima da faixa das marés, a cabana é o lugar perfeito, longe dos olhares curiosos do retiro. — Para que ela é usada agora?

— Tenho quase certeza de que foi usada para guardar coisas da antiga escola e, depois, da ONG que tinha aqui... — Tom para de falar, seu rádio comunicador chiando. — Desculpem, preciso atender.

— Vai lá.

Quando Tom deixa a cabana, o celular de Elin apita. É uma mensagem de Will.

Como estão as coisas?

Complicadas, ela digita de volta. *Não posso falar muito, mas toma cuidado.*

Os três pontinhos ficam dançando enquanto ele responde, até que: *Ok. Estou no prédio principal. Vou ficar aqui até você entrar em contato.*

Os três pontinhos aparecem novamente, mas, depois, desaparecem, como se ele tivesse começado a escrever alguma coisa mas acabou desistindo.

— E aí, o que a sua intuição está dizendo sobre esse caso? — murmura Steed, enquanto ela guarda o celular.

— Não dá pra saber nada até tirarmos o corpo de lá, mas, pelo que Tom falou, não estou gostando nada disso. E ainda tem o fato de que ele estava sozinho...

— E a mochila? — Steed fica na ponta dos pés para examinar uma prateleira abarrotada. — Estava bem perto de onde o encontramos, talvez explique por que ele foi até lá. — Ele muda de assunto, esticando o pescoço: — Puta merda, parece que alguém morou aqui uma época. Tem um fogareiro, um tapete, um monte de papelada antiga... — Steed estica o braço e um pedaço de papel flutua até o chão. Ele o recolhe e fica examinando. — É um documento... Fala sobre a transformação da ilha numa reserva natural.

Elin olha por cima do ombro dele.

— Ah, já ouvi falar disso. Antes do LUMEN, os ambientalistas fizeram uma campanha para conservar este lugar, mantê-lo intocado.

Seu instinto lhe diz que aquela teria sido a escolha certa. A ilha parece estar mandando uma mensagem muito clara a todas as gerações que habitam este lugar: *Não queremos vocês aqui.*

Steed pega outra coisa.

— Achei uma foto. Parece a escola.

Elin fica arrepiada. A foto mostra um grupo de garotos enfileirados na frente da escola, os professores atrás deles, vestindo jalecos compridos. Tem alguma coisa estranha no rosto das crianças: uma ausência de emoção muito perturbadora. Ela fica pensando em todos os rumores que ouviu, nos comentários de Zimmerman sobre o artista que havia estudado no colégio.

— Olhando para esses meninos, provavelmente a melhor coisa que aconteceu com eles foi aquele incêndio.

— Antigamente, um monte de coisas que aconteciam nessas escolas passava batido — comenta Steed, que continua averiguando o lugar. — Caramba, tem até uma caneca velha aqui... Que lugar estranho pra se entocar. — Ele sorri. — Mesmo para um amante da natureza.

Elin concorda. Acha aquela ideia tenebrosa: uma pessoa secretamente alojada ali, sem que ninguém a visse. Ela muda de assunto.

— Alguma novidade sobre a equipe?

Eles estavam aguardando a unidade de apoio marítimo da polícia, mergulhadores especializados em resgatar corpos debaixo d'água, fundamentais para garantir que eles serão removidos com cuidado, evitando o comprometimento das provas.

— Na verdade, sim, a sala de controle ligou alguns minutos atrás. — Steed faz uma pausa. Pela maneira como ele abre a boca e depois a fecha, Elin já sabe que o que vai dizer não será bom. — Não gosto de ser portador de más notícias, mas eles não vão conseguir mandar ninguém nem tão cedo pra cá. Parece que estão envolvidos numa operação com a Guarda Costeira um pouco longe daqui.

Elin balança a cabeça, já imaginando o que aquilo significa para a investigação. Existe um equilíbrio delicado numa situação como aquela, entre garantir que o corpo seja preservado e se assegurar de que não se percam evidências por ficarem muito tempo submersas. Se a unidade de apoio não chegar logo, as provas podem acabar comprometidas.

— Vou falar com a Anna primeiro, mas acho que vamos ter que buscar o corpo e a mochila agora mesmo.

Saindo da cabana, Elin começa a se preparar. Com uma equipe inexperiente e, ela precisava admitir, provavelmente apavorada, aquilo não vai ser fácil, mas sua mente está operando num nível muito superior ao que vinha há meses, e ela sente uma mistura estranha de emoções: o óbvio — medo e ansiedade com a situação —, mas uma outra coisa inesperada também.

Empolgação. Uma sensação potente e positiva que deixa seu corpo borbulhando por dentro.

Ela está de novo no controle de uma investigação. Tudo que está por vir depende dela.

38

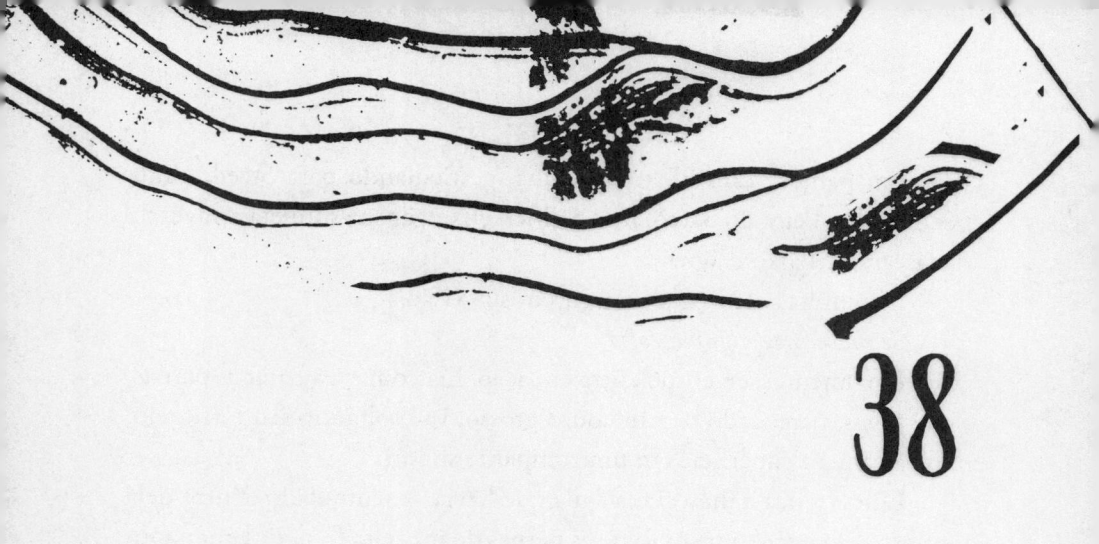

Elin respira fundo, enfia o tubo do snorkel na boca e mergulha na água. Está mais fria do que imaginava, um forte contraste com o ar quente e úmido. Ela nada para a frente até estar exatamente em cima da mochila. Então, batendo os pés, inclina o corpo para se aproximar da base da mochila. Eles tinham razão: está presa a uma pedra.

Ela agarra uma ponta da mochila e a puxa. O objeto mal se mexe, então Elin faz mais força, mas seus dedos escorregam da superfície. A pedra segue teimando em soltá-la.

Tentando ignorar a pressão que vai se criando em seus pulmões, Elin muda de posição e puxa a mochila novamente, mas daquela vez sente uma resistência.

Não da mochila, mas em seu pé.

Alguma coisa está se enroscando em seu tornozelo.

Devem ser algas, diz a si mesma. O corpo de Seth, ainda submerso, está a poucos metros de distância, mas, por um instante, ela sente alguém a puxando desesperadamente do fundo do mar.

Enquanto se debate debaixo d'água, Elin sente aquilo novamente, se enrolando com mais força em sua perna.

O pânico se instaura, ela sente um aperto no peito. De repente, tudo parece se amplificar: a água em seus lábios e narinas, seu coração pulsando dentro de seus ouvidos.

Seus pulmões estão em chamas, ardendo.

Ela precisa subir.

Em pânico, Elin olha para cima, gesticulando para Steed, ainda sentado na beira do barco, mas é difícil enxergar sua silhueta através da máscara, debaixo d'água.

Estrelinhas começam a surgir em sua visão.

Se mexe. Faz alguma coisa.

Finalmente, seu corpo entra em ação. Ela começa a bater as pernas, e as algas, parecendo de um couro grosso, vão soltando seu tornozelo. Ela alcança a superfície em um rompante sonoro.

Elin arranca a máscara, a água que havia se acumulado dentro dela escorrendo por seu rosto. Bate as pernas de maneira frenética enquanto respira fundo, enchendo os pulmões de oxigênio.

— Ei, o que houve? — Steed já está inclinado, esticando os braços para ajudá-la a subir no barco.

— Acho que entrei em pânico. Não consegui pegar a mochila — responde ela, entre uma respiração e outra, subindo de qualquer jeito no barco.

A verdade é que ela havia ficado assustada. A mesma malevolência que havia sentido na ilha estava presente ali também, na água. *O que este lugar está fazendo com ela?* Elin nunca foi supersticiosa, mas, de alguma maneira, a ilha estava borrando as fronteiras entre seu consciente e seu subconsciente, desenterrando medos que nem sabia que tinha.

Então experimenta a mesma sensação que tivera mais cedo, na cabana, como se aquela ilha estivesse mandando uma mensagem a cada oportunidade possível: *Não queremos vocês aqui.*

Ela respira fundo e se recompõe.

— Ela está bem presa. Definitivamente agarrada numa pedra. Acho que a gente vai precisar usar força bruta. Talvez seja melhor se você e o Tom forem até lá. Com equipamento de mergulho, um de vocês pode ir um pouco mais fundo e empurrar a mochila por baixo. Eu já tirei fotos o suficiente para usar como evidência, então vocês podem fazer isso sem problemas.

Steed assente, ainda olhando para ela, sem parecer muito convencido de sua resposta. No entanto, abaixa a máscara sobre o rosto e desliza para dentro d'água com Tom. Submergindo sem dificuldades, eles fazem aquilo parecer fácil. Ninguém ficou nervoso como ela por causa do equipamento pesado, ou pela ideia de estar totalmente submerso na água.

Steed e Tom vão afundando aos poucos até ficarem embaixo da mochila. Seus movimentos estão agitando a água; ela não consegue ver muita coisa além de formas e sombras difusas.

Com os batimentos ainda acelerados, Elin aguarda eles retornarem à superfície. Quando finalmente fazem isso, Steed está com a mochila em mãos.

— Tivemos que usar um pouco de força, como você imaginava — diz ele, subindo de volta no barco. — Mas conseguimos pegar.

Assim que Tom também retorna, Elin coloca um par de luvas e puxa a mochila molhada. Mesmo com o tecido resistente e grosso, a mochila está coberta de arranhões nos lugares em que ficou presa às pedras.

Tirando seu equipamento, Steed aponta para a mochila com a cabeça.

— Não parece que estava ali há muito tempo.

— Concordo — responde ela, tirando algumas fotos, depois deixa o celular de lado. — Vamos ver o que temos aqui.

Ela abre cuidadosamente o zíper e olha o que tem ali dentro.

Prende a respiração.

Havia imaginado muitas coisas, mas não aquilo.

No fundo da mochila, há uma fileira com várias embalagens plásticas acomodadas — cinco; não, seis, bem embaladas, seus conteúdos mumificados por uma camada grossa de plástico industrial.

Nem precisa abri-las para saber o que há dentro.

Drogas.

39

Embora pareça diminuta, essa quantidade provavelmente vale uma pequena fortuna.

— Muita coincidência o corpo estar tão perto da mochila — comenta Steed, parecendo abalado. — Levando em conta a ficha criminal dele, você acha que ainda podia estar traficando?

— Eu diria que sim — afirma Elin, apreensiva. Ela não está gostando disso, ainda mais depois das suspeitas que Tom levantou sobre o cadáver. — Acho que está na hora de resgatarmos esse corpo.

A lona que eles estendem no assoalho do barco acumula a água do equipamento e da roupa de mergulho de Seth em pequenas poças salpicadas de areia.

O volume do equipamento às suas costas os obrigou a deitá-lo de lado e, à primeira vista, até seria possível achar que Seth estava dormindo, se não fosse pela coloração pálida de seu rosto e a rigidez de seus músculos.

Elin se agacha ao lado dele, o barco balançando suavemente com seu movimento.

Tom aponta e rapidamente diz:

— Aqui. Esta é a válvula de que eu falei, e sem dúvida alguma está fechada. Como eu disse, ele poderia ter aberto ela de volta, a menos que... — Ele gesticula na direção do capuz, sua mão agora tremendo de leve.

Elin olha para onde ele aponta. A essa distância, o enrugado do capuz que ela havia vislumbrado na foto de Tom está muito mais evidente, pequenos entalhes bem nítidos no tecido.

Seus olhos ficam indo e voltando da válvula para o capuz.

Ela engole em seco. Há uma história ali, e é uma história horrível. Ela pisca os olhos com força, incapaz de parar de imaginar a cena: Seth se debatendo debaixo d'água, o oxigênio parando de fluir, alguém o puxando para baixo...

— E tem mais uma coisa — murmura Steed, chegando mais perto. — Olha, aqui, no canto da boca dele. À esquerda do respirador.

Vestígios de um pó fino.

Foi um pouco diluído pela submersão na água, mas ainda era visível. Seria algum tipo de giz? Impossível dizer antes que uma análise seja feita, mas aquilo a incomoda.

Steed examina o corpo de cima a baixo.

— Não estou vendo em mais nenhum outro lugar.

Elin faz que sim com a cabeça, sentindo o gosto de bile amargando o paladar.

Todos os sinais indicam que aquilo não foi um acidente.

Seth foi assassinado. Sua vida brutalmente encerrada debaixo d'água.

40

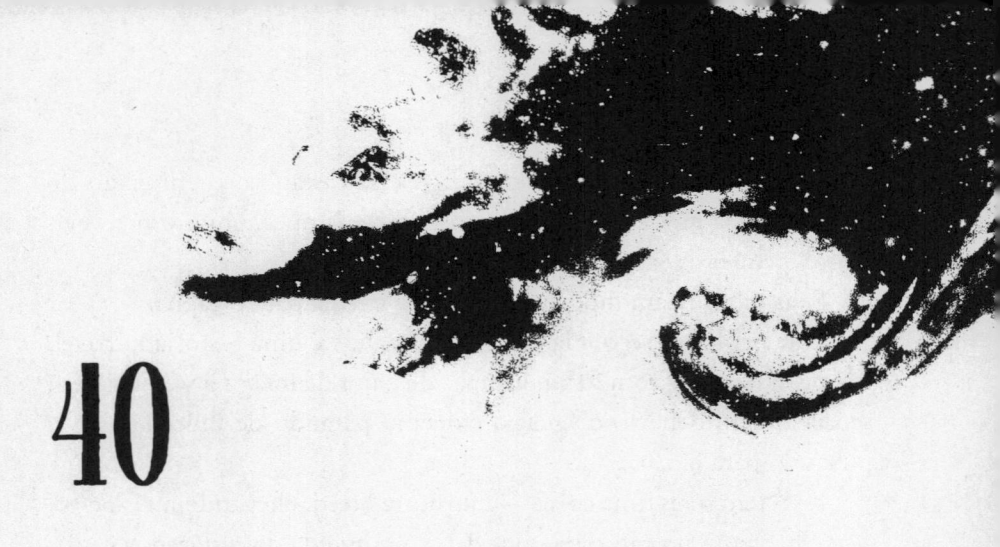

Elin fecha a porta da cabana e enfia o celular de volta no bolso.
— A chefia acha que, agora que temos dois corpos, a gente precisa chamar os peritos.

Steed aquiesce.

— Está bem óbvio que o Delaney não estava aqui para se divertir. — Ele puxa uma das pontas da lona para deixá-la mais lisa sobre o assoalho da cabana. — Talvez ali fosse um ponto de coleta de drogas.

A água do corpo de Seth e da lona começa a se espalhar pelo chão empoeirado, traçando linhas irregulares.

— Sabendo o que sabemos sobre a ficha criminal dele, faz sentido. Tom disse que ele vinha para cá com certa regularidade — argumenta ela.

Ela abre a porta da cabana e deixa que Steed saia à sua frente antes de fechá-la.

— Por outro lado, na ilha do próprio pai… — continua Steed, passando uma das mãos no cabelo, ainda encharcado. — É meio arriscado.

— Talvez fosse muito dinheiro para recusar. Ou talvez ele não tenha pensado direito. — Elin faz uma pausa. — E o timing disso, hein?

— Muito próximo da morte de Bea Leger, né?

— Pois é, e uma pessoa do mesmo grupo. Ainda tem toda essa história de surpresa, e as dúvidas sobre alguém ter saído ou não do chalé… — Ela balança a cabeça. — Acho que está na hora de falarmos com a namorada dele.

Steed olha para a cabana.

— E o corpo?

— No mundo ideal, alguém deveria ficar aqui com ele, mas acho que não tem problema em trancar a porta e deixá-lo aí. Acho que seria melhor se você viesse comigo. Um outro par de olhos pode vir a ser muito útil.

— Você quer que eu avise a família Delaney no caminho?

— Por favor.

Porém, enquanto ela imagina a reação do pai de Seth, sua mente volta a ruminar a dúvida de alguns instantes atrás.

Será que o Seth realmente traficaria drogas na ilha do próprio pai?

E é inevitável que essa pergunta desencadeie outra: caso Seth estivesse fazendo isso, que tipo de pessoa, exatamente, seria seu pai?

Empreendedor imobiliário altamente bem-sucedido, Ronan Delaney é uma das figuras mais respeitadas da indústria de desenvolvimento e construção civil internacional. Ao longo de sua carreira, construiu prédios premiados por todo o Reino Unido e pela Europa. Delaney é patrono da Fundação Arco-Íris, que busca engajar representantes de minorias e membros de comunidades desfavorecidas na política e na sociedade civil.

Enquanto eles caminham pela praia, Elin segue lendo o artigo sobre Ronan Delaney. Após os primeiros parágrafos, há uma estilosa foto profissional: Ronan de camisa branca, o colarinho desabotoado.

— Parece com o Seth, não é? — diz Steed, olhando por cima do ombro dela.

— Parece mesmo.

Apesar dos cabelos grisalhos de Ronan, a semelhança com Seth é evidente: têm os mesmos traços fortes no rosto, a mesma estrutura corpulenta. Mas uma coisa é diferente. Ainda que a expressão de Ronan esteja neutra, um leve sorriso em seu rosto, seu olhar exibe uma característica que ela não esperava ver depois de ter conhecido Seth: vulnerabilidade.

Ela precisava de mais informações.

Ao chegar aos degraus que levam até o prédio principal, Elin para.

— Um segundo — pede. — Preciso conferir uma coisa.

Ela acrescenta o nome do retiro ao nome de Ronan na ferramenta de busca.

Uma enxurrada de matérias sobre a compra da ilha aparece nos resultados. Todas reafirmam o que Tom havia lhe dito: o retiro foi passado para um grupo hoteleiro conhecido por seus empreendimentos de luxo na beira da praia.

Elin entra e sai rapidamente do artigo seguinte — um comunicado genérico à imprensa — e está quase desistindo quando um dos resultados chama sua atenção.

— O que você descobriu? — pergunta Steed.

Ela inclina a tela para que ele também possa ler.

NOVO EMPREENDIMENTO DE DELANEY É ALVO DE CRÍTICAS
O EXPRESSO DE TORHUN

O futuro empreendimento na ilha Cary segue cercado de polêmicas.

Ronan Delaney, o novo proprietário da famosa Pedra da Morte, tem planos de construir um hotel no lugar onde ficava a antiga escola, na costa sul da ilha. A ideia já recebeu mais de duzentas manifestações contrárias.

Em entrevista, o morador local sr. Jackson comenta: "Essa construção contemporânea que estão propondo não combina com a beleza selvagem da ilha."

Christopher Walden, também contrário à ideia, declarou: "Acho que o projeto anterior, de transformar a ilha numa reserva ambiental, num Local de Interesse Científico Especial, vai ser um legado melhor para esse lugar lindo. Levar essa empreitada adiante é uma tremenda palhaçada."

A Câmara de Vereadores de Torhun agendou a decisão quanto à proposta para o final deste mês.

Os comentários sobre a matéria são mordazes.

Levando em conta quem é o novo dono da ilha, com certeza será uma palhaçada, mas não uma surpresa. Ouvi boatos de que ele está envolvido com um monte de empresas suspeitas. Esse cara é um predador.

Vale a pena dar uma conferida nos outros empreendimentos dele.

Um predador. Aquilo chama a atenção de Elin. Interessante. Steed aponta para a tela.

— Estão falando de novo sobre essa coisa da reserva ambiental.

Ela assente.

— Mas, depois de ler isso, estou achando que os ambientalistas nunca tiveram a menor chance. Ronan Delaney parece ser um sujeito extremamente agressivo.

— Talvez até mesmo com o próprio filho — comenta Steed, em voz baixa. — Quem sabe todo esse negócio de tráfico de drogas tenha sido uma maneira meio torta de se rebelar. Uma maneira de afrontar o pai.

41

O chalé do grupo fica localizado no topo de um planalto natural no fim do caminho. Os galhos de um dos pinheiros estão espalhados pelo chão, uns por cima dos outros, como num jogo de pega-vareta.

Ao bater na porta, Elin observa os pares de calçados enfileirados do lado de fora — chinelos, Birkenstocks, alguns tênis. Um par de sandálias da Reef nitidamente maior que os demais, o solado de borracha bastante marcado pelos dedos.

Do Seth. Ela fica tocada com aquilo. *Todas as coisas que a gente deixa para trás...*

A porta faz um clique.

Elin vê Jo enquadrada pelo batente, o celular numa das mãos. O azul de seu vestido de mangas curtas é realçado pelo bronzeado, mas isso não disfarça o cansaço em seu rosto; sua pele está amarelada, a parte branca de seus olhos, rajada de vermelho. As pontas de seu cabelo, ainda molhado, pingam sobre o tecido, deixando meias-luas úmidas em seus ombros.

— Ah, os depoimentos — diz Jo, dando um passo para trás de modo a deixar que Elin e Steed entrem.

O corredor está repleto de malas e roupas, como se eles já estivessem começando a se preparar para ir embora, ainda que meio sem vontade.

Elin dá um passo para a frente.

— Na verdade, não estamos aqui para pegar o depoimento de vocês. — Ela pigarreia. Nunca é fácil. — Infelizmente, temos más notícias. Sobre o Seth.

— Ele não fez nenhuma idiotice, fez? — Jo fica olhando para os dois enquanto balança a cabeça. — Eu sabia que ele não ia aguentar ficar bancando o namorado legal por muito tempo. Desde o que aconteceu com a Bea, ele praticamente não para aqui no chalé. Ontem foi fazer wakeboard, hoje eu acordei e ele tinha mandado uma mensagem dizendo que tinha saído pra andar de caiaque. — Ela faz uma careta. — Ele já está no bar, né? Fazendo uma ceninha...

— Na verdade... — começa Steed, mas não consegue terminar a frase.

Jo volta a falar, reclamando sobre a relação questionável de Seth com o álcool. Elin logo se dá conta de que aquilo é um mecanismo de defesa: Jo já percebeu que há algo de errado e está adiando o inevitável. Sua voz está muito aguda, o sorriso em seu rosto, forçado.

Elin toca o braço dela com delicadeza.

— Sinto informar, mas aconteceu um acidente. Lamento ter que te contar isso, mas Seth faleceu.

Enquanto ela fala, o ar-condicionado emite um rosnado e, por um instante, Elin se pergunta se Jo teria escutado a frase até o fim. A expressão dela está congelada entre o sorriso forçado de um segundo atrás e um tipo curioso de vazio.

Mas, então, ela cobre a boca com a mão.

— Não... Ele não pode... Não... — Ela solta um suspiro seco e áspero, mas ele é logo abafado.

— Sinto muito — diz Elin. — Eu sei que é um choque.

Jo leva algum tempo até se recompor.

— O que... aconteceu? — pergunta ela, por fim, seu peito ainda arquejando.

— Não sabemos ainda. Nós o encontramos no mar, usando equipamento de mergulho.

Jo arregala os olhos.

— Mergulho? Mas ele estava andando de caiaque.

— Ele estava usando equipamento de mergulho. Não temos certeza se estava ou não andando de caiaque antes disso.

— Onde ele estava? — Ela solta o ar de forma abrupta.

— Não muito longe de uma das enseadas — responde Steed.

Os olhos de Jo piscam rapidamente.

— Mas como vocês têm certeza de que é ele? Talvez vocês tenham se confundido.

— Precisamos que alguém o identifique formalmente, mas nós dois o reconhecemos. Sinto muito — acrescenta Elin.

Jo desmorona por completo. Fica agachada de uma maneira estranha, com uma das mãos apoiada no batente da porta para se equilibrar. Elin olha ao redor, ciente de que está parada no meio do corredor.

— Será que podemos entrar para termos um pouco de privacidade?

Ajudando Jo a se levantar, Elin a conduz até a porta à sua esquerda, que leva para a sala. O espaço, assim como o corredor, se encontra num estado peculiar: roupas penduradas no encosto das cadeiras, várias canecas vazias em cima de uma mesinha. Pelas portas de vidro na parede oposta, ela vê roupas de banho secando nas cadeiras da varanda.

Steed gesticula para a porta dupla à sua direita, que leva até um corredor nos fundos da sala.

— Vou fechar para que ninguém nos incomode.

— Com quem ele estava mergulhando? — indaga Jo, de repente.

Elin se senta ao lado dela no sofá e pega seu caderninho surrado.

— Até onde sabemos, ele estava sozinho — responde, enquanto Steed se senta do outro lado.

— Mas isso não faz sentido. — Jo está batendo o pé no chão com certa violência. — O Seth é um mergulhador experiente. Ele nunca mergulharia sozinho.

— Pelo que parece, ele mergulhou, sim. Vamos precisar que um time de especialistas examine tudo antes de chegarmos a qualquer conclusão, mas parece que ele teve problemas debaixo d'água. — Elin se detém, relutando em apresentar uma teoria quando ela mesma não sabe todos os fatos. — Olha, eu sei que é difícil, mas eu gostaria de fazer algumas perguntas sobre a última vez que você viu o Seth, para nos ajudar a entender o que aconteceu.

— Lógico. Foi quando a gente foi deitar. Hoje de manhã eu acordei mais tarde, umas oito. — Ela dá uma fungada, as lágrimas se acumulam em seus olhos. — O Seth já tinha saído. Ele me mandou uma mensagem dizendo que estava andando de caiaque. Como eu disse, isso não me surpreendeu, porque não era como se ele estivesse curtindo muito essa coisa toda de família enlutada.

— E só pra eu entender, você não saiu do chalé hoje?

— Não, eu fiquei no meu quarto.

— Você sabe se alguém saiu? — Steed puxa um lenço da caixa ao seu lado e o entrega a Jo.

— Obrigada. — Ela esboça um meio sorriso. — Não tenho certeza, você vai ter que perguntar para eles.

Elin assente.

— Uma última coisa: Tom, um dos instrutores de esportes aquáticos que trabalham aqui, me disse que o pai do Seth é o dono do retiro. Ronan Delaney.

— Sim. — Jo começa a arrancar a pele de uma queimadura de sol na mão. — Mas ele não está envolvido, na verdade. Ele aluga o retiro para uma rede de hotéis, que é quem administra.

— Imagino que você saiba que o Seth já esteve aqui antes.

Jo leva o lenço até o rosto e enxuga os olhos.

— Aham. Ele gosta de sair de Londres. Uns anos atrás, abriu uma agência digital. O trabalho é muito pesado, então ele vem até aqui para relaxar.

— E você sabe se ele costumava mergulhar quando vinha pra cá?

Ela faz que sim com a cabeça.

— Ele adora mergulhar. Gosta de qualquer tipo de aventura.

— E, antes dessa vez, você já tinha vindo pra cá junto com ele? — pergunta Steed.

Apesar de estar fazendo uma pergunta, ele usa um tom carinhoso, não intrusivo. Aquilo é uma arte, bastante rara para um policial inexperiente.

— Não, essa foi a primeira vez que eu vim. Mas agora eu queria ter vindo antes. Ele me convidava todas as vezes, mas eu estava sempre ocupada.

Ela solta outro suspiro, e Elin termina de fazer suas anotações. A policial espera até que Jo se recomponha e, então, pergunta:

— Foi ideia do Seth vir até aqui?

— Na verdade, não. Como já falei, alguém mencionou o retiro e eu comentei com o Seth. A gente achou graça na coincidência e começou a falar sobre eu nunca ter vindo até aqui. Aí eu entrei em contato com o retiro e eles me ofereceram a hospedagem. Não teve nada a ver com o Seth. Ele prefere assim. Gosta de passar despercebido.

— Mais alguém do seu grupo sabe da conexão dele com a ilha?

Jo faz que não com a cabeça.

— A gente achou melhor assim. As pessoas nem sempre têm uma boa impressão do Seth, em especial a minha família. Se elas soubessem que o pai dele é o dono da ilha, provavelmente ninguém teria vindo.

— Por quê? — pergunta Steed.

— Imagino que achariam que essa viagem seria uma maneira de ele se exibir... — Jo dá de ombros. — Ele tem um histórico nesse sentido, apesar de ter uma postura de interferir o mínimo possível nas escolhas dos outros. — Ela faz uma pausa. — Ele se comporta que nem um palhaço, e as pessoas ficam irritadas. Mas isso é tudo fachada. No fundo, ele só é inseguro. A infância dele foi bem ruim, apesar do dinheiro. O pai não passava muito tempo com ele, e ele sempre sofreu muita pressão por ser filho do Ronan, com todas as expectativas que vêm disso.

— Em que sentido? — questiona Elin, dizendo aquilo com cuidado, ciente de que a declaração dá corda à sua teoria de que o envolvimento com drogas poderia ser algum tipo de rebeldia.

— As pessoas acham que ele é uma pessoa mercenária e ambiciosa que nem o Ronan, ou que é um riquinho encostado, vivendo às custas do pai. Mas o Seth é... — ela pisca os olhos e se corrige — *era* melhor que tudo isso. Acho que, às vezes, ele se esforçava demais para fazer as pessoas gostarem dele, mas isso só acabava afastando todo mundo.

Steed assente.

— Você notou algum comportamento incomum no Seth recentemente? Antes de vocês chegarem aqui ou durante a estadia?

— Não. Nada.

Mas Elin percebe algo, um vestígio de alguma emoção fugaz em seu rosto.

— Tem certeza?

— Tenho.

Jo olha nos olhos de Elin, e depois nos de Steed, mas parece tudo muito intenso, exagerado. Elin olha para Steed, desconcertada.

Ela está escondendo alguma coisa.

Parece errado que, no meio do luto, alguém consiga ser calculista em qualquer sentido, mas Elin sabe que o instinto de sobrevivência das pessoas é capaz de passar por cima de qualquer coisa. Jo está omitindo algo, mas é melhor não pressioná-la ainda mais nesse momento. *Está cedo demais.*

Elin fecha o caderno.

— Você se importaria se déssemos uma olhadinha rápida no quarto de vocês dois? Talvez isso possa nos dar uma ideia melhor de por que ele estaria na água.

— É claro — responde Jo, se levantando, e Elin percebe mais uma vez: aquela emoção fugaz em seu rosto, impossível de decifrar.

42

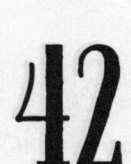

— Esse é o nosso. — Jo fica parada diante da porta do quarto, como se estivesse relutante em entrar.

Elin consegue entender por quê. As coisas de Seth estão espalhadas por toda parte: sapatos, roupas esportivas, um calção de banho pendurado numa das cadeiras. Ela olha para a mala grande em cima da cama e, ao lado, uma bolsa menor, no chão.

— Minha mala — Jo acompanha seu olhar. — Eu comecei a fazê-la. A nossa ideia era ir embora depois que vocês pegassem nossos depoimentos. — Ela olha ao redor. — O Seth ainda não tinha arrumado nada. Ele sempre deixa tudo para o último minuto.

Ela não consegue segurar as lágrimas.

— Vamos tentar ir o mais rápido possível.

Em meio a uma atmosfera de constrangimento, Elin vai até a escrivaninha ciente de que Jo choraminga baixinho às suas costas, o som abafado por um lenço. É a única parte do quarto que está arrumada, com uma garrafa d'água, um copo e um caderno em cima de uma pasta branca que contém informações sobre o hotel. À esquerda, há um notebook aberto, sua tela desligada.

— O notebook é meu — informa Jo, entrando no quarto. — O Seth não usa.

— Ele trouxe o dele também?

— Ele estava tentando ficar uma semana longe do trabalho — responde ela, balançando a cabeça.

— E o celular? O Seth estava com o celular dele de manhã?

— Acho que sim. Ele está sempre com o celular. Nisso nós somos iguaizinhos. — Ela aponta para o cabo plugado na parede. — Se estivesse em algum lugar, estaria ali.

Elin segue para o banheiro. O aroma cítrico e forte dos artigos de higiene pessoal do LUMEN perfuma o ar, bolhas de espuma ainda persistem no piso do chuveiro. Há um nécessaire ao lado da pia, e Elin dá uma breve olhada em seu conteúdo. Nada de estranho — loção pós-barba, aparelho de barbear, lâminas reserva.

De volta ao quarto, vê Steed vasculhando o guarda-roupa e se junta a ele. Metade do cabideiro está vazio, e as roupas que seguem ali obviamente pertencem a Seth — camisas mais bonitas para usar à noite, algumas camisetas.

Steed gesticula para a prateleira do topo. Há duas bolsas de viagem pretas, de uma marca de luxo finlandesa — tecido à prova de rasgos e zíperes resistentes, de boa qualidade, feitos de aço inoxidável.

— Essas bolsas são do Seth — avisa Jo, observando enquanto Steed as tira de lá.

Ela ainda se refere a ele no presente, um estranho contraste com a maneira como os policiais o tinham visto pela última vez: deitado em uma lona dentro da cabana, sem vida.

Steed coloca as duas bolsas em cima da cama e abre a menor.

— Só tem algumas notas fiscais.

Elin abre a maior e, imediatamente, percebe algo estranho: a bolsa parece descompensada, o lado direito cedendo um pouco.

Ao vasculhar o interior e os bolsos laterais, Elin não encontra nada, até que seus olhos se concentram nos dois bolsos da frente: um maior, com zíper, e em cima um menor, com velcro. Com uma sensação de incômodo crescente, ela confere os dois — vazios, como esperava; uma ilusão de ótica, bolada para disfarçar o comprimento adicional daquele lado da bolsa.

— O truque mais velho do mundo, mas repaginado — murmura Steed.

Ela assente, e seu coração se acelera. Não era o fundo que era falso, e sim uma das laterais.

Jo fica observando, ansiosa.

— Vocês encontraram alguma coisa?

— É possível — responde Elin, enquanto percorre com a mão a costura da lateral da bolsa, sentindo o ponto em que a estrutura cede sutilmente.

Em seguida, colocando um dedo por dentro, ela levanta um painel e encontra um zíper escondido atrás dele. Puxando-o para o lado, Elin enfia a mão dentro do bolso.

Seus dedos encostam em algo plástico — um saco fino, seu conteúdo sólido lá dentro.

Ela o puxa pela abertura apertada. É um saco transparente e, dentro dele, há três maços grandes de dinheiro enrolado, as notas presas por um elástico.

Tem um cenário se formando aí. Aos poucos, mas tem.

— Você sabe por que o Seth estaria com tanto dinheiro assim? — pergunta Elin, levantando o saco.

— Não. — Jo fica mexendo numa das pulseiras de amizade em seu pulso. — Ele costuma andar com dinheiro, mas não tanto. — Ao pronunciar a última palavra, sua voz sai trêmula.

Elin se vira para Steed.

— Pode guardar isso e se certificar de que não deixamos passar nada?

Ele assente, se aproxima da bolsa, enfia a mão dentro do bolso e percorre a costura até um dos cantos. Então franze a testa.

— Tem alguma coisa aqui, paralela à costura.

Steed tira a mão de lá, e uma peça de metal reflete a luz das lâmpadas no teto.

Elin sabe o que é antes mesmo que ele a tire completamente da bolsa. Um mosquetão.

Por que o Seth se daria a todo esse trabalho para esconder um mosquetão?

Steed o entrega a ela. Enquanto Elin passa os dedos pelo objeto de metal, os contornos imprecisos de um pensamento começam a se delinear em seu subconsciente.

— Seth tinha planos de fazer escalada enquanto vocês estavam aqui?

— Não que eu saiba — diz Jo, meneando a cabeça.

Os pelos da nuca de Elin se eriçam quando o pensamento por fim se consolida. Ao fechar brevemente os olhos, ela está, de repente, de volta às pedras, o sol queimando seu rosto enquanto dá um passo para o lado...

É isso, pensa.

Mas aquilo a deixa sem palavras.

Impossível. Será que ela está imaginando coisas?

Mesmo assim, sua mente começa a ligar outras pontas soltas: o que Hana havia falado sobre alguém ter saído do chalé, seu incômodo sobre o que tinha visto nas imagens da câmera de segurança...

Ela repassa as imagens na memória; o que tinha visto e a conclusão que havia tirado daquilo. Talvez fosse a conclusão errada.

— Obrigada por isso — diz ela a Jo, enfiando o mosquetão dentro de um saco de coleta de evidências. — Eu sei que é difícil, ter que responder a tantas perguntas quando você nem teve tempo de processar direito o que aconteceu.

Jo assente, o olhar fixo no mosquetão.

— Vocês terminaram?

— Sim, mas, levando em conta o que aconteceu, infelizmente vou precisar que vocês fiquem aqui por um pouco mais de tempo.

— É claro. Eu... — Jo para.

— O que foi? — Elin fica surpresa com a expressão consternada em seu rosto. Não é apenas luto, mas também confusão.

— Tem uma coisa sobre o Seth. O que vocês perguntaram antes, se ele estava se comportando de um jeito diferente. Bom, ele estava, mas só por causa de algo que vinha acontecendo. Nos últimos seis meses, mais ou menos, ele andava recebendo uns e-mails. Umas coisas bem pesadas.

Steed olha para ela, arqueando uma das sobrancelhas.

— Sobre o quê? — pergunta ele.

— Ele não me mostrou, mas deu pra captar a essência. *Riquinho mimado. Fica pisando nas pessoas.* Coisas sobre o pai dele também. Como ele maltratava os outros, arruinava a vida das pessoas, não deixava que elas tocassem a vida... Um monte de coisas aleatórias. O Seth não dava muita bola, já estava acostumado com as pessoas o criticando, mas, mesmo assim, dava pra ver que aquilo o estava afetando.

— Alguma ideia de quem poderia ter mandado esses e-mails?

Ela hesita, como Elin imaginou que hesitaria: deve haver algum motivo para que Jo não tenha falado isso desde o começo.

— Por favor — diz Elin, com delicadeza. — Você precisa ser sincera. É a única maneira de descobrirmos o que aconteceu com o Seth.

Jo assente.

— Uma parte de mim acha... — começa ela. — Uma parte de mim acha que pode ser a Maya. — Então seu pescoço fica vermelho, o rubor se alastrando pelas bochechas.

— Maya?

— É. Alguns meses atrás, o Seth não a contratou para uma vaga. Foi uma merda. Pra ser sincera, não foi uma boa ideia eu ter sugerido isso, eu nem deveria ter me metido.

— Mas por que a Maya teria ficado tão chateada?

— Pela maneira como aconteceu. Foi um dos gerentes júniores que ofereceu o trabalho a ela. Nós somos amigos, então eu falei diretamente com ele, não passei pelo Seth. Eu sabia o que ele ia dizer. Só que o Seth descobriu tudo e cancelou o processo, dizendo que não era uma boa ideia misturar família e negócios. A Maya... Bom, ela perdeu o apartamento uns meses depois. Não conseguiu mais pagar o aluguel.

— Então você acha que a Maya pode ter feito isso como vingança? — pergunta Steed, baixando um pouco o tom de voz.

— Não sei. — Jo dá de ombros. — Eu me sinto meio idiota agora que toquei no assunto. Provavelmente a Maya não tem nada a ver com isso. Quer dizer, também tinha umas coisas sobre o pai dele, e a Maya nem o conhece. Por favor, não digam nada a ela.

Elin olha para Steed e a primeira coisa que pensa é: *Então pra que falar isso? Por que se dar ao trabalho de contemplar a possibilidade se você não acha que tem chance de ser verdade?*

— Pode deixar, mas precisamos falar tanto com a Maya quanto com a Hana antes de irmos embora.

— Ok — responde Jo, mas Elin não tem certeza se a outra realmente a escutou, seus olhos vidrados em Steed enquanto ele pega o dinheiro e o mosquetão e os coloca dentro de um saco.

Assim que eles saem do chalé, Steed balança a cabeça.
— O que você achou disso tudo?
— Interessante. Esse dinheiro que encontramos deixa a teoria das drogas bastante plausível.
— E o mosquetão? — Ele olha de soslaio para ela. — Você tem uma teoria, né?
Elin faz que sim, mas ainda não se sente segura para verbalizá-la, com medo de botar tudo a perder antes de ter certeza de que a possibilidade existe.
— Tem a ver com o lugar onde encontramos o corpo de Bea Leger. Se estiver tudo bem por você, eu quero dar uma checada nisso enquanto você conversa com Hana, Maya e Caleb.
Steed faz que sim com a cabeça, mas a detetive consegue ver o desconforto em seus olhos, com todas aquelas perguntas sem resposta.

43

Parada a poucos metros de onde o corpo de Bea Leger foi encontrado, Elin desvia o olhar das manchas de sangue residuais e observa a parede da falésia em si. Ela se ergue brutalmente em direção aos céus, estonteante como sempre, cheia de fendas abertas no calcário, rachaduras e entalhes esculpidos pela ação da natureza.

Onde ela estava quando viu aquilo?

Mas era quase impossível ser precisa; tudo que sabia era que tinha visto aquilo depois que Rachel havia começado a fotografar o corpo de Bea.

Talvez ela estivesse numa posição um pouco mais elevada, pensa, à esquerda de Rachel — conseguia ver onde a falésia começava a fazer uma curva na direção da enseada.

Elin sobe pela esquerda e testa diferentes ângulos e posições, mas tudo que consegue ver são vestígios de natureza: bolsões de vegetação, gramados, samambaias saindo pelas fissuras da rocha. Empoleirado na ponta de um dos penhascos, um cormorão, com suas asas abertas.

Ela dá alguns passos para trás, frustrada, começando a duvidar de si mesma. Porém, assim que olha para o lado, Elin pisca os olhos, repentinamente cega.

Uma luz muito intensa, idêntica à que tinha visto anteriormente.

Desta vez, sabe o que está procurando, de modo que não faz nenhum movimento drástico em nenhuma direção para não correr o risco de perder de vista o que está produzindo aquele reflexo. Em vez disso, ela inclina suavemente a cabeça para cima, o suficiente para que a luz desapareça.

Ali. Seu coração acelera. *Está bem ali*, pendendo da pedra.

Um aro de metal, sua superfície lisa e prateada refletindo a luz do sol.

Um grampo de escalada.

A mão de Elin treme ao puxar o celular e tirar uma foto.

Analisando o lugar em que ele está, a detetive começa a juntar os pontos na mente, um a um: *o mosquetão na bolsa de Seth; a crença de Maya de que alguém havia saído do chalé; e agora isso: um grampo, exatamente embaixo do lugar de onde Bea caiu.*

Seria possível que a queda de Bea não tenha sido um acidente?

Ela estava mesmo com a sensação de que havia algo estranho nas imagens da queda captadas pelas câmeras de segurança.

Assim, fechando os olhos, repassa tudo na cabeça. Conforme as imagens vão aparecendo, se dá conta de que o que viu — a echarpe caindo e Bea se inclinando para pegá-la — talvez não tenha sido, necessariamente, a narrativa exata. Ela havia unido esses dois acontecimentos porque faziam sentido juntos. Criavam uma associação de causa e efeito.

Mas talvez *não fosse* isso. A echarpe pode realmente ter caído, mas Bea pode ter se inclinado por um motivo *diferente*. Por causa de uma pessoa.

Elin analisa o grampo, sua localização. Um calafrio lhe sobe pela espinha. É uma ideia ousada, ainda que plausível; talvez Seth estivesse escalando a falésia e tenha, de alguma forma, chamado a atenção de Bea. Lembra-se da marca na grama descoberta por Leon.

Talvez não tenha sido Bea quem deixou algo cair, mas Seth, usando isso como desculpa para simular uma queda. Ele pode ter pedido ajuda, Bea pode ter visto seja lá o que for que ele havia derrubado, confiado nele e, quando se inclinou para pegar...

Sua mente não quer completar aquele pensamento, mas completa: *ele pode tê-la puxado para baixo.* As imagens da câmera, granuladas, não mostram nada abaixo da metade superior do parapeito de vidro, e o corpo de Bea estava tapando a maior parte dela, de modo que, se Seth esticou a mão para cima, isso não apareceria.

Porém, enquanto fica matutando a respeito daquilo, ela reflete sobre a logística da situação toda. Para enganar Bea, ele teria que esconder o equipamento de escalada. Isso até não seria tão difícil, pensa, bastaria estar usando roupas folgadas, especialmente à noite, mas ele não poderia simplesmente ficar pendurado ali. Teria que ter estado numa posição convincente de alguém que sofreu uma queda.

Dando um passo para o lado para ter uma visão mais de perfil da falésia, ela avista uma pequena plataforma a cerca de um metro de distância do grampo.

O calafrio agora gela seu peito.

Definitivamente, a plataforma é grande o suficiente para que Seth tivesse se apoiado nela, pedido ajuda para Bea e então a puxado para a morte quando a cunhada lhe estendesse a mão.

Quanto mais Elin repassa a hipótese na cabeça, mais plausível lhe parece. Bea, talvez meio bêbada, com a percepção alterada, teria partido em seu socorro sem perceber nada de estranho na situação.

Elin balança a cabeça. Se realmente foi assim que aconteceu, aquilo tinha sido muito inteligente. Não era um acidente, e sim um assassinato. Uma ideia bastante engenhosa — o crime perfeito é aquele que não parece um crime.

Mas qual seria o motivo?

Levando em conta o momento em que aconteceu, deve estar ligado à morte de Seth. Mas o que Bea tinha a ver com ele?

Não dá para saber, não neste momento, mas, seja lá como for, ainda há muitas perguntas a serem respondidas. Uma coisa assim requer planejamento. Se Seth estava envolvido, como levou o equipamento de escalada até lá e onde está o aparato agora? Um mosquetão, tudo bem, mas o restante das coisas — o arnês, as cordas — faz volume, teria chamado a atenção àquela hora da noite.

É improvável que ele tenha jogado qualquer coisa no mar, arriscando que a maré trouxesse tudo de volta ao retiro. Seria mais plausível que tivesse escondido em algum lugar perto dali. Não perto *demais* a ponto de ser encontrado quando a cena do crime fosse examinada, mas também não muito distante; ele estava sob a pressão de retornar ao chalé antes que alguém sentisse sua falta.

Elin duvida que ele tenha escondido qualquer coisa na região mais próxima ao retiro, de modo que só restava a área à sua esquerda, onde a falésia fazia uma curva na direção da próxima enseada.

Contornando lentamente a falésia, esquadrinha a parede da rocha em busca de possíveis esconderijos.

Nada muito óbvio, até que percebe um tremendo vão na pedra, de cerca de um metro de largura, que vai do nível do chão até, mais ou menos, a altura de sua cabeça. Ela se inclina para a frente e se enfia no buraco. O espaço é apertado, e se estende por uns poucos metros; mal dá para virar o corpo.

Lutando contra uma sensação crescente de claustrofobia, Elin procura algum esconderijo natural, mas as paredes não lhe revelam nada além de cracas e protrusões abruptas de pedra.

Depois de fazer mais uma rápida inspeção, decide sair do vão para continuar sua busca.

Continua contornando a falésia até chegar a uma outra abertura, de um tamanho parecido com o da anterior, porém mais estreita. E, assim que está dentro, ela imediatamente vê: um pequeno buraco a cerca de cinquenta centímetros do chão.

Elin se agacha, coloca um par de luvas e enfia a mão lá dentro.

Seus dedos encostam em alguma coisa. Ouve-se o ruído de um material sendo amassado.

Empurrando a mão ainda mais fundo, sente a adrenalina tomar seu peito quando alcança uma sacola plástica contendo algo sólido.

44

Com uma puxada incisiva e uma corda marrom e verde escapa da sacola plástica e cai no chão. Há um arnês metálico no meio dela.

Elin olha para o equipamento não surpresa, mas horrorizada com o significado daquilo tudo: não apenas a confirmação de sua teoria, como também o grau de cuidado com o planejamento de toda aquela empreitada.

A morte de Bea não foi um acidente.

Aquilo ainda aumentava a probabilidade de estar ligada à de Seth. E o mais deprimente de tudo é que o motivo provavelmente seriam as drogas.

Mortes sem sentido por causa de um veneno sem sentido.

Após tirar diversas fotos, ela enfia de volta no buraco a corda e a sacola, meio de qualquer jeito.

Era muito pesado para carregar sozinha pelas pedras; precisaria voltar mais tarde para buscar.

Do lado de fora, Elin tira as luvas. E, enxugando o suor dos dedos na calça, começa a andar pelas pedras em direção à praia.

Mas só avança poucos metros antes de escutar algo. Um barulho distante, vindo do alto.

Inclinando a cabeça para cima, ela olha ao redor, mas as pedras e a ponta do penhasco estão desertas. Apesar disso, Elin tem a estranha sensação de que não está sozinha.

A cada passo que dá, seu desconforto só aumenta.

Ela está prestes a aumentar a velocidade quando percebe alguma coisa se movimentando lá no alto.

Parece que é algo na própria pedra que se move, ou melhor: parte dela. Um pedregulho, despencando em sua direção.

A princípio, ela fica quase surpresa, sentindo uma espécie de distanciamento. Era como se estivesse assistindo àquela pedra caindo em cima de outra pessoa, observando tudo com um interesse quase científico, à medida que o pedregulho vai se chocando contra a parede da falésia e minúsculos fragmentos de pedra se estilhaçam, produzindo sons de deslizamento.

Ela fica ali em pé, imóvel, ainda esperando que a pedra colida num determinado ângulo e desvie dela.

Mas isso não acontece.

O pedregulho segue despencando.

O tempo parece congelar; cada rotação e baque da pedra contra a parede de calcário está em uma espécie de câmera lenta agonizante.

Os pelos em sua nuca ficam eriçados, mas suas pernas não se mexem, não fazem o que seu cérebro está mandando.

Sai daí. Sai daí.

45

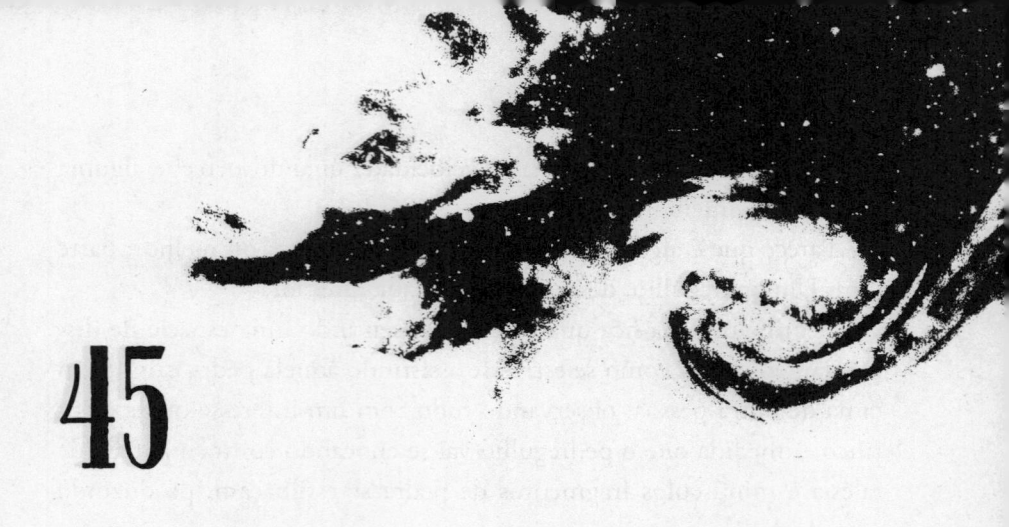

— Não podemos ficar aqui — diz Jo, levantando do sofá. — Primeiro a Bea, agora o Seth.

Ela anda de um lado para o outro, tensa, os músculos de seus braços todos retesados. Na segunda volta que dá na sala, esbarra na costela-de-adão no canto com tanta força que as folhas se agitam violentamente e o vaso balança até quase tombar.

Olhando nos olhos de Hana, Maya tira um cacho de cabelo preto do rosto de maneira dramática, como se quisesse que ela dissesse alguma coisa, mas Hana não sabe o quê. Jo tem razão.

Isso é *surreal*. Realmente não existe outra forma de descrever.

— O que aconteceu foi horrível — comenta Maya, baixinho —, mas não passa de uma coincidência bizarra, só isso. Acidentes.

— Você acha mesmo? — Jo se vira, seu rosto transbordando de emoções. — Pensei que você estava sendo paranoica, Han, com aquilo que falou sobre a queda da Bea, mas agora eu acho que está certa, tem *mesmo* alguma coisa aí.

— Mas nós sabemos que a Bea caiu, e o Seth, a detetive disse que o equipamento de mergulho dele... — diz Caleb, de um dos cantos da sala.

Ele esfrega os olhos, exausto daquilo tudo, percebe Hana.

Os olhos de Jo estão muito vivos, brilhando.

— Não — interrompe ela. — Ela não disse isso com todas as letras. Mas, pelas perguntas que fez, é óbvio que ela não acredita que foi um acidente. Alguma coisa não encaixa... Não é só o dinheiro, mas o fato de ele ter mergulhado sozinho, sem falar pra ninguém.

— Eu sei o que você quer dizer — afirma Hana, pausadamente. — Isso é estranho, ainda mais quando você não conhece bem o lugar. Um risco tremendo.

Uma expressão esquisita se manifesta no rosto de Jo. Constrangimento?

— O que foi? — pergunta Hana.

Jo encara Hana.

— Eu ia acabar contando pra você de qualquer maneira. O Seth conhece a ilha. Não era a primeira vez que ele veio aqui. O pai dele... é o dono.

— Nós sabemos. O policial contou — balbucia Caleb.

— Ah. — Jo balança a cabeça, uma expressão estranha em seu rosto.

Quando se encosta na parede, o movimento revela a cicatriz do incêndio. A única vulnerabilidade em seu corpo saudável.

— Então, por que você não contou pra gente antes? Era pra ser uma grande revelação no Instagram?

— Na verdade, não — responde ela, baixinho. — Como eu disse...

— Para de mentir — Hana interrompe a irmã, balançando a cabeça, incrédula. — O Seth está morto e mesmo assim você está mentindo, Jo. E, se é para ser sincera, vou dizer que acho muito difícil acreditar em qualquer coisa que sai da sua boca.

Ao dizer essas palavras, ela tem uma sensação libertadora de alívio, por não se preocupar mais com o que as pessoas pensam a seu respeito e não precisar mais esconder o que sente de verdade. Talvez devesse ter feito aquilo antes, pensa, levemente embriagada pela sensação.

Pega de surpresa, Jo arregala os olhos, mas se recupera rapidamente.

— Se eu estou mentindo, então não sou a única.

Sua voz faz Hana sentir calafrios, a precisão gelada de sua dicção.

— Não entendo — diz ela, sua voz vacilante. — Quem mais está mentindo?

— É isso o que eu quero saber. Nos últimos meses, o Seth andou recebendo e-mails anônimos. Coisas horríveis. Ameaças. Acusações sobre ele e o pai. Parece esquisito ele receber essas coisas e agora isso acontecer.

Então o olhar de Jo cai sobre Maya, e é neste momento que Hana percebe o que havia acontecido naqueles últimos minutos: Jo finalmente disse o que estava tentando colocar para fora desde que começou a andar de um lado para o outro naquela sala.

— E? — questiona Maya, num tom duro. — O que isso tem a ver com a gente? — Ela encosta no colar aninhado no vão da base de seu pescoço.

— Bom, eu diria que tem mais a ver com você, Maya.

— Comigo?

Maya encolhe o corpo, seus olhos feito poças escuras, indecifráveis.

— Sim, você. — A fisionomia de Jo fica subitamente aguçada; um animal partindo para cima de sua presa. — Pelo tanto que você ficou puta com o Seth depois daquela história toda do emprego.

Maya hesita por um momento.

— Fiquei mesmo — assume ela, devagar —, mas isso não quer dizer que eu seja mentirosa. Você meio que me prometeu aquele trabalho, e aí o Seth foi lá e acabou com tudo. É lógico que eu fiquei puta.

— Mas não foi só isso, foi? Eu sei o que você fez.

— Sabe o quê? — A voz de Maya sai trêmula.

Jo inclina a cabeça levemente.

— Eu sei que foi você, Maya, que espalhou aqueles rumores sobre a empresa dele nas redes sociais.

Maya fica toda tensa ao lado de Hana. Silêncio. Tudo que se escuta é o ronco suave do ar-condicionado.

Ela engole ruidosamente.

— Mas... — Ela gagueja. — Como você descobriu?

— Seu ex. O Sol encontrou o Seth uma noite e abriu o jogo pra ele.

— O *Sol* contou pra ele?

— Contou. Cada detalhezinho sórdido. — Jo dá uma risadinha sarcástica. — Preciso admitir que eu nunca teria imaginado isso: logo você, destilando ódio na internet. Eu não disse nada para a detetive, mas isso me fez pensar. Se você é capaz de fazer uma coisa dessas, do que mais, exatamente, você seria capaz?

Maya parece diminuir de tamanho à medida que Jo vai falando, seus ombros se encolhendo como se o corpo estivesse se recolhendo ao seu núcleo. Hana percebe que aquele é um exemplo perfeito da maneira como Jo se comporta: fazendo as pessoas se sentirem menores para que ela possa se sentir grande.

Mesmo encurralada é capaz de fazer isso, e Hana sabe por que a irmã está agindo dessa maneira agora; Jo está invertendo a situação. Foi ela quem mentiu — sobre Bea, sobre a ligação de Seth com a ilha, entre várias outras coisas —, e, mesmo assim, está falando de algo que Maya fez, para desviar o foco de si.

Hana se levanta e encara Jo.

— Antes que você comece a acusar a Maya, acho que você nos deve algumas explicações. Já que você está falando sobre enganar pessoas… No dia em que nós chegamos aqui, um bilhete caiu da sua mala lá no cais. Você começou a escrever pra mim, se desculpando por alguma coisa… E até agora eu não sei pelo quê.

Um segundo de silêncio.

— Ah, isso… — diz Jo, rapidamente. — Eu escrevi há alguns meses. Como eu disse, eu estava me sentindo mal por não ter te apoiado quando o Liam morreu. Pensei em te escrever, mas aí surgiu essa viagem. Eu ia falar sobre isso com você aqui, ter uma conversa cara a cara.

Hana fica escutando Jo falar, uma expressão de arrependimento em seu rosto. Embora esteja dizendo as coisas certas, no tom correto, por algum motivo, aquilo não está soando direito.

Ela está mentindo de novo. Acabou de ficar sabendo que o namorado morreu e está mentindo.

46

É só quando o pedregulho está, mais ou menos, a um metro de sua cabeça que o corpo de Elin finalmente entra em ação e se move, um debater de braços desajeitados, enquanto se atira para o lado. A detetive gira e cai apoiando metade de seu peso na palma das mãos e a outra metade em seu esterno, o impacto expulsando todo o ar de seus pulmões numa forte expiração.

Elin põe as mãos sobre a cabeça, preparando-se para o impacto, mas nada acontece. Não chega a ver a rocha caindo, apenas escuta o estalo seco do contato com o solo seguido pelos ruídos menores da chuva de pedrinhas que vem logo em seguida.

Olha para cima, mas nenhuma outra pedra vem atrás. Tudo que vê é a extensão imensa da falésia e uma faixa de céu azul.

As batidas de seu coração parecem dessincronizadas com sua respiração.

Se ela não tivesse se mexido naquele exato momento...

Assim que sua respiração se normaliza, ela começa a se levantar, devagar.

Seus olhos se concentram no pedregulho caído a cerca de um metro de distância. É maior do que ela imaginava, e quase foi partido ao meio pela queda; as rachaduras recém-feitas revelando o interior mais escuro e mais liso da pedra. Seu primeiro instinto é se afastar e tentar descobrir de onde aquele pedregulho havia se soltado, mas não há sinais óbvios que possam ajudá-la.

Foi uma queda natural, diz a si mesma. Um pedaço de pedra que se soltou depois de se expandir e contrair por conta do calor. Porém, conforme vai se afastando dali, Elin ergue a cabeça e olha para a Pedra da Morte. Apesar da conclusão a que havia chegado, por um instante não consegue evitar o pensamento de que a responsável por aquilo na verdade é a grande pedra em formato de figura encapuzada — como se, num ato de fúria, ela tivesse arremessado um pedaço de si mesma.

Mais uma vez, a ilha estava lhe avisando, e de uma forma bem objetiva: *Não queremos vocês aqui.*

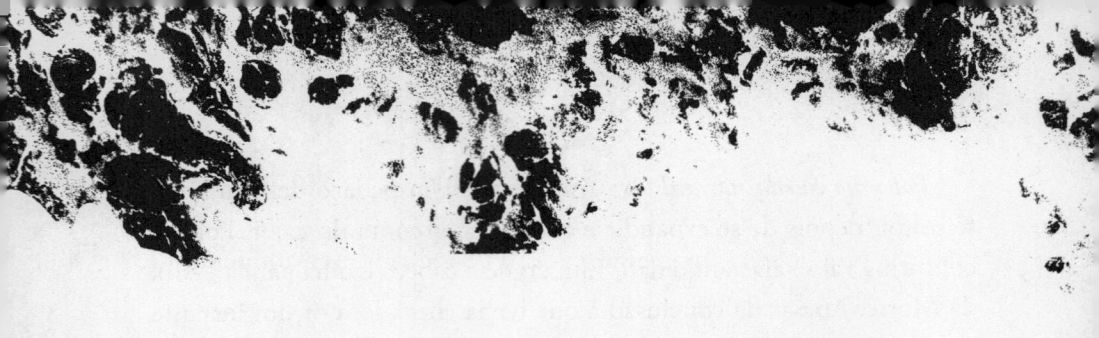

47

De volta à praia, o celular de Elin toca.

Ela espera que seja Will, perguntando por que ainda não respondeu às mensagens dele, mas a ligação é de um número que Elin não vê desde a pausa em sua carreira.

Mieke, da equipe de patologistas forenses.

— Estou terminando a autópsia de Bea Leger. Os ferimentos são consistentes com os de uma queda daquela altura, e a morte foi causada pela lesão na cabeça, como você provavelmente já imaginava. No entanto, tem alguns detalhes que podem ser do seu interesse. Eu encontrei uma coisa um pouco estranha: resíduos de uma substância em pó na boca da vítima. Estava concentrada ao redor da gengiva e também um pouco em alguns dentes.

Um pó.

Elin fica tensa. Não há como saber se é a mesma substância que viu perto da boca de Seth, mas, se for, isso com certeza liga a morte dele com a de Bea.

— Alguma ideia do que possa ser?

— Não tem como afirmar antes da análise do laboratório, mas, para mim, parece calcário em pó. Eu já tinha visto isso antes, num funcionário de uma pedreira. O maquinário tombou por cima do sujeito. E nós encontramos algo bem similar nele.

— Isso poderia ter entrado na boca da Bea durante a queda?

Uma pausa.

— Eu diria que não. O pó é encontrado especificamente nas pedreiras, é preciso ter contato direto com o calcário. Ao que parece, não foi processada, então não pode ter vindo de um ambiente de pós-produção, como uma fábrica.

— Certo — diz Elin, e então lhe ocorre uma coisa em que não havia pensado até o momento.

Tem uma pedreira na ilha.

Will havia falado sobre isso algumas vezes, descrito a maneira como a antiga escola havia sido construída com pedras extraídas na própria ilha. Ele havia reutilizado algumas daquelas pedras na construção do retiro — nos ambientes internos, na recepção e nas áreas comuns.

Mieke continua:

— Imagino que o pó tenha vindo de alguém ou de algum lugar. E acabou ficando nela.

Elin reflete a respeito do potencial envolvimento de Seth na morte de Bea.

É possível que ele tenha entregado o pó para ela de alguma maneira. Mas, se foi isso mesmo o que aconteceu, por que Seth teria ido até a pedreira? Seria um esconderijo para as drogas?

— Mais alguma coisa?

— Sim. É difícil de ver, a princípio, provavelmente por conta da palidez, mas tenho quase certeza de que há ferimentos nos braços. As marcas estão bem fracas, mas, para mim, parecem marcas de dedos. Preciso dar uma olhada melhor, mas...

Elin respira fundo: marcas de dedos que seriam resultado de alguém puxando Bea Leger por cima daquela mureta.

— Pela pausa que você fez, imagino que isso deixa tudo mais complicado — comenta Mieke, o tom de voz atencioso.

— Um pouco. Me avise se você encontrar mais alguma coisa.

Elin se despede e então reflete acerca de tudo aquilo enquanto um calafrio percorre suas costas. As provas estão conduzindo-a fortemente numa direção: Bea Leger não caiu, simplesmente. Também foi assassinada.

Se foi isso mesmo o que aconteceu, as observações de Mieke talvez sejam um dos poucos elementos que Elin tem para entender o que e quem estão por trás dessas mortes. Depois de falar com Will, eles vão ter que ir até a pedreira.

Apesar do que havia acontecido com a pedra alguns minutos atrás e de seu desconforto com a ilha, aquela ideia lhe dá uma tremenda injeção de ânimo, do mesmo tipo que havia sentido na praia.

Cada fibra de seu corpo vibra com energia. Ela se sente viva. Intensamente viva.

48

— A andarilha está de volta... Já tinha desistido de você — diz Will, puxando uma cadeira para ela.

Elin olha ao redor. O restaurante está bem silencioso, mesas vazias, um ou outro garçom perambulando perto do balcão.

— Me desculpa. Ia te ligar de novo, mas as coisas ficaram um pouquinho mais complexas.

A testa de Will está suada, e ele passa as costas da mão meio de qualquer jeito ali para secá-la.

— O hóspede que sumiu?

— Na verdade, não. Alarme falso. Ele tinha ido mergulhar.

— Que notícia boa.

— Não exatamente. — A voz de Elin sai carregada de tensão. Não quer dizer nada a ele. Ela sabe que, no instante em que fizer isso, qualquer esperança que Will ainda nutra de que aquilo não afete seu prêmio ou o LUMEN em si irá para o ralo.

— Nós encontramos um corpo no mar. De outro hóspede.

O rosto de Will empalidece, e ele se inclina para a frente na cadeira.

— Outro acidente?

— Ainda não dá pra ter certeza. — As palavras de Elin são vagas, mas ela vê que ele não se deixa iludir.

— Bom, pelo jeito a estratégia de *deixar quieto* não está dando muito certo. Farrah me disse que os hóspedes estão indo embora. As pessoas perceberam que tem alguma coisa acontecendo.

— As pessoas estão indo embora?

— Que surpresa, né? As pessoas não curtem muito quando meia dúzia de mortes aleatórias estragam a viagem delas. — Will gesticula para o restaurante, um grande movimento circular com o braço. — Você não percebeu? Não está exatamente lotado, né?

Elin se vira. Ele tem razão, o retiro tinha esvaziado: a barulheira típica de um final de semana reduzida ao eco de um grito isolado, de uma gargalhada solitária. A praia estava vazia e, embora algumas pessoas estejam na piscina, as espreguiçadeiras no entorno estão desertas.

— O barco não para de ir e voltar. Alguns hóspedes chegaram a contratar transportes particulares. — Ele morde o lábio. — Está começando a circular nas redes sociais também.

Elin balança a cabeça, desolada. *Era tudo de que eles não precisavam.* Will suspira.

— Acho que vou encerrar o fim de semana mais cedo. Estou cheio de trabalho pra fazer mesmo. Eu deveria ter imaginado que isso não seria assim tão simples. Nossas viagens juntos nunca são.

Os olhos de Will se encontram com os dela, uma compreensão mútua compartilhada. Por um instante, há uma proximidade entre os dois, mas vai embora tão rápido quanto surgiu. Ele desvia o olhar.

— Pra ser sincero, estou envolvido demais nisso tudo. É uma merda dizer uma coisa dessas depois de tudo que aconteceu, mas...

— Eu entendo. Pra você é pessoal.

— Aham. É como assistir a uma coisa preciosa explodindo bem na sua frente e em câmera lenta. — Sua voz sai fraca. — Tudo que eu trabalhei tão duro pra fazer neste lugar, pra mudar a percepção das pessoas... vai ter sido em vão. Assim que a imprensa ficar sabendo, eles vão desenterrar tudo de novo. Os assassinatos de Creacher, a escola. O LUMEN vai virar uma nota de rodapé.

Uma terrível sensação de impotência invade Elin quando ela percebe que a situação está fugindo de seu controle. Quer fazer alguma coisa, qualquer coisa, para que Will se sinta melhor, mas não pode.

— Olha, ainda não sabemos o que houve. Ainda tem uma chance...

Ele a encara, uma expressão estranha e séria em seu rosto.

— Você não precisa fazer isso, você sabe. Eu não sou criança.

— Fazer o quê?

— Disfarçar desse jeito. Pelo seu rosto, consigo ver que isso não é nada bom. — Ele força um sorriso. — Acho que finalmente ouvi a sua voz para más notícias. Todo esse tempo juntos e essa é a primeira vez que eu escuto.

Enquanto Will fala, Elin percebe algo que havia passado despercebido antes, algo de passivo-agressivo na linguagem corporal dele, no tom de voz, quase como *ressentimento*. E, apesar de ser capaz de identificar aquilo, ela não consegue deixar de se perguntar se ele estaria botando a culpa *nela* pelo que está acontecendo, pelo simples fato de estar envolvida.

— Só estou tentando ser positiva.

Ele assente, contido.

— E você se sente bem em continuar aqui?

— Como assim?

— Bom, agora que a situação piorou...

— Sim... — Elin fica examinando o rosto dele, sem entender direito aonde ele pretende chegar com aquilo.

— É que hoje de manhã você disse que estava preocupada com se conseguiria dar conta caso as coisas se agravassem.

— Sim, era uma dúvida — diz ela, com cuidado. — Mas isso não significa que eu não queira ir adiante.

— Mas e se, em algum ponto, você realmente se sentir mal? Você seria sincera com a Anna?

— Sim.

Ele olha nos olhos dela.

— Você falou com ela sobre aquele lance no Twitter?

Elin hesita, sabendo que a pergunta é um teste.

— Falei. Ela disse que daria uma olhada se acontecesse de novo. — Ela coloca a mão na dele. — Sério, você não precisa se preocupar.

Um suspiro pesado.

— Eu não gosto da ideia de deixar você aqui, sozinha.

— Eu não estou sozinha. O Steed está aqui.

Assim que diz aquilo, ela tem consciência de que não são as palavras certas, mas ao mesmo tempo não sabe o que fazer. Desde o princípio, aquela conversa parece um campo minado, como se qualquer coisa que disser vá ser a coisa errada.

— Steed — repete Will, soltando a mão dela. — Bom, então acho que tudo bem. Vocês são próximos o suficiente para você falar com ele caso a situação fique pesada demais?

Outra mina.

Elin tem dificuldade de encontrar as palavras.

— Bom, sim, acho que sim. Nós nos aproximamos um pouco mais desde que chegamos aqui.

Resposta errada. A expressão no rosto de Will se fecha. Ela não consegue entender como eles chegaram nesse ponto — essa sensação estranha de que cada um está dançando uma música diferente.

Percebendo uma mancha branca de protetor solar perto da orelha de Will, ela tenta limpá-la, mas ele desvia a cabeça, claramente evitando-a. Elin fica constrangida e magoada, e é só então que para e reflete por um instante, compreendendo, com tristeza, o motivo pelo qual ele está agindo daquele jeito.

É por causa *dela*, não é? Ela o fez reagir desse jeito por causa de seu comportamento imprevisível.

Em casa, ao longo das últimas semanas, ela tinha andado irritadiça e distante, mas, ali, era uma pessoa diferente. Energizada. Dinâmica.

Ele lida com a pior faceta dela. Como deve interpretar isso?

Elin sente uma onda de tristeza com o abismo que se abriu repentinamente em seu relacionamento.

— Bom, preciso ir — diz ela, fazendo o que sempre faz. É uma estratégia de adiamento de conflito. Ela está varrendo os problemas para debaixo do tapete. — Vou deixar você fazer as suas coisas.

— Me liga depois.

— Ligo, sim.

Elin dá um beijinho em Will. Dessa vez ele não desvia, mas faz algo que talvez seja até pior: há uma reticência de sua parte, uma sensação de que Will está só seguindo o fluxo.

49

— Maya, está acordada? — pergunta Hana, seu corpo projetando uma sombra sobre a prima, deitada na espreguiçadeira.

Ela está vestindo um short jeans e a parte de cima de um biquíni quase da mesma cor de sua pele, um chapéu-panamá de aba larga enterrado na cabeça.

Nada de resposta.

— Maya? — repete, dessa vez mais alto, uma sutil pontada de medo começando a se manifestar. Depois de tudo o que aconteceu... Hana inclina o corpo e sacode o braço da prima. — Maya, acorda!

Finalmente, ela se mexe, acordando. Então se senta agarrando com força as laterais da espreguiçadeira, as veias de suas mãos saltando.

— Foi mal. — Suas palavras saem meio sussurradas. — Nem percebi que tinha caído no sono.

Hana se senta de lado numa outra espreguiçadeira, mas é desconfortável — a estrutura machuca suas coxas. Então, ela joga as pernas para cima e se acomoda da maneira correta.

— Por que você não me falou a verdade? — pergunta ela, seu tom suave. — Sobre o trabalho?

Maya ajeita a postura e esfrega os olhos. Uma listra de protetor solar se acumulou numa dobrinha de sua barriga.

— Eu fiquei com vergonha. A coisa toda foi muito... humilhante. Jo teve boas intenções, mas você sabe como ela é. Eu achei que ela tinha acertado tudo com o Seth, mas no fim das contas ela nem chegou a falar com ele. — Maya fica passando o dedo em volta de um de seus anéis. — O Seth deu para trás, todo cheio de desculpas, lógico, disse *vou ficar de olho pra você, mandar o seu currículo pra um amigo meu,* mas não passou disso. Fim de jogo.

— Você não tinha assinado um contrato?

— Era pra ser assinado naquela semana. Tudo que eu tinha era a palavra da Jo. — Maya balança a cabeça. — Eu fiquei arrasada, estava contando com aquilo para pagar o aluguel e, como eu achei que estava tudo certo, desperdicei semanas que eu poderia ter usado para procurar outro emprego.

— O Seth chegou a dizer por que ele não era a favor de que você trabalhasse lá?

— Aparentemente, ele não queria que as pessoas achassem que aquilo era nepotismo, disse que todo mundo tinha de passar pelo mesmo processo de recrutamento, blá-blá-blá... O que é fato, mas eu estaria disposta a fazer aquilo. Eu era totalmente qualificada para o trabalho. Mas ele ficou preocupado com o que os outros iam pensar se ele desse um emprego para uma pessoa com quem ele tinha uma ligação.

— E a coisa nas redes sociais?

Maya retorce o rosto.

— Eu espalhei os boatos na internet, mas essas outras coisas que ela falou, esses e-mails... eu não fiz isso. Eu sei que foi errado levar isso para as redes, mas eu estava puta, Han, aquilo tudo foi muito injusto. Na mesma semana eu fui visitar a Sofia com os meus pais. A minha mãe ficou tão chateada... Eu fiquei possessa. Foi a maneira como ele fez aquilo, como se não fosse nada. Num estalar de dedos, sem nem pensar no que aquilo significaria para mim, para a minha vida. — Ela balança a cabeça — Aí eu andei lendo um monte de coisas sobre ele, todos os trabalhos de caridade com os quais ele se envolve. Ele é o garoto-propaganda de todas essas coisas positivas, mas, no mundo real, longe dos golpes publicitários, nada disso se sustenta.

— Mas um contrato verbal deve ter algum tipo de validade legal.

Maya faz uma expressão sofrida.

— Eu tentei isso.

— Como assim?

— Eu falei com a Bea, Han. Levando a formação dela em conta, achei que pudesse ajudar.

— E não ajudou? — pergunta Hana, hesitante. *Como é que ela não sabia de nada daquilo?*

— Não. Ela nem quis se envolver. Além do mais, estava ocupada e, pelo visto — Maya faz as aspas com dedos no ar —, "não era sua área de expertise". Foi essa a expressão que ela usou. Daí me indicou um advogado ridiculamente caro. — Maya dá de ombros. — Conseguir o emprego de volta nem importava tanto, era mais pelo princípio, mesmo. Tudo que eu queria era que ela me ajudasse num rascunho de uma carta que fosse remotamente jurídica, só para fazê-lo pensar duas vezes, mas, obviamente... ela não podia fazer aquilo. Ou estava muito ocupada ou só não quis mesmo.

Mais uma vez, Hana tem a mesma sensação desestabilizadora de antes, percebendo como conhecia pouco a própria família. *O que mais ela tinha perdido enquanto estava de luto?*

— Desculpa, eu me sinto bem mal falando da Bea desse jeito. — Maya tira o chapéu e balança os cachos. — Sabe o que dizem, não se deve falar mal dos mortos.

Um silêncio se instaura entre as duas antes que Maya volte a falar:

— Aliás, que frase de merda, né? Não é só porque uma pessoa morreu que ela, de repente, se torna perfeita.

Hana abre a boca para falar, mas presta atenção no rosto de Maya e decide fechá-la novamente. Por um momento, a outra nem parece mais a prima. Tem um vazio ali, algo indecifrável a respeito dela.

— Vou entrar pra beber uma água — diz Hana, por fim.

Maya assente e volta a se recostar na espreguiçadeira.

No caminho, um inseto passa zunindo por Hana — são duas moscas-das-flores, uma grudada na outra, em um trajeto atrapalhado em direção à piscina.

À primeira vista, parece que estão se entregando às mazelas do amor, mas, quando presta mais atenção, Hana consegue ver que as duas estão lutando. Uma tentando dominar a outra.

50

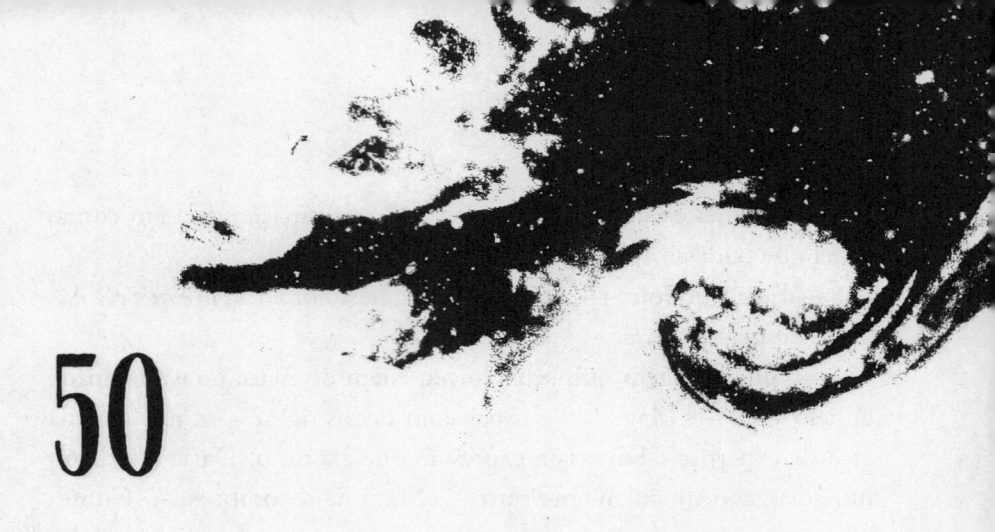

Elin ajusta a alça da mochila para ficar mais alta em suas costas.
Já fazia quinze minutos que eles haviam se afastado da trilha principal, e parecia que estavam indo para lugar nenhum, o emaranhado de árvores e arbustos perturbadoramente similar a cada poucos metros, pequenas frestas de céu visíveis por entre as copas muito densas.

O caminho sinuoso começa a se estreitar, a vegetação rasteira invadindo-o, galhos de espinheiros se aproximando mais e mais da trilha. A mata está ficando cada vez mais fechada, as árvores competindo por espaço, enormes colossos adormecidos feitos de pinho e carvalho disputando com os insetos e os animais.

— Tudo parece mais escuro aqui embaixo, não acha? — Steed vem para o lado dela. Já suando, puxa a barra da camiseta e começa a sacudi-la, se abanando.

— Pois é. É como se estivéssemos numa outra ilha.

Nas profundezas da mata, a vida é mais rica — os troncos de árvores cobertos de hera, as pedras que aparecem às margens da trilha revestidas de líquen e musgo. Um grosso tapete de folhas de carvalho sobre o chão, sem praticamente nenhum centímetro quadrado livre de vegetação. Os pássaros pulam de um galho para outro, mas Elin não consegue vê-los — escuta somente o farfalhar das folhas e dos galhos conforme eles vão trocando de árvore.

Steed enfia a mão na mochila e tira uma barrinha de proteína.

— Você nunca para de comer? — pergunta Elin, sorrindo.

Ele está sempre mastigando alguma coisa, há sempre uma grande oferta de alimentos disponíveis em cima de sua mesa ou dentro de sua mochila.

Steed sorri de volta.

— Só quando estou dormindo. — Ele gira o pulso e mostra a ela. — Além do mais, olha, a minha desculpa é que está quase na hora do almoço.

Ele rasga a embalagem e enfia a ponta da barra na boca. Não há nenhum prazer envolvido no processo: trata-se do consumo eficiente de calorias feito por um atleta. Ele faz um gesto imitando o ato de tirar uma outra barra de sua mochila, oferecendo a ela. Elin dispensa com a cabeça.

— Valeu, mas vou esperar até voltarmos. Pensei em comer alguma coisa, mas acabei me distraindo com o cara das câmeras de segurança.

— Alguma sorte?

— Parece que tem uma falha no sistema. Tudo deveria ser deletado a cada 24 horas, mas está programado para fazer isso de hora em hora. Vai levar alguns dias até alguém resolver.

Steed assente.

— Eu estava pensando — começa ele, de boca cheia. — O Delaney ter simulado uma queda... Para que isso desse certo, ele precisaria saber, de alguma maneira, que Bea estava na ilha, e perto do pavilhão, né?

— O cara dos esportes aquáticos disse que Bea recebeu uma ligação quando estavam juntos. É possível que eles estivessem em contato. Nós precisamos solicitar uma quebra do sigilo telefônico dos Leger...

— Já tá feito. — Steed hesita. — Fico imaginando o que mais vai aparecer. As dinâmicas entre eles... Foi meio estranho quando conversei com eles depois que você saiu. Eles não parecem gostar muito uns dos outros.

— Ninguém teve uma crise histérica de choro?

— Não é isso. Na verdade, eles até que ficaram bem abalados quando eu contei que o Seth tinha morrido. Choraram, a coisa toda; estou falando mais é da reação que eles tiveram quando contei que o pai do Seth era o dono do retiro. Maya e Caleb pareciam ter detestado.

— Porque ninguém falou pra eles? — Elin pisa com força, tendo que esticar mais a perna para passar por cima de um amontoado de espinheiros.

— Por isso também, mas eu fiquei com a impressão de que eles não gostam muito deste lugar. Falaram alguma coisa sobre ter mais estilo do que conteúdo. Disseram algo na linha de "faz sentido que o Seth não tenha saído falando por aí sobre o pai ser o dono da ilha, porque ela não faz jus a toda a propaganda que fazem dela na internet". E também criticaram as obras de caridade e os lances ecológicos.

— É uma coisa bem esquisita de se fazer levando em conta o que você tinha acabado de falar para eles sobre o Seth.

— Foi o que eu pensei — diz Steed, empurrando um galho que estava no caminho e depois o segurando para impedir que acertasse Elin no rosto.

— Eles mencionaram algum tipo de conflito entre a Bea e o Seth?

— Não.

— Será que tiveram algum caso que acabou mal?

— Pode ser. — Ele enfia o resto da barra de proteína na boca. — Não consigo parar de pensar na audácia desse cara, fazendo uma coisa dessas no resort do próprio pai.

— Mas a Jo disse que ele estava tentando sair de baixo da asa do pai. Um complexo com a figura paterna com certeza é uma possibilidade.

A expressão de Steed fica séria de repente.

— Eu até entendo, de certa forma, se for isso mesmo. Os pais… Eles conseguem nos afetar de uma maneira que nenhuma outra pessoa consegue. O meu não foi nenhum pai do ano, por exemplo.

— O meu também não — revela Elin, chutando as folhas no chão.

— Que merda, né? — diz ele, abruptamente, limpando a boca com as costas da mão. — Quando a pessoa que deveria estar sempre ao seu lado não está.

Ela faz que sim com a cabeça.

— É mesmo.

Steed encara Elin, que sorri. É reconfortante, de uma maneira meio estranha, pensar que outra pessoa seja capaz de reconhecer um fato que costuma ser tabu: nem todos os pais são bons pais.

Os dois seguem caminhando. E, alguns minutos depois, a cobertura de árvores começa a ficar mais rala — grandes porções de céu azul agora visíveis.

— Acho que estamos chegando a algum tipo de clareira — comenta Elin, olhando para a trilha conforme ela vai se curvando para a direita.

Ela aumenta a velocidade na tentativa de ter uma ideia de para onde o caminho leva, mas, poucos metros depois, seu estômago vem parar na boca quando seu pé direito tenta pisar e não encontra nada além do vazio.

51

O espasmo nauseante em seu estômago é rapidamente seguido de uma pressão repentina em sua cintura: o braço de Steed puxando-a para impedir sua queda.

O movimento a joga de costas no chão. Ela solta um grito, o impacto reverberando por sua coluna.

As pedras que se soltam por conta do tombo de Elin começam a despencar, colidindo contra a rocha na queda e produzindo ecos delicados.

— Puta merda — diz Elin, seu coração martelando no peito.

Steed assobia baixinho depois de ajudá-la a se levantar.

— Meu Deus, essa foi por pouco.

Então, esticando o pescoço, os dois dão uma olhada na cratera que simplesmente se abriu à frente deles: grandes rochas cinza caem abruptamente, até encontrarem um enorme platô no fundo.

Eles estavam na beirada da pedreira e não haviam se dado conta.

O espaço que um dia deve ter separado de forma bastante evidente a pedreira da floresta havia sido retomado pela vegetação e voltado a fazer parte da mata. Qualquer marcador natural que pudesse sinalizar a proximidade da pedreira havia sido coberto pela vegetação.

Os olhos de Elin esquadrinham o perímetro, a parede reta até ao chão, que estava coberto de pedregulhos e pedras menores.

Não havia nada que pudesse impedir sua queda, nada em que ela pudesse ter se pendurado ou agarrado.

Ela poderia estar lá embaixo. Um passo maior, uma reação mais demorada...

— Acho que você não teria muita chance se eu não estivesse aqui — comenta Steed, tentando extrair algum humor da situação, mas Elin nota o medo no fundo dos olhos dele.

Ela assente, ainda olhando para o buraco.

— Bem perigoso isso estar aqui sem nenhuma placa de aviso. Tudo bem que está a uma boa distância do retiro, mas talvez um hóspede pudesse vir caminhando até aqui. Por que não tem nenhum aviso?

Steed dá alguns passos para a direita.

— Aqui! — diz ele alguns instantes depois, gesticulando, empolgado, em sua direção. — Tem uma placa.

Elin anda até ele e vê a placa, obstruída em meio à vegetação rasteira. É uma placa oficial, com vários metros de largura, feita de um plástico rígido e reforçado. Em letras grandes e vermelhas: PERIGO! PEDREIRA. E um desenho quadrado de um precipício.

— Parece que ela foi arrancada — destaca Steed, um tanto incomodado, apontando para a ponta da base de madeira presa à placa.

Os olhos de Elin se concentram no solo fresco que suja a madeira. Ela encara fixamente aquilo, perturbada.

— E faz pouco tempo — comenta.

Sua teoria de que o pó que estava no corpo de Bea e Seth saiu dali não está muito distante da realidade. Agora, ela sente uma vontade ainda maior de explorar essa pedreira.

— Bom, e como a gente faz para descer? — Steed olha ao redor, ansioso para seguir adiante.

Os dois vão andando pelo chão coberto de plantas, procurando uma rota enquanto contornam a borda da pedreira. Após percorrerem cerca de um quarto do caminho, Steed declara:

— Acho que tem uma descida ali.

Ela também vê: uma trilha sinuosa que segue até o fundo da pedreira. Um dia talvez tenha sido composta de degraus bem definidos, mas esses também haviam sucumbido à natureza e estavam cobertos de grama e ervas daninhas.

Quando eles chegam ao fundo da pedreira, Elin vai até o centro. Fica arrepiada e é imediatamente acometida por uma sensação estranha de abandono recente, como se o lugar tivesse sido deixado há poucos instantes, no meio de uma escavação, seu chão repleto de resíduos do processo de mineração, pedaços enormes de pedra misturados com outros menores.

— Dá uma olhada daquele lado — pede Elin, apontando para a esquerda. — Acho que esse é um daqueles casos em que você não sabe o que está procurando até encontrar.

Eles andam pela pedreira, sem muita pressa, à procura de algo que dê uma pista sobre o que Seth ou qualquer outra pessoa possam ter vindo fazer ali.

— Encontrou alguma coisa? — pergunta ela, depois alguns minutos. — Pelo que eu vi até agora, acho que perdemos a viagem.

— Concordo — responde Steed e, então, para. De repente, inspira fundo. — Espera... dá uma olhada nisso aqui.

Ele aponta para uma falha na vegetação que cobre uma das paredes da pedreira, e Elin vai em sua direção. Algumas plantas foram nitidamente arrancadas pelas raízes naquele trecho de heras.

Steed pega vários cipós de hera e os arranca, estremecendo enquanto as plantas despencam em suas mãos e ombros.

Uma abertura.

— Por essa eu não esperava...

Elin não responde, atônita: a hera estava escondendo uma abertura na parede da rocha, a cerca de um metro de altura do chão da pedreira.

Está escuro, é impossível ver o que tem lá dentro, de modo que Steed pega sua lanterna e a acende, manuseando-a com cuidado à sua frente.

É um buraco fundo: o feixe de luz é rapidamente engolido pela escuridão.

— Uma caverna? — murmura Steed.

— É o que parece.

Escalando as pedras que levam buraco adentro, Steed mantém a lanterna acesa à sua frente. A caverna vai se estreitando, mas não acaba, como ele havia imaginado. Em vez disso, faz uma curva para a direita.

— Definitivamente é uma caverna, e de uma profundidade bem considerável. Parece que vai dar em algum lugar. — Ele se vira para Elin. — Quer entrar?

Ela hesita. Uma breve trepidação: e se alguém estiver aí dentro, esperando?

Entrar naquele lugar sem enxergar nada é arriscado, mas, ao mesmo tempo, ela dá ouvidos à voz em sua cabeça, uma voz que vem falando com ela desde que chegou àquela ilha.

Isso é o que você ama. É por isso que você faz o que faz. Por causa dessa sensação de testar os próprios limites.

Uma vez ela havia tentado explicar para Will o que ela sentia num momento como aquele. Mas palavras não chegam nem perto de descrever a sensação, é como a energia que corre nos fios de alta-tensão, um momento em que parece que você não é nada além dos seus sentidos, nada além das suas terminações nervosas, dos seus músculos e do sangue pulsando em suas veias. *É como estar fora de seu corpo.* Talvez o apelo esteja justamente nisto: em sair de dentro da própria cabeça.

Por fim, ela concorda.

— Vai na frente.

Depois de escalar a entrada da caverna, ela pega a própria lanterna e começa a se mover para a frente, mas, após alguns poucos passos, Elin começa a tossir violentamente. O ar está carregado, como se o que respirasse ali fosse poeira pura. Ela consegue sentir sua textura e seu sabor, revestindo os lábios e a língua.

De repente, é tomada por uma claustrofobia insuportável — seus pulmões se comprimem, como se a cada nova respiração estivessem sendo esmagados com brutalidade. Já fazia meses que não precisava usar sua bombinha de asma, mas, naquele momento, parecia necessário.

Com movimentos rápidos, ela pega a bombinha no bolso e começa a inspirar. *Uma, duas, três vezes.*

— Tudo bem aí? — pergunta Steed. — Tá bem empoeirado aqui...

— Tudo. É só asma. Geralmente eu fico bem, mas isso aqui está muito extremo.

Assim que o remédio chega aos seus pulmões, seus ombros relaxam. Com a respiração estabilizada, ela passa a mão de leve na parede e aponta a lanterna para seus dedos. Eles estão cobertos por um pó fino.

Steed examina mais de perto.

— Você acha que isso poderia explicar o pó nos corpos?

— É possível. É um lugar perfeito pra esconder drogas. Imagino que não passe muita gente por aqui.

Com a curiosidade atiçada, ela segue em frente, chegando até a curva na parede. Andando pelo trecho final, a coluna de luz emitida pela lanterna está infestada de pó — partículas brilhantes e minúsculas suspensas no ar.

A caverna se alarga novamente.

Elin leva um susto.

Olhos, no meio da escuridão.

Vidrados nos dela.

52

Rostos borrados e empoeirados a encaram: cinco fotografias penduradas de qualquer jeito na parede da caverna.

Elin sente um calafrio se formando sob a pele. Uma onda de pânico invade sua mente enquanto ela expira lentamente, estendendo a exalação pelo máximo de tempo que consegue antes de dar início a uma nova respiração.

Erguendo a lanterna até a altura do rosto, ela ilumina, hesitante, as imagens.

É evidente que estão ali há algum tempo, cada uma delas coberta por uma grossa camada de pó, a fita adesiva reforçada que as mantém grudadas à parede descolando nas pontas.

— Que porra é... — começa Steed, mas Elin não responde, olhando fixamente para as fotos.

Ela coloca as luvas e começa a limpar, cuidadosamente, a camada de pó sobre a imagem da extrema esquerda.

Alguma coisa começa a aparecer, mas a imagem está pixelada, granulada, como se a fotografia tivesse sido tirada à distância e depois alguém tivesse dado um zoom.

Obstinada, Elin continua limpando até que um rosto é revelado — um rabo de cavalo e, depois, um largo sorriso exibindo uma série de dentes tortos.

Seu estômago se revira: é a foto de uma adolescente, de não mais que 13 ou 14 anos.

Elin passa para a próxima imagem, sentindo sua trepidação aumentar, porque já sabe de quem são essas fotos. Aqueles rostos estavam gravados em sua cabeça e na memória coletiva de cada pessoa que morava naquela região tantos anos atrás.

Ela os tinha visto incontáveis vezes, em incontáveis lugares e de incontáveis formas — estampados nos jornais, na tela da TV, em blogs.

— São os adolescentes que o Creacher assassinou em 2003 — sussurra ela.

Uma coleção macabra exposta na parede de uma caverna.

Porém, aquelas não eram as imagens que os jornais haviam publicado. As fotos que estavam ali são documentais, tiradas a certa distância; um dos adolescentes está franzindo a testa de leve, claramente sem saber que a foto está sendo tirada.

Outra foto ampliada mostra um dos garotos do ombro para cima, às suas costas a imagem desfocada de um prédio que Elin reconhece.

Rock House. A escola.

— As fotos devem ter sido tiradas quando esses adolescentes estavam na ilha. Aquilo ali atrás dele é a antiga escola.

Steed observa em silêncio, processando as informações assim como Elin.

O que isso quer dizer? Por que essas imagens estão aqui?

Rosto a rosto, Elin remove meticulosamente o resíduo em pó das fotografias, porém, na última delas, ela não havia chegado sequer à metade quando para, deixando a mão suspensa no ar.

Seus dedos começam a tremer.

— O que foi?

— Não tenho certeza — balbucia ela. — Essa menina... Eu não a estou reconhecendo como uma das vítimas do Creacher. Eu achava que eram só quatro. — Ela se lembra de como os jornais tinham publicado as fotos das vítimas. As duas meninas em cima, os dois meninos logo abaixo. Eram quatro, disso tinha certeza. — Eu posso estar enganada, faz bastante tempo.

Elin se prepara para tirar uma foto quando a luz de sua lanterna revela outra coisa, no chão, exatamente debaixo das imagens.

Uma pedra.

Conforme se aproxima, outra aparece em meio às trevas.

Com a mão tremendo, ela joga a luz na direção de cada fotografia.

Há uma pedra debaixo de cada foto.

Elin dá um passo para a frente, e depois para trás, se perguntando se a precisão com que as pedras estavam posicionadas era coisa de sua cabeça. Mas, quando olha novamente, fica óbvio: sua posição é intencional.

— Que esquisito. — A voz de Steed sai meio trêmula.

— Nem me fale. — Ela se agacha e aponta a lanterna para a pedra debaixo da primeira fotografia. — Eu... — Mas então para, as palavras morrendo em sua boca.

A pedra tem algum tipo de formato, foi esculpida com curvas e entradas fluidas.

Ela mantém a luz focada ali, sem querer dizer nada em voz alta até ter certeza.

Será que está imaginando coisas? Enxergando algo que não existe?

Com cuidado, ela percorre a superfície da pedra com a luz da lanterna.

Não, não é imaginação.

O formato pode não ser perfeito, mas não há como negar que foi esculpida para se parecer com a Pedra da Morte. Entalhada de forma rudimentar para reproduzir sua silhueta, do capuz à foice.

Elin se contorce involuntariamente, o terror gelando sua barriga, uma reação instintiva.

Essas pedras estão ligadas àquela pedra. E a tudo que ela representa. *A Morte.*

Uma manifestação da morte, bem ali naquela caverna.

Elin tenta tirar uma foto, mas sua mão está suada e o celular escorrega.

Ele vai quicando pelo chão da caverna. E, assim, Elin sai em sua procura, a luz da lanterna revelando de forma difusa o espaço ao redor. A caverna continua, sua parede se estendendo em direção à escuridão.

— Olha — diz ela ao se agachar para pegar o celular. — Ela ainda continua...

Tomando cuidado, eles seguem em frente, iluminando tudo com muita atenção. Após alguns metros, nota outra coisa na parede.

Mais fotos.

Não há tanto pó nelas quanto havia nas cinco primeiras, dá para ver claramente os rostos sem precisar limpar nada.

Bea. Seth.

53

De volta à área externa, Hana encontra Caleb sentado em um dos bancos ao redor da piscina. Ele havia se queimado de sol meio errado, apenas as laterais das pernas estão vermelhas, como se tivessem sido estapeadas.

Ela coloca um copo d'água na mão dele.

— Achei que você estava precisando beber alguma coisa. — Hana olha para o celular no colo dele. — O que você está fazendo?

— Um troço mórbido. Olhando fotos da Bea. — Sua voz falha.

Hana balança a cabeça. Havia feito a mesma coisa na noite anterior. Como se ficar olhando fotos da irmã pudesse, de alguma forma, trazê-la de volta, torná-la real de novo.

— Como você está aguentando tudo isso?

Caleb dá de ombros e toma um gole d'água, mas seus dedos tremem segurando o copo conforme o levam à boca.

— Parece tortura, né? Uma piada de muito mau gosto. Um lugar tão maravilhoso e...

Ele gesticula para o entorno, e Hana observa: a água azul-turquesa brilhando sob a luz do sol, os galhos de pinheiros balançando suavemente com a brisa. *É verdade*. Era como se toda aquela beleza natural estivesse zombando deles.

— Pelo jeito, não por muito tempo. Tem uma tempestade se aproximando — nota ela, apontando para cima. — As nuvens estão se formando.

Manchas escuras começam a se acumular no céu. Hana fica feliz. Aquilo é tudo de que o verão, esta ilha e o grupo precisam: um alívio.

Ele segue o olhar de Hana e, depois, volta a atenção para o chalé.

— Onde estão a Jo e a Maya?

— Cada uma no próprio quarto. Acho que não estão muito a fim de socializar. — Hana senta-se numa cadeira à mesa próxima à piscina e inclina o guarda-sol para trás até ficar totalmente na sombra.

Caleb guarda o celular e se senta ao lado da cunhada. Ele engancha os pés nas pernas da mesa, mas não sabe muito bem o que fazer com os braços, então fica cruzando e descruzando-os de um jeito meio esquisito.

— E você? Como está se sentindo?

— Provavelmente igual a você. Isso tudo está me fazendo pensar de novo no que aconteceu com o Liam, quando o mundo parecia... ter parado. Um sentimento de desorientação. Você começa a pensar em tudo o que aconteceu *antes* daquele momento como se fosse, de alguma forma, um outro lugar. O mundo depois daquilo... é como se ele tivesse se deslocado do eixo.

Caleb não fala nada por um minuto, depois a encara.

— A Bea queria ter estado do seu lado, sabe, depois do que aconteceu com o Liam. Ela sabia que tinha te decepcionado. — A voz dele está pesada. — Acho que ela pretendia conversar sobre isso com você em algum momento, mas nunca teve oportunidade.

Hana pisca.

— Eu fiquei surpresa. Parecia que a Bea tinha simplesmente sumido — revela ela, dando de ombros. — Mas não foi só ela. A maioria das pessoas fez a mesma coisa. Eu nunca me senti tão sozinha. — De repente, Hana tem dificuldade de engolir, como se sua garganta estivesse se fechando. — Isso me fez questionar tudo e todos. Se as pessoas não ficaram do meu lado quando uma coisa dessas aconteceu, quando elas ficariam?

Caleb inclina a cabeça.

— Entendo, e não estou tentando dar desculpas por ela, mas, às vezes, acho que a Bea tinha dificuldade de te ver daquele jeito, com toda aquela emoção envolvida.

— Ela chegou a dizer por quê?

— Explicitamente, não, mas eu sei que ela carregava um trauma do incêndio, pelo que aconteceu com a Sofia. Quando o Liam morreu, acho que foi um gatilho para alguma coisa. Eu acredito muito que foi por isso que ela não conseguiu se aproximar de você na época.

Atrás dele, um grupo de insetos perambula pelo ar, uma turma descontrolada, sem ter para onde ir. Caleb os espanta com as costas da mão.

Hana assente.

— Acho que todas nós ficamos traumatizadas, mas, quando se é criança, você não processa direito as coisas. As pessoas acham que você superou, e aí acontece alguma coisa quando você vira adulto e tudo volta, muito maior e mais pesado do que antes. Achavam que a Maya tinha lidado muito bem com aquilo, mas dá pra ver que ela está sofrendo até hoje. A Jo também, com toda essa atividade frenética...

Ele lança um olhar de soslaio para ela.

— Como ela está lidando com a história do Seth?

Ela dá de ombros.

— Nada bem, mas acho que isso era de se esperar.

Caleb faz que sim com a cabeça, abrindo a boca e depois voltando a fechá-la. *Ele está criando coragem para dizer alguma coisa.* Por fim, ele a olha nos olhos.

— E então, sabemos mais alguma coisa sobre o que aconteceu?

— Na verdade, não. O pessoal da polícia não deu muitos detalhes.

Outra pausa estranha na conversa.

— É só que, ontem à noite, a Jo e o Seth... Eles estavam brigando. Meu quarto fica ao lado do deles. A coisa parecia bem feia.

— Você conseguiu ouvir sobre o que era a briga?

Ele mexe no boné, nitidamente relutando em revelar detalhes.

— Você sabe que pra mim você pode falar — diz ela. — Eu não tenho a menor ilusão de que a minha família seja perfeita.

— Quando eles estavam conversando, eu ouvi o Seth dizer alguma coisa sobre a Jo ter saído do chalé.

— Na noite em que a Bea chegou?

— Isso. — Ele engole em seco. — Era algo tipo: "Você tem que dizer a eles que foi você quem saiu do chalé. Se eles descobrirem de outro jeito..."

Hana olha para Caleb, embasbacada.

Foi a Jo quem saiu do chalé na noite em que a Bea morreu.

Aquela pergunta pairando no ar esse tempo todo, e tinha sido ela.

— Você tem certeza?

— Absoluta.

Então, os olhos dos dois se encontram mais uma vez, uma sensação compartilhada de que interpretaram da mesma maneira a conversa que ele escutou.

54

Nenhum dos dois fala nada por um tempo.

A respiração de Elin está entrecortada, e seu coração bate forte.

No piloto automático, ela aponta a lanterna para baixo, já sabendo o que vai encontrar.

Duas outras pedras, posicionadas logo abaixo das fotografias de Bea e Seth.

— Que merda você acha que é isso aqui? — pergunta Steed, mal conseguindo pronunciar as palavras.

— Bom, ou alguém está fazendo uma contagem só por diversão, algum tipo de registro macabro de pessoas assassinadas nesta ilha, ou os dois casos… estão ligados. A forma como isso foi feito… Sugere uma continuação de algo que começou com o assassinato daqueles adolescentes… — O volume de sua voz vai diminuindo até desaparecer, à medida que seu olhar se concentra, mais uma vez, nas pedras debaixo das imagens.

— Você acha que as mortes de Bea Leger e do Delaney podem estar ligadas ao caso Creacher?

Elin faz que sim com a cabeça, jogando a luz sobre as duas sequências de fotografias. Uma geração de distância, porém reunidas naquela parede.

— Acho. E, se estiverem mesmo, então eu entendi tudo errado — conta ela, tropeçando nas próprias palavras. — Tenho certeza de que, qualquer que seja a motivação, não tem nada a ver com drogas.

É algo mais profundo, pensa, ligado àquela pedra enorme que paira sobre a ilha. Será que o assassino tinha se deixado levar pela maldição da ilha, pela história do local — ou por sua própria topografia — e a utilizado para forjar algum tipo de motivação depravada?

Steed ilumina as imagens de Bea e Seth.

— Essas parecem recentes.

Ela examina as fotos mais de perto, e fica evidente que haviam sido tiradas no retiro. O prédio principal pode ser visto ao fundo, as árvores que o cercam meio fora de foco. Assim como nas fotos das vítimas de Creacher, Bea e Seth não sabem que estão sendo fotografados. As imagens foram feitas com lentes com zoom.

— Mas eu não entendo como isso é possível — continua Steed. — O Creacher está preso, não está?

Elin faz que sim com a cabeça.

— Prisão perpétua, mas...

Sua mente rumina as recordações sobre o caso, rumores aos quais ela nunca tinha dado importância até aquele momento.

— O que foi? — indaga Steed.

— Não me lembro de muitos detalhes, mas eu me lembro das manchetes. Tinha toda uma conversa sobre "será que pegaram o cara certo?". Depois disso, eu ouvi outras coisas. Umas conversas no trabalho. Creacher sempre alegou inocência, e as pessoas tinham dúvidas sobre a condenação dele.

Dúvidas que, agora, ela estava levando muito mais a sério.

— Se eles prenderam o cara errado no caso Creacher — diz Steed —, e se as mortes de Bea e Seth estão ligadas aos assassinatos desses adolescentes, por que só agora, depois de todos esses anos?

— Pois é. É um intervalo muito grande.

Elin olha ao redor, cada vez mais apreensiva, se dando conta de como avaliaram mal a situação. Steed aproxima-se da foto de Seth e a examina.

— E por que ele escolheu Bea e Seth especificamente? Você acha que existe uma chance de que eles conhecessem esses adolescentes ou que existam outros paralelos entre eles?

— Talvez, mas o *modus operandi* é diferente. Esses adolescentes foram esfaqueados, tinham ferimentos de arma branca.

— E se for um imitador? — questiona Steed. — Uma pessoa obcecada pelo caso Creacher? Ou, como você disse antes, alguém fetichizando o que aconteceu na ilha?

— Pode ser. — Mesmo assim, seu instinto lhe diz que aquilo não é obra de um imitador. — Mas é bem óbvio que este lugar aqui levou bastante tempo para ser montado. As fotos dos adolescentes do caso Creacher estão aqui há muitos anos, e essas pedras... a maneira como elas foram posicionadas diz muita coisa.

Steed franze a testa.

— Debaixo das fotografias, você diz?

— É, e o fato de que tem uma para cada foto. Elas se parecem com a Pedra da Morte, mas é como se... — Ela tenta encontrar as palavras certas. — É como se elas estivessem sendo usadas como uma espécie de marcador, ou de troféu, celebrando cada assassinato. Você se daria a todo esse trabalho se não estivesse envolvido na história?

— E esse pó por toda parte? — Steed gesticula ao seu redor. — O fato de ter tanto pó. Fico me perguntando se este lugar foi usado como uma área de trabalho.

— Para esculpir as pedras? — Ela engole em seco, seus olhos novamente fixos nas pequenas figuras entalhadas.

— Sim. Isso foi premeditado. Alguém com um objetivo em mente.

Elin se vira para dar mais uma olhada quando sente que seu pé se enroscou em alguma coisa. A lanterna está molhada de suor, escorregando de seus dedos, mas a detetive a aponta para o chão.

A luz fraca ilumina um pedaço grosso de tecido dobrado e coberto por uma fina camada de pó. As partículas minúsculas que Elin dispersou com o movimento brilham no ar, dançando no feixe de luz. E, conforme vai ajustando a pegada na lanterna, uma outra parte do tecido é revelada: um capuz, à sua esquerda.

É algum tipo de manto.

Seu estômago se embrulha à medida que a mente finalmente entende a mesma coisa que os olhos. Elin compreende o que está vendo: este manto e o que ele insinua estão ligados a tudo o que está ao seu redor.

A Morte.

A Morte costuma ser representada vestindo um manto preto com capuz. Uma metáfora para o fim da vida e as trevas que a sucedem.

Será que isso faz parte dos delírios do assassino?

O assassino assumir o papel de algum tipo de divindade, convicto de que tem o direito de decidir entre a vida e a morte, não é uma coisa incomum em assassinatos em série.

A bile sobe pela garganta de Elin enquanto o horror que permeia tudo aquilo a domina: a percepção de que alguém que veste esse manto e é responsável por todas essas mortes esteve ali recentemente, não apenas colando meticulosamente essas fotografias na parede, mas esculpindo formas macabras em pedras para serem colocadas debaixo delas. Elin reflete acerca do pó que eles viram perto da boca de Seth e que Mieke encontrou no corpo de Bea. *Será que o assassino tinha realmente colocado as pedras dentro d...*

Suas mãos, que vinham segurando a lanterna com firmeza até aquele momento, começam a tremer, fazendo com que o feixe de luz dance sobre o manto. Quanto mais olha para ele, mais parece que está se mexendo. Elin fica toda arrepiada.

Por um instante, ela acredita em cada palavra do que as pessoas dizem sobre a ilha.

Os rumores. As maldições.

Ela consegue sentir no ar o cheiro e o gosto do próprio mal no coração da ilha. Michael Zimmerman tinha razão quando disse que havia *alguma coisa podre neste lugar.*

Independentemente do que seja, essa coisa não deseja a presença de ninguém ali, e não vai parar até que todos tenham ido embora.

Consumida por um terror profundo e visceral, Elin sente o coração martelando em seu peito e sua garganta.

Sair. Agora. Ela precisa sair dali.

55

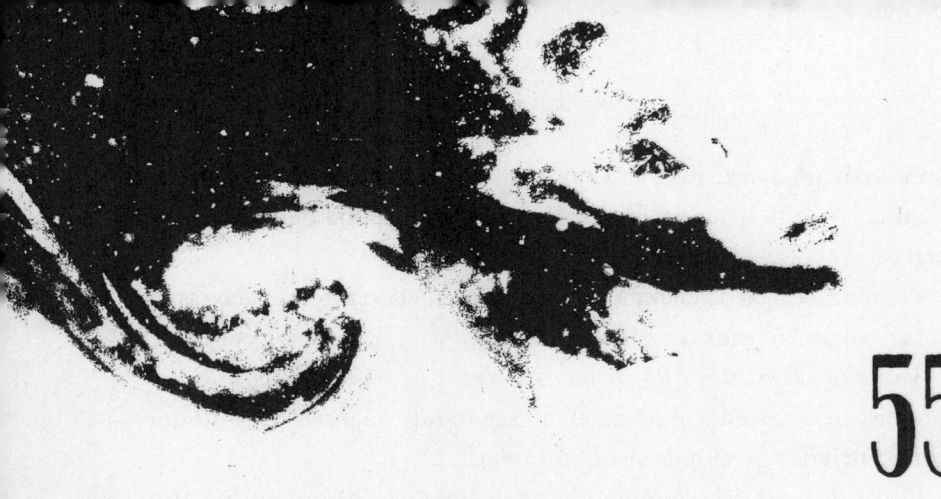

Apontando a lanterna para cima, Elin volta correndo pelo mesmo caminho que fez para chegar até ali, seguindo a parede da caverna até a abertura por onde eles entraram.

Virando-se de um lado para o outro, na tentativa de encontrar a saída, acaba tropeçando, o feixe de luz da lanterna traçando linhas erráticas em meio à escuridão. Tudo o que vem a sua mente é uma sequência frenética de imagens: o manto, as pedras, as fotografias. Com os olhos, capta apenas a abertura à sua frente, a luz fraca dos raios de sol que entra por ela pintando as paredes de um prateado brilhante.

Elin atravessa a passagem num salto e cai de pé no fundo da pedreira. Comparada à penumbra da caverna, a luz do sol é feroz, mas ela não para, correndo, febril, por toda a extensão da pedreira em direção aos degraus que levam para fora dali.

Ela é seguida pelo som de passos, a voz de Steed chamando seu nome, mas mal registra. Vai subindo de qualquer jeito, pisando e se agarrando um pouco nos degraus e um pouco no cascalho, enquanto as pedras vão se soltando por entre seus dedos.

Ela começa a sentir uma queimação nos pulmões por conta de todo aquele esforço, mas segue em movimento.

Por fim, alcança a beirada da pedreira. O caminho aberto em meio à vegetação rasteira por onde eles haviam passado para chegar até ali está nítido. Apelando a suas últimas reservas de energia, ela começa a correr mais uma vez, mas, em questão de minutos, cada centímetro de seu corpo está urrando de dor e o suor se acumula debaixo da camiseta.

Ela para, se agacha e leva as mãos à cabeça, enquanto as palavras de seu pai ecoam em seus ouvidos.

Você é uma covarde, Elin. Uma covarde.

— Ei… — Steed a alcança, ainda segurando a lanterna. — O que aconteceu? Você precisa da sua bombinha?

Elin balança a cabeça, ouvindo, mais uma vez, o som exasperante de sua respiração.

— Eu não estava mais aguentando ficar lá, eu…

Ela se perde no que estava dizendo, ao se dar conta de que suas mãos e antebraços estão pinicando. São pequenos arranhões em sua pele, pontinhos de sangue em zigue-zague, resultantes da escalada por cima do cascalho.

— Não precisa explicar nada. Aquilo foi horrível. — A voz de Steed sai trêmula. — Eu estava quase saindo correndo também — admite ele, balançando a cabeça.

Elin detecta algo no rosto de Steed: medo. Ele também sentiu aquela atmosfera malévola dentro da caverna.

— Mas eu acho — continua ele, com cuidado, enquanto se recompõe — que quando você se depara com uma coisa dessas, é impossível não ficar analisando tudo…

Elin faz que sim, sem questionar, porque é mais fácil para os dois seguir por esse raciocínio. Esse tipo de reação faz parte deles. Racionalidade. Lógica. A mente controlando o corpo.

Steed tira uma lata de Coca de sua mochila e passa para Elin.

— Não sei você, mas o meu tanque já está na reserva. — Ele olha para seu relógio. — Já passou das duas.

— Valeu — agradece ela, baixinho, e, quando o encara, sorri. — Você estava certo com toda essa sua história de escoteiro…

— Ganhei vários distintivos — responde Steed, e se vira para tirar outra lata da mochila, mas, antes disso, ela consegue ver que ele está sorrindo também.

Elin começa a abrir a Coca, sentindo-se bem com a naturalidade daquele ato, e percebe que parte do pânico que estava sentindo começa a se esvair. Ela ainda não havia puxado o anel até o final quando a Coca começa a jorrar, projetando um fio de espuma que escorre pelo metal. Inclinando a lata de lado, ela suga a pior parte da bebida.

Steed ri.

— Eu devia ter avisado. Tive que correr muito pra te alcançar.

Ela engole tudo, com a boca ainda amarga da bile. O açúcar tem um efeito instantâneo, acalmando-a.

Mais alguns goles. E então sente a respiração voltando ao normal.

— Melhor?

Ela faz que sim com a cabeça.

— Antes de ligarmos para a sala de controle, eu queria saber sua opinião sobre o que a gente encontrou. Fiquei meio confusa com tudo isso.

— Vamos conversando no caminho?

Elin assente, mas logo se dá conta de que vai ser difícil fazer isso. Apesar de terem aberto uma trilha rudimentar para chegar até ali, parecia que teriam que lutar contra a vegetação rasteira mais uma vez. O açúcar desencadeia uma outra sensação: sente a primeira pontada de fome quando passa por cima de um tronco de árvore tombado.

— Que provas foram usadas contra o Creacher? — Steed toma um longo gole de sua lata.

— De cabeça eu não me lembro, mas um cara que eu conheço, que trabalhou nesse caso, disse que foi difícil desde o começo. Eles não conseguiram achar muitas evidências.

— Quem era o detetive?

— Johnson. Já se aposentou. Não é do seu tempo.

Com uma cabeleira cor de cobre e um corte capacete, Johnson era um cara tão direto que irritava as pessoas, mas também era um homem diligente, trabalhador e detalhista, que se oferecia para assumir casos que outras pessoas, incluindo a própria Elin, evitavam a todo custo. Ela se lembra de sua frustração palpável no dia em que os dois conversaram sobre o caso Creacher num bar, depois do expediente. Aquele caso o havia afetado pra valer.

— Ele me disse que tinha muita pressão para que houvesse uma condenação.

— Em casos com esse, sempre tem.

— Nem me fale.

Então eles mergulham em silêncio, nenhum dos dois querendo verbalizar o que aquilo significa. *Adolescentes assassinados durante um passeio escolar.* A pressão para encontrar um culpado devia ser de outro mundo. É em momentos como aquele que erros são cometidos. Atalhos são tomados. Elin engole em seco, lutando contra a ideia de que o atalho que alguém decidiu tomar pode ter deixado o verdadeiro criminoso solto, livre para matar novamente.

Steed dá mais um gole barulhento em sua bebida.

— Acho que esse é o meu pior pesadelo, sabe? Prender a pessoa errada. Isso me assombraria...

— O meu também. Vou ligar para o Johnson quando chegarmos ao prédio principal, ver se ele nos dá alguma dica.

Não era exatamente dessa maneira que ela deveria agir para conseguir informações, mas Johnson não apenas havia expressado sua preocupação com a conclusão do caso Creacher, como eles também já têm uma relação, o que significa que há menos chances de ele se recusar a falar com ela. Se *havia* alguma dúvida real em relação à condenação de Creacher, ele teria informações em primeira mão.

Enquanto os dois seguem caminhando, ouve-se um barulho por entre as árvores. É apenas um pássaro pulando de galho em galho, mas Elin tropeça, virando o tornozelo. Steed a segura

— Ei... cuidado...

Elin assente.

— Só tô cansada.

Ela sente a adrenalina abandonando seu corpo, o breve pico de energia proporcionado pelo açúcar dando lugar a uma terrível moleza, as leves pontadas de fome se transformando numa sensação mais esmagadora e insistente.

— O tempo entre os assassinatos ainda está me incomodando — começa Steed, conforme seguem. — Se quem matou a Bea e o Seth for a mesma pessoa que matou aqueles adolescentes, então tem que existir alguma espécie de gatilho que justifique o crime depois de todos esses anos. Não é muito comum que um assassino em série decida tirar algumas décadas de folga.

— Talvez seja alguém que foi preso e acabou de ser solto. Acho que vamos ter que puxar a ficha de todo mundo que está aqui. Ver se alguém estava na ilha na mesma época dos assassinatos do Creacher. Qualquer nome que bata com o de qualquer pessoa envolvida naquele caso. As crianças, os professores, os monitores. Qualquer conexão mesmo.

Ele concorda com um meneio de cabeça.

— Deixa comigo. E vem alguém à sua cabeça?

Os pensamentos de Elin se voltam imediatamente para Michael Zimmerman, mas no que estava se baseando para pensar aquilo? No fato de que ele havia olhado de uma forma estranha para ela algumas vezes?

— Não, mas, levando em conta o que encontramos na cabana, não podemos descartar a hipótese de ter sido alguém que não estava hospedado no retiro, e acessava o terreno de modo ilegal. — Ela faz uma pausa. — A única coisa que está evidente é que, seja lá quem for, a pessoa que estamos procurando tem uma fascinação por aquela pedra, e pela maldição. Eu não sou especialista em perfis psicológicos, mas diria que este, provavelmente, é um indivíduo desequilibrado, que talvez sofra de psicose. Durante um surto, é muito possível que ele tenha alucinações e escute vozes mandando-o fazer alguma coisa.

— A Morte? — sugere Steed, pensando em voz alta.

— Não dá pra tirar do campo das possibilidades, ainda mais depois daquele manto que encontramos. A teoria do assassino visionário é uma motivação plausível, alguém que mata uma pessoa porque acha que alguém o está mandando fazer isso.

Steed enfia a lata vazia num bolso lateral da mochila.

— Isso eu entendo, mas será que uma pessoa que sofre de alucinações teria condições de planejar as mortes da Bea e do Seth com o grau de sofisticação que nós vimos?

— Tem razão — concorda Elin, pensando. — Essas pessoas costumam ser mais caóticas. Isso se encaixa no *modus operandi* dos assassinatos dos adolescentes, que foram bem frenéticos, segundo todos os relatos, mas não nos da Bea e do Seth.

— E se for *mesmo* um imitador, alguém que se inspirou no Creacher? Talvez isso explique as anomalias. — Ele dá de ombros. — Ou talvez não seja apenas uma pessoa.

Elin rumina todas as hipóteses, ainda sem certezas. Tudo naquela caverna sugeria uma continuidade. Alguém dando sequência a algo que teve início durante os assassinatos de Creacher.

— Talvez, mas eu estou pensando que, talvez, a maneira *como* eles tenham sido mortos não importe, e sim o fato de que as mortes aconteceram, foram registradas e celebradas.

— De qualquer forma — acrescenta Steed —, a única coisa que a gente sabe é que a pessoa que está fazendo isso planejou cuidadosamente as mortes da Bea e do Seth para nos levar numa outra direção.

Ela concorda.

— Para ter tempo de voltar a agir.

Nenhum dos dois fala nada por um momento, sentindo o peso do que aquilo significa caindo sobre seus ombros.

O assassino ainda não terminou.

56

Hana está quase perdendo o controle andando de um lado para o outro no corredor que leva para os quartos, energizada e sem saber o que fazer com aquilo.

O que Caleb disse sobre a discussão entre Seth e Jo está fervilhando em sua cabeça. *Você tem que dizer a eles que foi você quem saiu do chalé.*

Jo havia mentido para a polícia e para eles.

Seus pensamentos entram numa espiral — imagens sinistras em sua imaginação que não fazem sentido. Ela sabia que Bea havia caído — a detetive tinha confirmado —, mas não conseguia ignorar as perguntas que vão se empilhando.

Será que a Jo saiu do chalé para se encontrar com a Bea aquela noite? Será que elas discutiram? E se...?

Hana sabe que aquilo não vai parar enquanto não confrontar a irmã. Exigir respostas.

Com a paciência esgotada, para bem em frente à porta do quarto de Jo.

Precisa fazer isso agora. Antes que se convença a desistir.

Ela ergue a mão e bate ruidosamente na madeira. A primeira batida faz com que a porta se mexa, revelando um pedaço do quarto por uma fresta: o piso de madeira, uma Birkenstock de cabeça para baixo. Estava entreaberta.

— Jo?

Sem resposta.

Hana aumenta o tom de voz:

— Jo? Tá aí? — pergunta ela, olhando pela fresta.

Então vê que o quarto está vazio, pilhas de roupas — macacões, shorts — estendidos sobre a cama como se Jo já estivesse começando a arrumar as malas.

Hana está prestes a desistir quando para, vendo o celular de Jo plugado ao lado da cama, o fio branco do carregador serpenteando contra a cabeceira de madeira.

Um pensamento passa por sua cabeça: *ela bem que podia dar olhadinha, não?*

Normalmente, é algo que Hana jamais consideraria fazer, mas, nos últimos dias, vem se sentindo um tanto diferente. É como se a viagem tivesse removido uma camada de si, revelando uma nova pessoa.

Hana começa a se esgueirar para dentro do quarto, mas se detém ao lado da cama.

Seth.

Ele está por toda parte: suas roupas ainda penduradas no cabideiro, seus tênis de marca debaixo da cama, a carteira em cima da mesinha de cabeceira. Apesar da atitude destemida, seu coração está saindo pela boca.

Ela se autocensura: *Esse espaço é deles. Isso é errado, ainda mais depois de tudo o que aconteceu.*

Mas Hana cria coragem. *Chega de culpa.* Foi isso que a atrasou todos esses anos — um medo de não ser boazinha e decente, uma preocupação com o que os outros pensavam dela.

Olhando rapidamente para a porta, ela pega o celular e o tira da tomada. Não há como usar o reconhecimento facial, mas não precisa — Hana tinha visto Jo digitando a senha: eram os primeiros quatro dígitos do antigo número de telefone fixo delas e, no final, o mês de nascimento da irmã.

Depois que desbloqueia o celular, Hana passa a tela até encontrar o WhatsApp, o aplicativo de mensagens preferido da Jo. Se há alguma coisa para ser encontrada, é ali que está.

As mensagens de Jo para Seth estão no topo, mas, conforme vai olhando as conversas, não há nada além das banalidades cotidianas que se esperaria encontrar:

Seth: Cadê você?
Jo: Saí pra correr.
Seth: Estamos indo tomar café.
Jo: Não demoro...

Nenhuma referência à noite em que Bea havia chegado.

Hana retorna para a lista de mensagens. Seus olhos começam a saltar pelos nomes e se concentram num deles: *Bea.* Ela começa a ler a conversa. Logo de cara fica evidente que este não é o mesmo tipo de mensagem que Jo trocava com Seth.

Incisivas, com uma linguagem agressiva, uma briga que havia continuado no mundo virtual.

Bea: Você tem que contar pra Hana.
Jo: Isso não é da sua conta.
Bea: Se você não contar pra ela, eu vou contar. Ela vai ficar arrasada, mas vai ser pior se descobrir por outra pessoa.

Rolando a tela com avidez, Hana encontra variações dessa mesma conversa. Agora estava óbvio que Jo tinha mentido para ela antes. Fosse lá o que ela e Bea estivessem discutindo ali, essa era a motivação por trás daquela carta que havia encontrado no cais. Aquele bilhete não tinha nada a ver com o fato de Jo não a ter acolhido após a morte de Liam.

Jo está escondendo alguma coisa.

Um vazio terrível se alastra em seu interior. É esse o efeito de uma mentira, pensa, entorpecida: ela vai te esvaziando por dentro. O vínculo que existe entre as pessoas — essa coisa misteriosa, certa e sólida — é destruído, e tudo que resta é sua casca.

Hana larga o celular de volta na mesa de cabeceira e observa enquanto ele escorrega e cai no chão.

Ela se inclina para pegá-lo, e seus olhos se concentram numa coisa que está saindo pelo vão entre a cama e o colchão de Jo.

Perplexa, ela cobre a boca com a mão.

57

— Não consigo falar com o Johnson — diz Elin. — Cai direto na caixa postal.

— Ele vai retornar a ligação — murmura Steed. — Enquanto isso, eu consegui uma lista de todo mundo que está aqui. A moça da recepção é que nem você, extremamente eficiente. — Ele sorri, mas o sorriso desaparece rapidamente de seu rosto quando a detetive não o retribui. — Não gostei dessa sua cara. O que foi?

Elin para um pouco antes de chegar ao balcão da recepção.

— Antes de ligar para o Johnson, conversei com o chefe de investigações. Parece que estamos por nossa conta aqui. O efetivo da equipe de investigação de crimes graves está completamente dedicado a um assassinato recente em Barnstaple, e há diversos outros incidentes de grande porte em Exeter.

— Diversos? — repete ele, arqueando as sobrancelhas.

— Sim… Um acidente de trânsito com múltiplas vítimas fatais e um incêndio num shopping numa área residencial. Tem pessoas presas. Parece que todos os policiais do município estão envolvidos. Os regionais também. Eles vão demorar para vir pra cá.

Steed passa a mão no cabelo. Parece desorientado, o que é incomum.

— E aí, o que a gente faz agora?

— Devemos isolar o retiro. Vamos reunir todo mundo. Preciso achar a Farrah. Eu liguei para ela, mas também está caindo na caixa postal. — Ela olha para o celular. — Vou tentar de novo.

Mas Elin quase perde o chão quando lê a mensagem que aparece na tela.

Leva um segundo para entender o que é. Uma mensagem de Will.

Postaram mais um tuíte. Te mandei uns prints.

Com a mão trêmula, Elin cria coragem e clica na imagem anexada. Seu estômago se embrulha. Ela sente tudo ao mesmo tempo. Descrença. Medo. Nojo. Emoções à flor da pele a atingem feito ondas poderosas.

É ela de novo, mas, ao contrário da última foto, essa não foi tirada de um site público. Na imagem, ela está na praia, de maiô, ao lado de sua amiga Astrid.

As duas estão rindo para a câmera, mas aquele dia feliz havia sido arruinado. Da pior maneira possível.

Não. Não.

Seus olhos haviam sido riscados novamente; linhas cruzadas de forma agressiva umas sobre as outras numa rasura digital.

— O que foi? — pergunta Steed, preocupado.

— Um tuíte.

Ele franze a testa.

— Sobre o que está acontecendo?

Balançando a cabeça, Elin conta a respeito do outro tuíte, que Will havia lhe mostrado antes.

— Este é pior, de alguma forma. A foto que usaram… foi tirada por uma amiga minha. Alguém teve que vasculhar as redes sociais dela para encontrar.

Aquilo parece quase tão ruim quanto o que eles haviam feito com a imagem em si. É como se alguém tivesse pegado sua recordação daquele dia e sapateado ferozmente em cima dela. Aquilo era uma *agressão*.

— Trolls cuzões. — Steed balança a cabeça. — Eu sei que não ajuda, mas aconteceu uma coisa parecida uns anos atrás com uma outra policial que eu conhecia. Não as fotos, mas alguém ficou enviando um monte de coisas esquisitas pra casa dela. Ela fez um boletim de ocorrência e, aparentemente, aquilo parou. — Steed faz uma pausa. — Provavelmente não é nada pessoal.

Elin minimiza a imagem e sente sua pele se arrepiar.

— Você tem razão. Se acontecer de novo, eu abro um boletim de ocorrência, mas, por enquanto, isso vai ter que esperar. Nós precisamos encontrar a Farrah e começar a nos mexer para isolar esse lugar.

Ela está se esforçando desesperadamente para projetar uma confiança que não tem, e, enquanto anda em direção à recepção, aquela imagem insiste em aparecer em sua mente, sua felicidade apagada por uma rasura violenta.

* * *

A funcionária que trabalha na recepção os cumprimenta com um sorriso ensaiado. Steed o retribui, mas Elin, não, seus olhos vidrados na tapeçaria pendurada na parede às costas da recepcionista.

Dessa vez, quando olha, a padronagem que remete à Pedra da Morte no tecido não se camufla no fundo como na primeira vez que a tinha visto — naquele momento, é só isso que consegue enxergar. Pequenas reproduções não apenas da grande rocha como também das pedras pequenas dentro da caverna.

— Está tudo bem? — pergunta a recepcionista preocupada.

— Está, sim. — Ela precisa se esforçar para tirar os olhos de lá. — Eu estava pensando se você saberia me dizer onde a Farrah está.

A mulher gesticula na direção de um dos cantos do salão.

— Ela está ali.

Elin segue o olhar da recepcionista e vê Farrah sentada num dos sofás com um homem. Os dois parecem muito concentrados em sua conversa, a cabeça inclinada.

— Obrigada — diz ela em voz baixa.

Enquanto eles cruzam o salão, o sanduíche que Elin comeu às pressas alguns minutos atrás pesa em seu estômago, e um gosto ácido começa a subir por sua garganta.

Engolindo com força, ela para na frente de Farrah e toca seu braço.

— Desculpe interromper, mas...

Porém, antes que possa terminar, é Farrah quem a interrompe com um sorriso trêmulo, arregalando seus olhos como quem dá um aviso.

— Deixem-me apresentar vocês dois para Ronan Delaney.

58

Elin se esforça muito para não hesitar e sabe que, quando abre um sorriso, ele é forçado.
O pai de Seth.

Ele os cumprimenta acenando de modo suave com a cabeça e, daquela distância, Elin entende por que não o havia reconhecido de primeira; há um tremendo contraste com a fotografia que tinha visto na internet.

Não eram as roupas — a camisa branca e a calça de linho pareciam tão caras quanto as que da foto —, mas há uma aura de cansaço e desleixo nele. Seu cabelo grisalho está bagunçado; o rosto, repleto de rugas. *O luto faz isso com as pessoas.* Suga a vida delas, tanto física quanto mentalmente.

Ronan estende a mão, seu relógio caro brilhando sob a luz da luminária.

Ela faz o mesmo.

— Detetive Elin Warner. Prazer em conhecê-lo.

Em seguida, Steed se apresenta, mas os olhos de Ronan não se concentram nele por muito tempo e logo retornam para Elin.

— Acredito que foi você quem encontrou o Seth.

— Sim, fui eu — confirma Elin, com delicadeza.

— Eu estava justamente perguntando para a Farrah se ele... — Ele engole em seco. — Se vocês já o levaram embora. Eu estava em Devon, a trabalho. Queria vê-lo. — Lutando para manter a compostura, ele desvia o olhar para o chão.

Elin troca um olhar com Steed. Essa é sempre uma preocupação numa situação como aquela — que um parente enlutado queira assumir, ele próprio, o controle da situação, sem perceber o que de fato pode ter acontecido.

— É melhor que você aguarde — diz ela, de forma cuidadosa. — Até que ele esteja no necrotério.

Ele balança a cabeça.

— Mas eu quero vê-lo com os meus próprios olhos.

— Sério, é melhor você aguardar. — O tom de Steed é mais autoritário que o dela.

Ronan o encara, e Elin percebe que ele está avaliando Steed, tentando entender se seria possível pressioná-lo. Por fim, ele faz que sim com a cabeça.

— É só que não consigo entender. — Ele parece desnorteado. — Por que alguém ia querer machucar o Seth. Todo mundo o adorava.

— Foi o que nos pareceu — diz Steed, delicadamente —, mas a namorada dele, Jo, mencionou que, nos últimos tempos, ele vinha recebendo ameaças por e-mail. Bem pesadas, pelo que ela disse.

Ronan não hesita nem um segundo.

— Isso é completamente normal quando se é o filho de alguém como eu. Você irrita muita gente só por existir. As pessoas me incomodam o tempo todo, pedindo dinheiro, uns conspiracionistas que têm certeza de que sabem alguma coisa a meu respeito. Não é incomum.

Steed tira os olhos de seu caderno.

— Nós também sabemos que ele tem ficha criminal. Você teria algum motivo para suspeitar de que ele talvez ainda estivesse envolvido com...

— Tudo isso é passado — interrompe Ronan. — Seth tinha se endireitado, estava fazendo muito trabalho filantrópico. A prisão... mudou a maneira como ele pensava, o fez perceber o quanto a vida é curta. Ele estava determinado a não a desperdiçar com bobagens, em especial com drogas. — Ele retoma o controle da conversa: — Então, quando é que vamos ter algumas respostas sobre o que aconteceu com o meu filho?

— Estamos apenas no primeiro dia, de modo que a investigação está bem no começo ainda — responde Elin, com cuidado. — Houve um incidente no continente que está atrasando nossos processos habituais. — Ela percebe um leve tremor em sua voz, e tenta domá-lo. A última coisa de que precisa é que aquele homem descubra que tem algo ainda maior por trás de tudo antes que ela possa conversar sobre aquilo com Farrah. — Voltamos a falar com você assim que tivermos mais informações.

Ronan assente e volta a atenção para Farrah.

— Vou trabalhar daqui por enquanto. Posso usar uma das salas de reunião?

— Mas é claro. O pessoal na recepção vai dizer ao senhor quais estão disponíveis.

— Obrigado.

Então, se despedindo, ele se levanta.

Assim que ele está longe o bastante para não os ouvir, Farrah balança a cabeça.

— Desculpem, eu não fazia ideia de que ele viria para cá.

— E ele vai ficar por aqui?

— Aham. — Sua expressão é de preocupação. — Ele disse que veio por causa do Seth, mas eu tenho a impressão de que também quer dar uma olhada em tudo de perto. Algumas coisas já vazaram nas redes sociais, como vocês devem imaginar.

— Talvez isso deixe o que vou dizer ainda mais complicado — comenta Elin, decidindo ir direto ao ponto. — Acredito que as mortes de Bea e Seth podem estar ligadas a um outro caso. E, eu não quero te assustar, mas acho que existe a possibilidade de que a pessoa que fez isso esteja planejando outras mortes.

Farrah respira com força.

O corpo de Elin se tensiona em resposta àquele som: a manifestação do medo de Farrah ecoa o medo que ela própria sente e que, até aquele momento, vinha mantendo sob controle.

— Por favor, nós precisamos manter isso em sigilo — disse Elin. — Se os funcionários ou algum dos hóspedes remanescentes se derem conta do que está acontecendo...

Aquelas palavras afetam a cunhada.

— Me desculpem, eu não estava esperando por isso... — Farrah se recompõe. — Como posso ajudar?

— Reúna os hóspedes o mais rápido possível, e os prepare para deixarem a ilha assim que for seguro. Quantos você acha que ficaram?

— Não muitos. Tem mais funcionários do que hóspedes. Na última contagem, eram quinze, se não me engano. Posso mobilizar os funcionários para fazerem isso, bater na porta dos chalés se não conseguirmos localizar as pessoas.

— Ótimo. Tem algum espaço grande o bastante para reunir todo mundo?

— Acho que o salão de eventos nos fundos do restaurante. É um espaço bem grande. — Ela olha ao redor. — Mas o que devo dizer a eles? As pessoas vão fazer perguntas.

Elin fica em silêncio por um instante. Em sua visão periférica, vê Ronan seguindo para os fundos do saguão.

— Tudo que você precisa dizer é que houve um acidente e que, para a segurança de todos, é fundamental que eles sigam as suas instruções. Quando estiverem reunidos, eu falo com eles, tento minimizar as preocupações. Enquanto isso, converse com seus funcionários de confiança e informe todos quanto ao plano.

— Faz sentido. — Farrah tenta injetar alguma confiança no que diz, mas a firmeza com que ela segura o radiocomunicador quebra aquilo: os nós dos dedos chegam a estar brancos.

Elin põe a mão no braço da cunhada.

— Olha, vai dar tudo certo. De verdade.

— É que... — Seus lábios tremem, um tom de pânico volta a se fazer presente em sua voz. — Não é só isso. Eu queria falar com você sobre outra coisa. — Farrah olha para Steed. — Em particular...

— É claro... — Elin para de falar de repente assim que seu celular toca, fazendo um barulho tremendo. *Detetive Johnson.* — Desculpe, mas eu preciso atender a essa ligação. Podemos conversar daqui a pouco?

Farrah assente, tenta abrir um sorriso, mas Elin percebe uma leve hesitação.

59

O celular da Bea.

Hana o segura com todo o cuidado do mundo, como se ele fosse um bebê.

A tela está estilhaçada, rachaduras irregulares atravessando o vidro como raios. Tudo o que resta da parte traseira é um pedaço quebrado da capinha.

Não faz sentido: *Como a Jo conseguiu o celular da Bea?*

Porém, enquanto seus olhos percorrem a tela quebrada, sua confusão logo dá lugar à compreensão, uma vez que ela se lembra por que, para começo de conversa, entrou no quarto da irmã — por causa do que Caleb havia lhe dito sobre ela ter saído do chalé.

Hana rumina aquilo, mas não importa o quanto disseque cada elemento ou os analise sob esse ou aquele ângulo: a imagem que eles pintam não é nada boa.

— Eu acho que você precisa conversar sobre isso com ela, Han, assim que puder — opina Maya, enfiando um cropped dentro de sua mochila e lançando um olhar meio perdido para a prima. — Não sei mais o que dizer. Ela precisa te dar algumas respostas.

Hana faz que sim com a cabeça. Desde o começo, sempre soube que a resposta de Maya seria aquela; ir até o quarto dela tinha sido apenas uma maneira de ganhar tempo, de adiar o encontro, com medo do que Jo lhe diria.

— Você tem razão. — Ela gesticula com a cabeça na direção da mochila de Maya, uma maçaroca de roupas jogada de qualquer jeito lá dentro. — Vou te deixar terminar aí. Você está bem mais adiantada do que eu. Nem comecei ainda.

— Eu só quero estar pronta para quando eles disserem que a gente pode ir embora. Não quero ficar aqui nem um segundo a mais do que o necessário.

Maya pega um porta-retratos de sua mesinha de cabeceira. Está quase guardando-o na mochila quando Hana olha para ele.

— Que linda — comenta.

É uma foto na praia: os pais de Maya inclinados sobre Sofia e ela, todos em trajes de banho. Obviamente havia sido tirada antes do incêndio, mostrando Sofia como ela era antes do AVC: toda sorridente para a câmera, com um espaço entre os dentes da frente.

— É idiota — rebate Maya, a voz oscilando. — Eu levo comigo para todo canto.

— Não é idiota, eu amei — diz Hana, com carinho. — Como estão os seus pais?

— Estão bem, mas já faz um tempo que não visitam a Sofia, algumas semanas. Eles mudaram, Han. Nós sempre soubemos o quanto era improvável que alguma coisa milagrosa acontecesse, mas acho que a minha mãe se agarrava à ideia de que minha irmã pudesse se recuperar. É o milagre da esperança… Mesmo quando o cérebro te diz uma coisa, o coração consegue ignorar aquilo e se agarrar a outras… À história de uma outra pessoa, alguma teoria que você viu na internet, às conclusões de uma pesquisa obscura…

— Mas isso acontece, né? Pessoas que melhoram vários anos depois.

— Não com esse grau de dano cerebral. Os médicos vêm dizendo isso há anos, nós é que não quisemos escutar. — Maya faz uma pausa. — Mas, no último mês, mais ou menos, eu acho que a ficha finalmente caiu. Minha mãe perdeu aquele último fio de esperança. É como se uma parte dela tivesse… desaparecido. Ela é uma pessoa completamente diferente agora.

Quando pisca os olhos, Hana sente as lágrimas se acumulando.

— Sinto muito. Eu não fazia ideia.

— A vida é assim, né — conclui Maya, recolhendo a última pilha de livros em cima da mesa. Na metade do caminho, os deixa cair. Ela força uma risada. — Era só o que me faltava. — Hana se aproxima para ajudá-la a pegar os livros. — Nem esquenta — diz Maya, rapidamente, e Hana percebe que aqueles não são exatamente romances.

O caderno de desenho que tinha visto no dia anterior caiu com suas páginas abertas. Hana o pega, olhando com curiosidade para o esboço na página da direita: duas pessoas de perfil, uma olhando para a outra.

O que chama a sua atenção, logo de cara, é a intimidade: não apenas o quanto os rostos estão próximos um do outro, mas também a expressão deles: lábios virados para cima num começo de sorriso, olhos vidrados uns nos outros.

O instante que precede um beijo.

— Você é muito talentosa — elogia Hana, olhando o desenho com mais atenção. — Eu queria... — Então para, percebendo uma coisa com o canto do olho.

Uma fotografia no chão, que havia caído de dentro do caderno.

Com uma expressão de pânico no rosto, Maya se abaixa para pegá-la, mas não é rápida o bastante.

Hana a pega primeiro.

Ela puxa o ar num susto enquanto olha para a imagem; é como se alguém tivesse dado um soco em seu estômago.

Hana olha uma vez, depois outra, se pergunta se está tendo alucinações, se aquilo é uma peça maluca que sua imaginação está tentando lhe pregar.

Mas não é.

O esboço era uma cópia quase perfeita daquela fotografia.

Sua irmã, junto com Liam.

60

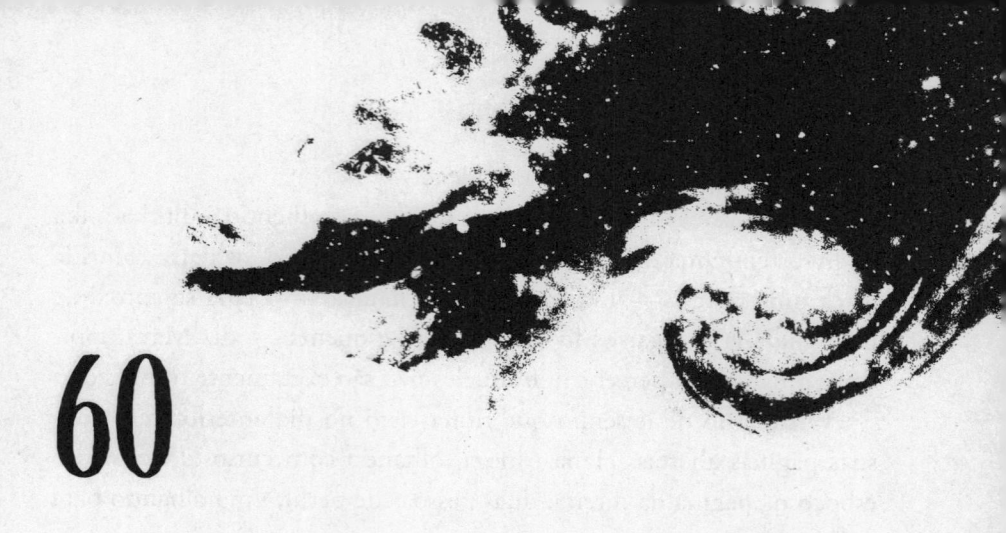

Um marasmo incomum havia engolido aquela tarde. Elin adentra a varanda, segurando o celular. As nuvens que tinha visto mais cedo se multiplicam com rapidez — uma linha metálica pairando sobre o horizonte, atropelando o azul.

Johnson está falando, mas ela quase não consegue ouvir o que diz.

— Preciso que você fale um pouco mais alto — pede ela, aumentando o tom de voz. — Não estou te escutando.

Ouve-se o ruído alto de uma motocicleta ao fundo.

— Desculpe, estou num estacionamento na praia. Eu perguntei se estava tudo bem. — A voz dele parece hesitante. Uma ligação aleatória para jogar conversa fora como aquela não era algo exatamente comum.

— Tudo bem. — Eles trocam mais algumas amenidades até que, por fim, ela respira fundo e vai direto ao assunto: — Escuta, eu sei que o que vou dizer vai soar meio estranho, mas foi por isso que eu te liguei tão assim, do nada. Eu queria falar com você sobre o caso Creacher. Estou na mesma ilha neste momento, em um outro caso, e acho que existe uma possível ligação com os assassinatos de Creacher.

Elin se aproxima da mureta, para se assegurar de que os funcionários que limpam uma mesa ali perto não consigam escutá-la.

Há uma pausa.

— Só me dá um segundo pra eu tirar a minha roupa de neoprene e entrar no meu carro. — Ela ouve sons de respiração e bufadas. A porta de um carro se fecha. — Beleza, estou botando no viva-voz. Você consegue me ouvir?

— Consigo. — Então Elin diz: — Eu sei que já faz muito tempo, mas eu me lembro de a gente ter conversado sobre o Creacher, e você ter mencionado que, no começo, tinha lá suas dúvidas se ele realmente tinha feito aquilo.

Ele fica em silêncio por um segundo.

— Pra ser sincero, tinha mesmo. E, na verdade, ainda tenho. Na minha opinião, ainda mais no começo, as evidências eram muito inconsistentes, pra dizer o mínimo.

— Inconsistentes em que sentido?

— Tinha material genético na camiseta de uma das vítimas que batia com o DNA do Creacher. Mas, no meu ponto de vista, foi algo circunstancial, o material poderia ter sido transferido para lá de algum outro modo. Aquilo não o colocava definitivamente na cena do crime. Além disso, um dos especialistas acionados pela defesa também levantou uma questão muito interessante quanto à *ausência* de DNA no corpo das vítimas, alegando que mesmo que elas não tivessem oferecido qualquer resistência, certamente deveria haver muito mais DNA dele do que em um único ponto numa camiseta.

— O que mais vocês tinham de evidência?

— Testemunha ocular. Um barqueiro disse que viu o Creacher perambulando pela região, observando os adolescentes. Também teve as fotos.

— Fotos? — Ela pensa naquelas que descobriram na caverna.

— É. Os adolescentes apareciam nas imagens que encontramos, mas também havia fotografias de paisagens, de animais selvagens. Ele só disse que gostava de tirar fotos. — Johnson solta um suspiro pesado. — O Creacher era um cara esquisito, isso sem dúvida, alguém de quem você correria por um quilômetro se encontrasse num beco escuro, mas eu acho que algumas suposições foram feitas *só porque* ele era um cara meio solitário.

— Era um alvo fácil?

— Mais ou menos isso. E, tudo bem, ele tinha dificuldade de fazer contato visual, de se comportar de uma maneira considerada "normal", mas isso não fazia dele um assassino. Às vezes a gente sente quando alguém é culpado, e, no caso dele, não senti. Era um cara solitário, sem dúvida, mas um assassino? Eu não via isso. Então insisti para que a gente ampliasse o escopo das investigações, principalmente levando em conta a conexão com aquela garota.

— Que garota?

— Logo que assumi o caso, eu descobri uma conexão curiosa. Uma outra garota havia desaparecido uns meses antes dos assassinatos do Creacher.

Uma outra garota. Elin se lembra da quinta fotografia na parede. *Será que era ela?*

— Ela se chamava Lois Wade. Tudo muito estranho. A turma dela tinha ido até a ilha para um curso da ONG que existia aí, mas ela foi uma das poucas que não foi junto. Na semana dessa viagem, anunciaram o desaparecimento de Lois. Naquela mesma noite, um menino que estava nesse curso disse que a viu na ilha.

— Mas você disse que ela não foi.

— Esse é exatamente o ponto. Um grupo de adolescentes foi escondido até a pedra, na ilha, depois que os professores foram dormir. Eles encheram a cara até apagar. Quando o garoto acordou, ele era um dos únicos que ainda estava lá. Aparentemente, ele olhou para baixo e viu um corpo no gramado aos pés da rocha. Ele tinha certeza de que era Lois Wade, mas, quando desceu até lá, o corpo havia desaparecido. Nenhum sinal dela, nem sequer uma marca na grama.

— Bizarro.

— Sim e não. Esse menino foi o único que a viu. A maioria das pessoas entendeu que aquilo era efeito da bebida ou, talvez, de algum alucinógeno. Mas ele insistiu muito na história, e ainda admitiu que eles tinham convidado Lois para ir à ilha escondido naquela noite, mas também foi o único a dizer isso; todos os outros contaram uma outra história. Lois não estava lá, nunca havia estado.

Elin absorve aquelas palavras enquanto olha para o mar. A brisa começa a aumentar, o azul-turquesa marinho rajado de cores vívidas e incomuns, um azul muito escuro, quase preto, um cinza-metálico.

— Mas não deve ter sido difícil conferir se ela *foi* ou não até a ilha. Ela teria que ter pegado um barco.

— Não havia câmeras de segurança na época, então era impossível saber se ela realmente tinha ido. Amigos e conhecidos negaram ter levado ela até lá. Nós chegamos a falar com algumas das empresas que atuavam no porto para descobrir se alguém a havia levado, mas as respostas foram negativas. Alguns dias depois, os pais admitiram que Lois tinha o costume de fugir de casa. Em seguida, tivemos um relato dela entrando num carro no continente, e toda a investigação seguiu nessa direção.

— E o depoimento do garoto que a viu na ilha?

— Não deu em nada. A polícia fez buscas na mata, interrogou funcionários, as outras crianças, o barqueiro, mas nem sinal.

— Mas depois que aconteceram os assassinatos do Creacher, você ligou esses pontos.

Os galhos compridos dos pinheiros dançam acima da cabeça de Elin, projetando suas sombras no chão.

— Sim. Logicamente eu me perguntei se haveria uma ligação entre os casos, se a garota poderia ter sido a primeira vítima em potencial do Creacher, mas essa hipótese acabou morrendo ainda na raiz. Logo nos primeiros dias de interrogatório, descobrimos que o Creacher não estava na ilha quando Lois desapareceu. — Johnson hesita por um instante, como se estivesse prestes a falar alguma outra coisa, mas então decide não dizer. — E, àquela altura, o fato de Lois ter sido vista no continente foi reiterada por várias outras pessoas.

— Ela chegou a ser encontrada?

— Não.

— E isso com certeza poderia sugerir que o que o garoto estava dizendo talvez fosse verdade.

Johnson solta um suspiro.

— Não tenho certeza. Tudo o que eu sei é que essa teoria de fugir de casa… foi o que colou na época, e eles não mostraram muita disposição para revisitar o caso Lois Wade. Quando o vento sopra numa direção, você sabe como é.

Elin consegue ler nas entrelinhas: o desaparecimento de Lois Wade e o fato de ela ter sido avistada na ilha eram, obviamente, uma pedra no sapato para a condenação de Creacher. A polícia tinha decidido que ele era culpado, e a teoria de Johnson teria sido uma terrível inconveniência. Caso fosse provado que os dois casos *estavam mesmo* conectados, e Creacher não estava na ilha quando Lois Wade desapareceu, isso significaria que outra pessoa era a responsável. Ao transformar o caso de Lois Wade num simples desaparecimento, a condenação de Creacher ficava muito mais fácil de engolir.

Elin entende o porquê: como tinha conversado com Steed, havia uma pressão enorme em cima de um caso como aquele, tanto da imprensa quanto do público, todos sedentos por respostas... e rápido. Mas, ao fazer isso, eles possivelmente haviam deixado o verdadeiro assassino solto. Se esse fosse de fato o caso, isso teria implicações catastróficas no que estava acontecendo ali. Sua teoria de que quem tinha matado aqueles adolescentes também havia matado Bea Leger e Seth Delaney estava começando a parecer cada vez mais plausível.

— E o que aconteceu depois?

— Eu insisti, de forma um tanto burra, como fui perceber mais tarde. Não conseguia deixar aquilo de lado, mas quando tentei voltar ao assunto... especialmente ao depoimento do garoto... não deu em nada. Pouco tempo depois, fui afastado do caso. — Uma pausa. — Uma pessoa com mais experiência o assumiu.

Mais experiência. Os dois sabiam por que ele havia sido afastado: sua teoria "alternativa" teria atrasado a condenação.

— Eu falei com o meu superior, pedi para ele dar mais uma olhada naquilo, levando em conta o fato de que Lois Wade ainda não havia sido encontrada, mas, àquela altura, a bola já estava rolando. Num caso como esse, tudo acaba se resumindo a quem conta a melhor história, defesa ou acusação, e, dessa vez, a história que a procuradoria contou sobre o Creacher... foi convincente. Ele se encaixava naquilo, e depois teve o depoimento da garota, aí foi praticamente fim de jogo.

— Garota?

Johnson pigarreia.

— Sim. Uma das que estavam no curso da ONG, na ilha. Testemunha ocular. Ela apareceu mais para o final, dizendo que tinha visto o Creacher na noite dos assassinatos.

— E onde ela o viu?

— Perto das barracas. Ela disse que acordou ouvindo um barulho. E, quando pôs a cabeça para fora da barraca, ela o viu fugindo correndo do acampamento.

— E ela o identificou no escuro?

— Aparentemente, sim. Disse que usou uma lanterna.

— Rápido assim?

— Foi o que ela disse.

Faz-se um silêncio pesado.

— Você teve dúvidas em relação a isso?

Mais um suspiro.

— Tive. Odeio dizer isso. Ela era uma criança, e estava visivelmente traumatizada, mas tinha alguma coisa esquisita no depoimento dela. *Perfeitinho até demais*, comentou uma colega, na época, e eu entendia o que ela estava querendo dizer. A maneira como a garota falava, sua serenidade... Aquilo me incomodou. E, lógico, o fato de ela ter levado alguns dias até se apresentar...

— Alguns dias?

— É. Disse que estava com medo de falar antes, achando que ele poderia matá-la também.

— Você se lembra do nome dessa garota?

— Claro, eu me lembro de tudo sobre esse caso, em detalhes. Talvez eu não devesse ter feito isso, e que morra aqui, mas eu fiquei com os meus cadernos. O nome dela era Farrah. — Johnson faz uma pausa. — Farrah Riley.

61

— Olha. — Maya fixa o olhar no de Hana. — Eu queria que a própria Jo tivesse te contado. E, até onde eu sei, ela estava planejando fazer isso.

Ela coloca os cadernos de desenho em cima da cama e passa os dedos sobre a parte da mão cuja pele é calejada e brilhosa.

Hana não consegue parar de olhar para a imagem dos dois. *Jo e Liam, Jo e Liam.* Ela nunca havia juntado o nome deles. Parecia uma coisa de outro mundo.

— Me contado o quê, exatamente?

Uma esperança começa a emergir. Talvez ela tenha entendido tudo errado. Talvez fosse um projeto artístico, talvez Maya tivesse pedido aos dois para que posassem para ela. Ou era uma piada. Algum tipo de brincadeira de mau gosto.

Maya pressiona com tanta força a pele calejada da palma da mão que ela chega a ficar branca. Hana já sabe que, seja lá o que ela for dizer, certamente será ruim, e vai reafirmar sua suspeita inicial. Ela já sabe, só de ver a expressão no rosto da prima se desmanchando, a maneira como estende o braço para conter Hana.

— Jo e Liam… Eles tiveram um lance, Han. — A boca de Maya parece estar se movendo em câmera lenta.

Um vácuo se abre no peito de Hana.

Sua intuição estava certa. *Tiveram um lance. Tiveram um lance.* Só existe uma maneira de interpretar aquilo.

— Um caso? — A palavra permanece em sua boca, azedando tudo.

— Sim. Mas eu não sabia até algumas semanas atrás.

O estômago de Hana fica embrulhado com a maneira robótica com que Maya está dizendo aquilo.

— Como você descobriu? — Ela não sabe de onde está tirando forças para dizer aquelas palavras, mas precisa saber a verdade. Ouvi-la por inteiro.

— A Bea viu uma foto no celular da Jo, Han, deles dois juntos, numa noite em que tinham saído. Ela mandou a foto para o celular dela, e ia falar com você, mas aí o Liam sofreu a queda e a última coisa que ela queria fazer era te deixar ainda mais triste. Algumas semanas atrás, a Bea me contou isso, disse que não conseguia mais guardar aquilo só pra ela. Então ela me mandou essa foto e perguntou o que eu achava. Acredito que ela tinha esperança de ter entendido errado, e queria que eu interpretasse de outro modo, mas não tinha como. Era muito óbvio... A Jo tinha tirado uma selfie dos dois, dava pra ver pelo braço dela. — Maya gagueja. — Eu disse à Bea para confrontar a Jo. Uns dias depois, ela seguiu meu conselho. Disse que a Jo tinha prometido que ia contar pra você.

— Mas ela nunca chegou a fazer isso — conclui Hana.

Aquelas palavras ainda estão em sua cabeça. *Jo e Liam. Jo e Liam.* Ela se vira, concentrando-se não em Maya, mas nos respingos repentinos de chuva na janela, as gotas traçando riscos molhados enquanto escorrem.

— Você sabe por quanto tempo isso aconteceu?

Os olhos de Maya estão transbordando de lágrimas.

— Acho que durou um tempo. Pelo que a Bea disse, quando ele morreu já fazia alguns meses que tinha começado.

A mente de Hana começa a dar saltos, tentando montar o quebra-cabeça. Aquilo não pode ser verdade: Liam não mentia para ela, nunca havia mentido. *Quando foi que eles ficaram? Quando começaram a se encontrar?*

Mas, enquanto pensa naquilo, Hana percebe, com uma estranha e vertiginosa nitidez, como tudo poderia se encaixar: cada detalhezinho encontrando seu lugar. Coisas às quais não tinha dado importância antes: a distância crescente entre ela e Jo, as ligações, que já eram escassas, acabando por completo depois que ela e Liam começaram a se encontrar; o fato de Liam não gostar de Jo, algo nunca verbalizado de forma explícita, mas bastante evidente na maneira com que ele abreviava suas conversas com ela nos encontros familiares, e, mais tarde, zombava dela nas conversas que os dois tinham sobre esses encontros, na cama.

Depois disso, pensou em como havia sido consumida pelo trabalho no último ano. No quanto tinha ficado envolvida emocionalmente, não apenas mentorando uma professora recém-contratada, como também dedicando muitas horas de seu tempo a duas crianças específicas em sua turma. Será que havia, sem querer, afastado Liam?

Será que foi aí que começou?

Hana consegue imaginar como Jo pareceria para ele — uma pessoa divertida, agradável, que entrava na onda —, enquanto Hana era aquela que ficava falando sem parar sobre reuniões de pais e mestres e sobre as melhores maneiras de orientar a nova professora sobre plano de aulas.

Talvez Liam tenha se sentido lisonjeado, desacostumado a alguém como Jo prestando atenção nele. Ele provavelmente deve ter admirado o fogo que havia nela, sua capacidade de deixar até as coisas mais banais emocionantes.

— Então, quando percebeu que a Jo não tinha me contado nada, a Bea a confrontou? — Hana liga os pontos. Era essa a discussão que Caleb havia entreouvido. Sobre o caso.

— Sim. A Bea disse que a Jo estava planejando falar com você, mas arregou no último minuto. Acho que daí a Bea disse pra Jo que, se ela não conseguia falar na sua cara, então deveria escrever pra você.

Então era sobre isso que era aquela carta.

Aquela maneira covarde de confessar. Dava para imaginar: Jo começando a carta e não tendo coragem nem sequer de botar todas as coisas numa página, de escrever o resto das frases.

— E quando não conseguiu fazer nem isso, ela resolveu organizar essa viagem.

— Não tenho certeza. Talvez ela tenha pensado que se vocês passassem mais tempo juntas seria…

— O quê? Seria mais fácil me contar? Que eu estaria bebendo feliz os meus drinques e, de repente, ficaria numa boa com tudo isso?

Em parte, ela sabia que isso seria uma coisa em que Jo pensaria, que a sensível e previsível Hana sofreria aquele baque e que Maya e Bea estariam ali para ajudar a amortecer o choque, para evitar que ela desmoronasse.

— Não sei qual foi o plano. — As bochechas de Maya agora estão vermelhas.

— Eu preciso falar com ela. Agora. — Hana se levanta, o choque de alguns minutos atrás convertido em energia. — Colocar as cartas na mesa.

— Han, espera. Não faz isso de cabeça quente. — Maya estende um braço em sua direção.

— Eu preciso, Maya. Ela tem que me contar a verdade.

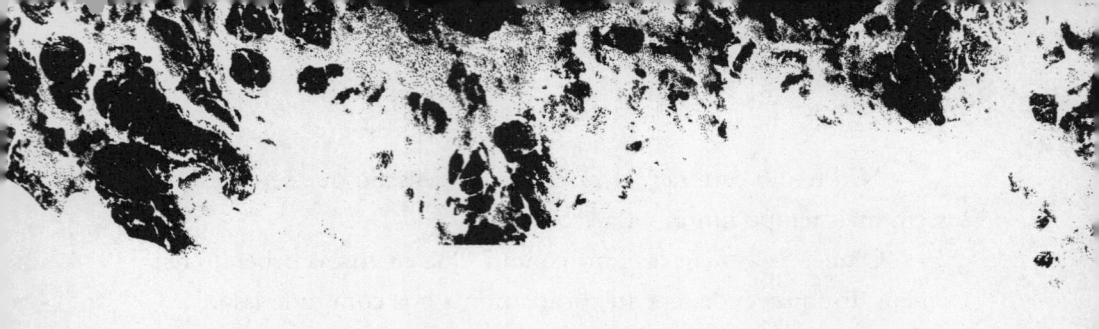

62

Elin encara a vastidão do oceano, cada vez mais escuro à sua frente, enquanto tenta processar o que Johnson havia lhe dito. *Farrah estava na ilha na época dos assassinatos do Creacher. Farrah testemunhou contra ele.*

Como isso era possível?

Ela se lembra de Farrah interrompendo a conversa sobre o passado da ilha no jantar na noite anterior.

Foi por isso.

A detetive vasculha a memória, tentando lembrar se alguma vez Will havia mencionado a presença de Farrah na ilha, mas tinha certeza de que se lembraria se fosse o caso.

Nada daquilo fazia sentido, em especial o fato de Farrah ter escolhido trabalhar ali. Levando em conta o que aconteceu, por que se forçaria a passar por isso?

— Elin? Tudo bem aí? — A voz de Johnson a desperta de seus devaneios.

— Sim, desculpa.

Ela olha ao redor, para o restaurante praticamente vazio, os funcionários ainda trabalhando na limpeza.

— Estou pensando no que você disse sobre essa garota, Farrah. — Ela tem dificuldade de dizer o nome. — Que você teve dúvidas em relação ao depoimento dela.

Uma longa pausa.

— Eu tive, mas, Elin, só pra deixar claro, essa é apenas a minha opinião, de verdade. Além disso, eu estava sozinho nessa. Na época, todos os outros acreditaram na culpa do Creacher.

— Nenhuma outra pessoa ficou do seu lado? Só o Creacher?

— Não, mas eu continuava pensando na possibilidade de que, se não tinha sido o Creacher, e se a Lois *estava* na ilha naquela noite em que o garoto disse que ela estava, e foi assassinada pela mesma pessoa que matou aqueles adolescentes, então o suspeito tinha que ter estado na ilha em ambas as ocasiões. Aquilo reduziu um pouco mais o escopo, mas também não deu em nada. Os funcionários que supervisionaram os dois cursos da ONG tinham bons álibis.

Álibis que ela precisava investigar, porque Johnson estava certo: o grupo de potenciais assassinos que estava na ilha naquela época não era muito grande. Monitores de acampamento, professores, outros alunos... ou alguém que não tinha nada a ver com aquilo? A ilha certamente era grande o bastante para que outra pessoa se escondesse ali.

— Vocês nunca encontraram indícios de nenhuma outra pessoa acampando na ilha? Nós achamos uma cabana na praia que parece ter sido usada...

— Não. Nós vasculhamos tudo. Não dá para excluir a possibilidade de que alguém possa simplesmente ter pegado um barco e ido até lá, é claro. Mas nos esforçamos para pensar numa alternativa plausível para o Creacher. Pelas nossas investigações, ninguém tinha nenhum motivo para fazer aquilo. Os adolescentes assassinados eram todos benquistos e populares. Eu pesquisei o passado deles a fundo. Tentei procurar em todos os lugares. Parentes, namorados, namoradas, inimigos. Possível envolvimento com gangues, com drogas, questões de saúde mental, qualquer coisa que pudesse ter provocado um ataque como aquele, mas não encontrei nada.

Elin reflete um pouco.

— Olha, eu sei que é pedir demais, mas será que você não consegue me mandar o arquivo que tem desse caso? Você falou dos seus cadernos, mas e os depoimentos das testemunhas, ou qualquer outra coisa que tenha considerado relevante na época? Eu vou atrás disso pelas vias oficiais também, mas ter a sua versão dos acontecimentos seria uma mão na roda.

— Sim, com certeza. Eu preciso dar uma procurada pra ver onde estão meus arquivos, mas, por favor, que isso fique entre nós, certo? Você sabe que o que estou fazendo não é exatamente a coisa mais correta do mundo.

— Eu entendo. — Ela faz uma pausa. — Só uma última coisa, a pedra que tem na ilha. A Pedra da Morte. Algum dos alunos fez alguma referência a ela nos interrogatórios? Ou à maldição?

Um longo silêncio. Quando finalmente vai falar, ele começa soltando um profundo suspiro.

— Não explicitamente, mas dava pra perceber… Aqueles garotos estavam apavorados com alguma coisa… Aquilo me perturbou. Quando começamos o interrogatório, eu sugeri que fôssemos conversar no prédio da antiga escola, mas eles não queriam chegar nem perto. Alguém tinha assustado eles pra valer. — Ele hesita. — Pra ser sincero, depois de passar alguns dias por lá, dava pra entender. Aquele lugar, meio incendiado, do jeito que ele estava, bem debaixo daquela pedra… Não era um lugar onde você tinha vontade de ficar muito tempo.

Os pelos na nuca de Elin se arrepiam.

— As coisas que ouvi sobre a escola não foram exatamente positivas. Os adolescentes com quem você falou depois dos assassinatos do Creacher chegaram a dizer o que os havia assustado?

— Não, mas eu sempre tive a sensação de que nós não ficamos sabendo a história toda. Esse foi o problema com a velocidade com que condenaram o Creacher, o caso não teve tempo nem de respirar. Eu queria ter conversado com eles mais uma vez depois que a poeira tivesse baixado, mas o caso já tinha sido encerrado muito antes disso.

Elin pondera a respeito daquilo tudo, atormentada tanto pela ideia de que alguém poderia ter tentado assustar os adolescentes quanto pela escola em si. Que fascinação era essa com aquele lugar? As coisas parecem sempre voltar para ela…

Depois que a conversa chega ao fim e eles se despedem, os pensamentos de Elin se voltam para Farrah. A detetive sente o estômago doer de nervosismo. Não há como fugir daquilo; Farrah era a única pessoa que estava na ilha no momento dos assassinatos de Creacher e agora. Precisa conversar com ela.

A caminho do prédio principal, Elin está a poucos metros da entrada quando passa por Michael Zimmerman. Ele está carregando uma espécie de lona, parte dela sendo arrastada pelo chão.

Ele faz um rápido contato visual com Elin antes de a detetive entrar no retiro.

63

— Farrah... Puta merda... — Steed passa a mão no cabelo. — E ela nunca comentou?
— Não. Nem o Will.

E isso é o que mais machuca: como ele havia mantido algo dessa magnitude em segredo? Seu livro aberto, que era como ela sempre havia pensado nele, tinha sido qualquer coisa, menos aberto.

— E o que você acha disso?
— Ainda não sei. O Johnson claramente não tinha lá muita certeza se a Farrah estava dizendo toda a verdade. Levando em conta que o depoimento dela foi crucial para o caso da procuradoria contra o Creacher, a coisa toda começa a parecer bem frágil.
— Ainda mais agora que você sabe que ele não estava na ilha quando aquela outra garota desapareceu.

Elin faz que sim e dá uma olhada ao redor. *Nenhum sinal de Farrah.*
— Algum progresso no seu cruzamento de dados?
— Aham. Enviei a lista de hóspedes e funcionários que estão na ilha para o departamento de inteligência. Mas talvez demore um pouquinho até eles responderem. Parece que o incidente no continente ganhou proporções maiores. Estão convocando pessoas de todos os cantos.
— Beleza, vamos encontrar a Farrah e depois bolamos um plano...
— Elin é interrompida pelo som agudo de vozes altas não muito longe dali.

— Acho que você precisa nos dizer que merda tá acontecendo. — É uma mulher baixinha vestindo um robe, perto do balcão da recepção, acompanhada de uma amiga. As pontas de seu cabelo estão molhadas, e pequenas gotas vão salpicando o piso. A notícia estragou seu banho de mar. — Ninguém explicou nada pra gente. Só passaram umas informações muito confusas dizendo que tínhamos que arrumar nossas malas e vir pra cá. — Ela se vira para a amiga. — A gente deveria ter ido embora quando os outros foram. E não ter dado o benefício da dúvida pra este lugar. — Então ouve-se uma barulheira quando o cartão de seu quarto cai no chão e sai quicando pelo piso lustroso de concreto.

Elin se retrai, e deixa que a funcionária do retiro lide com a situação.

— Isso é só o começo — sussurra Steed.

Ela concorda com um meneio de cabeça, ciente de que, quando todos estiverem reunidos, terá que se comunicar com eles de uma maneira contida. Lidar com a inevitável enxurrada de perguntas.

Contornando a dupla, ela vai até a outra funcionária da recepção.

— Desculpe incomodar, mas você viu a Farrah?

— Vi, sim, ela estava aqui há alguns minutos conversando com o Jared, um dos supervisores.

A outra recepcionista inclina o corpo para a frente. Elin olha para a dupla de hóspedes se retirando. Tudo sob controle, por enquanto.

— Na verdade, acho que ela foi para o escritório, ou, pelo menos, foi naquela direção. Disse que tinha surgido uma coisa urgente.

— Você se incomodaria de nos mostrar onde fica?

— De forma alguma.

A mulher os conduz até o corredor nos fundos do saguão. Após percorrê-lo por cerca de cinquenta metros, ela para e faz um gesto à sua frente.

— Ali. É aquele do canto.

— Obrigada.

Elin vê o nome de Farrah no alto da porta. O nervosismo faz sua garganta se fechar. Aproximando-se, ela vê que a porta está levemente entreaberta, mas não há nenhum movimento do lado de dentro.

Steed espia pela fresta.

— Ela não parece estar na sala.

Elin respira fundo e bate.

— Farrah?

Nenhuma resposta. Tenta mais uma vez. *Nada.*

Ela entra na sala, e Steed vem logo atrás. No mesmo instante, sente notas do perfume de Farrah no ar, mas o lugar está vazio.

A escrivaninha no centro do cômodo não tem quase nada em sua superfície, exceto por alguns porta-retratos, um notebook e uma pilha organizada de papéis.

Elin está prestes a se mover, mas hesita, e uma brisa eriça os pelos em seu antebraço. Ao levantar os olhos, vê que as portas de vidro nos fundos da sala estão parcialmente abertas.

— Talvez ela esteja lá fora.

Eles não haviam avançado sequer um metro na direção das portas quando os olhos de Elin identificam o radiocomunicador de Farrah.

O aparelho está destruído — pedaços de plástico preto espalhados pelo piso atrás da escrivaninha.

Os olhos de Elin encontram os de Steed, o pânico se anunciando em seu peito.

Não. A Farrah não.

64

Um galho de pinheiro inclinado roça a janela.

Hana leva um susto. Tudo está tão parado há tanto tempo que qualquer movimento parece uma coisa de outro planeta. Algo estranho.

Mas a intempérie é apenas uma breve distração. *Para onde será que a Jo foi?* O quarto da irmã estava vazio, mas ela também não estava lá fora… Será que havia escutado a conversa entre Hana e Maya? Fugido para evitar o confronto?

A única coisa em que consegue pensar são nas mentiras que Jo havia contado. Mentiras que Bea tentou revelar. Hana sente uma pontada de culpa em relação a Bea: não devia ter julgado a irmã tão depressa. Embora ela realmente não tenha lhe dado tanto apoio quando Liam morreu, tinha tentado protegê-la de uma outra maneira.

Deitada novamente em sua cama, Hana mexe no celular até encontrar a última foto que tem de Bea, e então passa os dedos no rosto da irmã. Lembranças dela a consomem, recordações que não havia deixado vir à tona até o momento: as pilhas gigantescas de livro espalhadas pela casa, a maneira como ela pigarreava antes de dizer qualquer coisa mais conflituosa. A fase hippie de Bea, o único momento em que ela se rebelou, a tatuagem que fez no tornozelo quando foi acampar uns dias em Bude, a provocação por trás do gesto diminuída, de alguma forma, pelo fato de que, enquanto o tatuador fazia seu trabalho, Bea ficou fazendo a lição de casa.

As lágrimas fazem os olhos de Hana arder. Virando-se na cama, ela estica o braço em direção à caixa de lenços, mas, antes que possa tirar um de lá, ouve uma forte batida na porta da frente. Espera para ver se alguma outra pessoa vai atender, mas, alguns instantes depois, escuta a batida novamente. Mais alta dessa vez.

Ela sai da cama e atravessa o corredor. Quando abre a porta, encontra do lado de fora um funcionário do retiro com um iPad na mão. Um radiocomunicador chia, pendurado em seu cinto.

O homem a cumprimenta com um meio sorriso, mas seu rosto fino traz uma expressão séria que combina com o cenário sombrio ao redor. Sem a luz do sol, a vegetação que os circunda exibe uma insipidez que ela não tinha notado. Parece sem vida.

— Senhorita... — O homem consulta o iPad, obviamente tentando lembrar o nome dela. — Srta. Leger.

— Isso.

— Sinto muito, mas tenho que pedir a você e ao seu grupo para que façam suas malas e deixem suas acomodações o mais rápido possível. Houve um... — Ele engole em seco, e dá pra ver claramente seu pomo de adão se movimentando para cima e para baixo. — Um incidente. Precisamos reunir todo mundo no prédio principal.

Hana o encara, preocupada.

— O que aconteceu?

— Infelizmente não posso dar mais detalhes, mesmo que os tivesse.

Ela pensa em começar a protestar, mas como o homem fica jogando o peso do corpo de uma perna para a outra, um tanto nervoso, enquanto enxuga a testa, Hana percebe que ele está tão abalado quanto ela. Além disso, está apenas seguindo ordens; não faz sentido confrontá-lo. Então assente.

— Vamos organizar nossas coisas e depois subimos até lá.

— Obrigado — responde ele, visivelmente aliviado por ela não ter batido boca.

Quando fecha a porta, Hana ouve passos. Caleb aparece, Jo logo atrás, no seu rosto uma expressão de vazio. Só de olhar para ela, Hana já fica incomodada.

— Eu só ouvi o finalzinho. Não parece nada bom — diz Caleb, mexendo no boné. Está ao contrário, e um tufo de cabelo escapa pela abertura virada para a frente.

Ela faz que sim, explicando o que o funcionário do retiro tinha dito.

— As coisas estão indo de mal a pior — comenta ele, seco. — Eu só quero ir embora daqui. Eu ainda nem contei para a minha mãe sobre a Bea. Não aguento mais. — Sua voz está fraca. — Não aguento ficar nem mais um dia nesta ilha maldita. Isso até parece uma tortura.

Os olhos de Jo saltam dele para Hana.

— Vou terminar de fazer a minha mala. — Ela já está de costas. — Deixei minhas coisas de yoga perto da piscina.

Hana a segura pelo braço, de leve.

— Espera, eu vou com você. Nós precisamos conversar.

Jo olha para ela, intrigada, a testa franzida.

— Sobre o quê?

— Nós, Jo — diz Hana, com firmeza. — Você e eu.

65

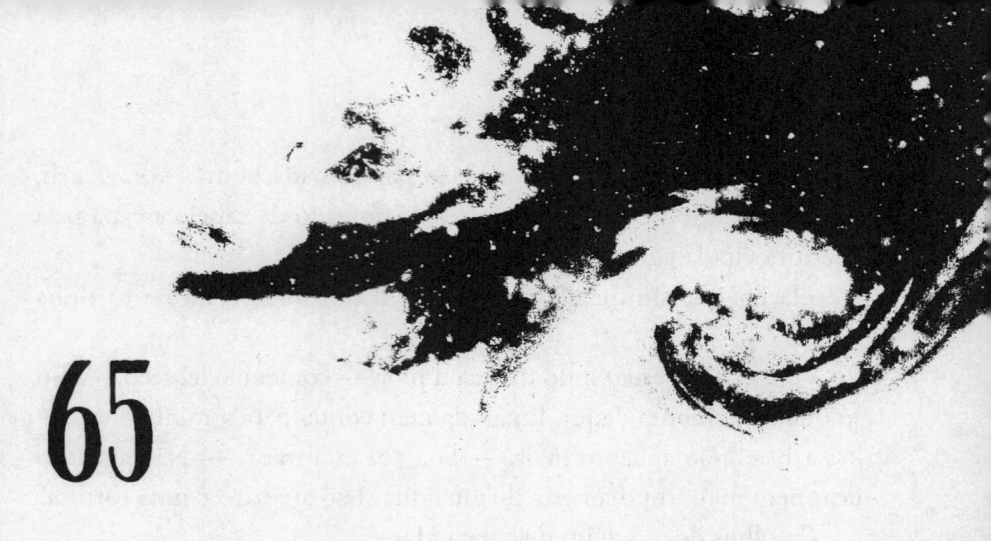

Ela contorna a escrivaninha lentamente. Steed a acompanha.

— Nenhum sinal de qualquer outra coisa estranha — aponta ele.

Elin se agacha, examinando o rádio. A parte traseira está completamente destroçada, estilhaços pontiagudos de plástico esparramados num grande círculo ao redor do aparelho.

— Seria necessária uma baita força pra fazer isso — diz ela, um tanto apreensiva. — Esses rádios são feitos para durar, são bem resistentes. Esse tipo de estrago não aconteceria se ela simplesmente tivesse deixado o aparelho cair. Não estou gostando nem um pouco disso. Dado o que o Johnson disse sobre o depoimento dela, se o nosso assassino tiver a noção de que Farrah sabia que o Creacher não era o responsável…

Steed assente.

— E o timing parece perfeito.

Elin balança a cabeça.

— Eu não deveria ter atendido àquela ligação do Johnson quando ela pediu pra falar comigo.

— Você não tinha como saber.

— Mas e se fosse sobre esse caso? Enfim, vou ligar pra ela.

Elin puxa o celular e digita o número de Farrah. A ligação cai direto na caixa postal.

— Não está atendendo. Vamos dar uma olhada aí fora.

Levantando-se, ela segue Steed pela porta aberta. A área externa é bem ampla. E, como o escritório de Farrah fica num canto, sua varanda não fica apenas nos fundos, mas também pega um pedaço da lateral. Não é uma vista para a floresta, e sim para o mar: a ilhota, com seu denso matagal. A massa crescente de nuvens projeta uma sombra sarapintada sobre ela. É um efeito curioso, que a isola do resto da vista, fazendo-a parecer ainda mais remota.

Steed desce da varanda e vai para o gramado, onde o terreno começa uma queda abrupta em direção à falésia.

— Parece que tem um acesso às pedras por aqui.

Ela aquiesce, avistando um corrimão na beira da falésia. Talvez seja o começo de uma escada.

— Tem câmeras de segurança por aqui?

Steed começa a circular o prédio, olhando para cima.

— Pelo visto, não.

Mais uma vez, Elin tem aquela sensação de incômodo.

— Você acha que alguém seria capaz de passar por aqui sem ser visto?

— Eu diria que sim. Aqui é bem deserto. Se você calcular o tempo certinho.

Ela assente.

— Vamos voltar lá para dentro. Fazer umas perguntas.

De volta ao escritório, eles já estão no meio da sala quando a lixeira ao lado da escrivaninha de Farrah chama a atenção de Elin. Daquele ângulo, enxerga uma coisa que não tinha visto quando eles entraram ali. Em meio aos papéis e embalagens amassados, há uma tira de um papel mais grosso espremido contra a grade.

Ela inclina a cabeça. Uma foto.

— Achou alguma coisa? — pergunta Steed.

Elin para ao lado da lixeira e se agacha para olhar melhor.

— Pensei que isso fosse uma foto, mas é muito pixelada.

Ele olha por cima do ombro dela.

— Parece uma fotocópia. Talvez de um jornal.

— Pode ser.

A detetive tira um par de luvas da bolsa, as coloca e puxa, delicadamente, a tira de papel de dentro da lixeira. Ela tem poucos centímetros de largura, foi rasgada de modo grosseiro e seus cantos estão amassados. Embora a foto pareça ter saído de um jornal, o papel é grosso demais para isso.

— Definitivamente é uma cópia — diz.

Olhando mais de perto, consegue identificar não apenas um, mas vários rostos, um atrás do outro, como se estivessem enfileirados para uma foto em grupo.

Elin vira para examinar o outro lado, mas o verso está em branco. Com a curiosidade atiçada, coloca a primeira tira de papel sobre a mesa de Farrah e começa a vasculhar meticulosamente o cesto de lixo atrás de pedaços maiores daquela imagem.

Mais tiras, misturadas em meio ao resto do lixo. Ela coloca os outros pedaços ao lado da primeira tira e, com cuidado, posiciona cada uma em seu lugar. Sua mão começa a tremer em cima da quarta tira quando a imagem finalmente fica nítida: os rostos, as camisetas idênticas, o prédio antigo às suas costas.

— Parece uma foto de um dos cursos da ONG — observa Steed. — Essa aí no fundo é a antiga escola, não é?

— É, sim.

Um por um, ela reconhece o rosto das vítimas de Creacher, os mesmos rostos que haviam encontrado colados à parede daquela caverna. Ela engole em seco: aquilo é perturbador. Os sorrisos alegres e despreocupados de adolescentes que não faziam ideia do que iria acontecer.

Examinando os rostos pixelados, ela encontra Farrah na fila do meio, o boné meio torto, olhando diretamente para a câmera.

Uma prova concreta de que estava ali, naquela ilha, durante os assassinatos de Creacher.

— Por que ela guardaria isso aqui? — murmura Steed. — E por que teria rasgado a foto desse jeito?

— Tem que ter alguma relação com o que está acontecendo. Provavelmente ela rasgou essa foto porque não quer anunciar aos quatro ventos que estava na ilha naquela época. Por outro lado, se fosse mesmo por isso, por que ela teria uma cópia dessa foto, pra começo de conversa? — Ela nota um brilho nos olhos dele. — Talvez porque essa é uma foto...

— Já entendi aonde você quer chegar.

— Talvez ela também tenha feito a associação entre o que está acontecendo e os assassinatos do Creacher. Esteja tentando se lembrar dos estudantes que estavam naquele curso da ONG.

Steed semicerra os olhos.

— Será que ela reconheceu alguém?

— É possível.

Os olhos de Elin vão de rosto em rosto. Alguma coisa lhe chama a atenção, uma leve familiaridade. A sensação fica martelando em sua cabeça até deixá-la com uma forte impressão de que seu subconsciente está tentando lhe dizer alguma coisa.

Mas, conforme pega todas as tiras e as coloca dentro de um saco plástico, ela ainda não sabe o que é.

— Vou dar mais uma olhada nessa lixeira. Ela pode ter jogado fora alguma outra coisa.

Steed logo se ajoelha, os músculos da coxa revelados pelo tecido fino da calça. Elin observa enquanto ele esvazia a lixeira no chão de maneira cuidadosa. Há um monte de lixo reciclável, embalagens de comida vazias, garrafas d'água, folhas de papel.

— Não parece ter mais nada... — Steed interrompe sua frase no meio. — Espera. — Ele pega um papel. É uma folha pautada, com uma das margens rasgadas, claramente arrancada de um caderno. — Tem uma coisa escrita aqui. Um garrancho de letra... diz... Rock House. — Ele vira a folha para ela, franzindo a testa. — É, Rock House e a letra *A*.

— Escola Rock House — completa Elin, apreensiva, andando até ele.

— É a letra dela?

— É, sim, eu reconheço.

— Cavucando o passado ainda mais?

— Pode ser. — Ela franze a testa. — Essa escola... Ela continua aparecendo o tempo todo. Fico me perguntando se não teria uma ligação com o caso.

Steed arqueia uma das sobrancelhas.

— Você acha que essa história pode ir além dos assassinatos do Creacher?

— Talvez. — Ela reflete. — Pode ser só uma coincidência, mas o fato de que esse papel estava na lixeira com aquela foto...

Ele assente.

— Vendo por esse ponto, me lembrei do que a mulher na recepção falou. Será que a coisa urgente não foi uma isca para que ela viesse até o escritório?

— Pode ser, mas o que a teria trazido até aqui?

Elin examina a escrivaninha de Farrah. Não há sinal de nada que pudesse ser considerado urgente. É tudo coisa de trabalho: documentos sobre protocolos de treinamento, saúde e segurança, controle de estoques. Ela abre o notebook da cunhada, sem esperar muita coisa: provavelmente é bloqueado por senha.

Mas não precisa ir muito além da tela de espera.

Elin respira com força de uma só vez quando o descanso de tela aparece.

Duas frases numa fonte branca e com destaque sobre um fundo escuro.

EU SEI O QUE VOCÊ FEZ. EU SEI QUE VOCÊ MENTIU.

66

Uma ameaça. Aquela era a única interpretação possível.

Elin sente um tremendo aperto no peito.

— Parece que mais alguém acha que ela mentiu no depoimento que prestou — murmura Steed.

— Pois é. — A detetive não consegue tirar os olhos daquelas letras garrafais. — O timing disso... impossível ser coincidência. Se alguém a está ameaçando agora, e isso realmente tem a ver com o depoimento dela, é mais uma prova que liga este caso aos assassinatos do Creacher.

Steed lança um olhar de soslaio para ela.

— É o que dizem, né? Mentira tem perna curta.

Ela concorda, ciente de que só existe um motivo para que Farrah contasse uma mentira daquela magnitude. Ela tinha algo tão importante para esconder que estava disposta a acabar com a vida de Creacher para isso.

Uma falsa condenação teria ramificações importantíssimas para essa investigação.

Somente uma pessoa poderia saber por que Farrah havia mentido.

— Você tem certeza de que ela não está em nenhum outro lugar no retiro? — A voz de Will está moderada e, embora ele talvez conseguisse esconder suas emoções se aquele fosse um simples telefonema, as rápidas piscadas e sua mandíbula retesada o entregam pelo FaceTime.

— Tenho. Falamos com todos os funcionários, eles passaram um rádio para todos os cantos. Ninguém sabe onde ela está. O telefone cai direto na caixa postal. Tem gente procurando dentro dos prédios e o Steed está com um grupo vasculhando as proximidades.

— Talvez ela só esteja fazendo um intervalo, esteja sobrecarregada com tudo o que está acontecendo.

Elin hesita por um momento, querendo reconfortá-lo, mas não consegue. Depois do que viu no interior daquela caverna, está com medo por Farrah. Por Will.

— Desculpa, mas eu não acredito nisso. — Ela respira fundo. — Will, o motivo pelo qual estou preocupada é porque as coisas pioraram. Estamos bem convictos de que as mortes deste fim de semana não foram acidentais. É possível que estejam ligadas aos assassinatos do Creacher.

Uma pausa. A expressão em seu rosto é de confusão enquanto ele processa as informações.

— E você acha... — Ele gagueja. — Você acha que o sumiço da Farrah pode estar ligado a isso?

— Não tenho certeza. — Elin pigarreia, uma tática para ganhar tempo. É difícil encontrar as palavras para o que está prestes a dizer: expor uma mentira de décadas, trazê-la à tona. — Will, quando o Steed e eu fomos até o escritório dela, nós encontramos uma fotografia rasgada dentro da lixeira, de quando Farrah esteve na ilha, quando era adolescente. Num dos cursos da ONG.

O rosto dele congela. Por um instante, Elin acha que o sinal caiu, mas não. De repente, ele respira fundo.

— Então você sabe.

Ela concorda.

— E não foi só a foto. Eu conversei com um policial que trabalhou no caso Creacher. Ele me contou que o depoimento da Farrah foi um dos elementos centrais na acusação da promotoria.

O olhar de Will sai da tela e vai para o chão. Há um longo silêncio, até que ele finalmente a encara de novo.

— Vou ser sincero: eu sempre torci para que isso nunca viesse à tona. A Farrah ficou traumatizada com tudo o que aconteceu. Ainda está. É um dos poucos assuntos sobre os quais a gente nunca conversa de fato.

Aquela ideia contrasta com o orgulho que a família dele sempre demonstrou quanto à relação que tinham: *Nós não escondemos as coisas. Nós conversamos.* Ele olha para Elin.

— Se você soubesse pelo que ela passou...

— Sinto muito — diz ela, baixinho.

— Não é sua culpa. Eles nunca deveriam ter deixado os malditos adolescentes irem até aquela ilha com aquele maníaco por lá. Ele já tinha sido denunciado, você sabia? Anos antes do ataque. O doente ficava fotografando as crianças quando elas estavam no acampamento.

Elin detestava ouvir o sofrimento na voz dele. Dava para notar que, para Will, aquilo ainda machucava.

— Eu entendo, mas você não pode se culpar. Toda família deve ter sentido a mesma coisa. Agora é fácil falar.

Ele a encara.

— Eu sei o que você vai me perguntar. Por que eu decidi fazer o LUMEN, por que a Farrah quis trabalhar aí...

Ela balança a cabeça.

— Você não precisa me explicar nada. Cada pessoa lida com os traumas de um jeito diferente.

— Não, eu quero contar pra você, quero explicar por que eu e Farrah estávamos tão sensíveis na outra noite. O LUMEN era para ser justamente um novo começo para nós dois. Quando nosso time pegou esse projeto, de cara eu não conseguia nem pensar em trabalhar nele, mas, no fim das contas, decidi arregaçar as mangas e transformar o que era negativo em positivo. Eu nunca imaginei que a Farrah ia querer trabalhar aí, mas, quando ela sugeriu, eu pensei, *Essa é a minha irmã.* Nunca foge de uma briga. Pelo contrário, vai na direção dela. É corajosa.

Ele tinha razão, mas Elin sabia muito bem que havia uma linha muito tênue separando a coragem da estupidez. Quando isso se transforma num gatilho...

Ela hesita por um momento.

— Olha, eu sei que é difícil, mas nós achamos uma outra coisa, um descanso de tela muito estranho no computador dela. Bem assustador. Alguma coisa parecida com *Eu sei o que você fez. Eu sei que você mentiu.* — A expressão dele fica sombria. — Estou tentando entender se esse aviso e o desaparecimento de Farrah têm alguma ligação com o depoimento que ela deu. O fato de eu ter encontrado uma foto da época em que ela esteve na ilha também...

— Não estou entendendo — diz Will.

— Talvez essa mensagem tenha alguma coisa a ver com o que ela disse no depoimento. — Ela tropeça nas próprias palavras, percebendo como tudo deve soar.

— Ahh, agora eu entendi. — Ele está sério. — Vai, fala de uma vez. Você está perguntando se a Farrah mentiu no depoimento.

— Não — rebate Elin rapidamente, tensa. *Ela não está fazendo isso do jeito certo.* — Eu só estava pensando se ela tinha alguma dúvida sobre o que aconteceu naquela noite.

— Elin, para. Eu consigo ler nas entrelinhas. Você encontrou essa mensagem e então fez o que sempre faz com as pessoas. Você imaginou o pior sobre elas.

Ela não responde logo de cara, não por ele não ter razão; ela realmente julga as pessoas, mas aquele não era o caso ali.

— Eu não estou julgando a Farrah, eu estou tentando *encontrar* a sua irmã. Se ela realmente mentiu, isso é importante, porque o depoimento dela foi fundamental para a condenação do Creacher. Se a condenação se baseou numa mentira, talvez isso queira dizer que ele não é o culpado. E, se esse for o caso, significa que o assassino ainda pode estar à solta. Nesta ilha, neste momento.

Will fecha os olhos por um instante. Quando os abre, sua expressão é de resignação.

— Você tem razão. A Farrah realmente mentiu sobre o Creacher no depoimento, mas não foi por qualquer motivo horrível que você possa estar pensando. Foi por minha causa.

— Por sua causa? — Elin segura o telefone com mais força, e a ponta de seus dedos esconde o rosto de Will por alguns instantes.

— Sim. A Farrah de fato mentiu, mas não tinha nada a ver com ela. Ela fez isso para me proteger.

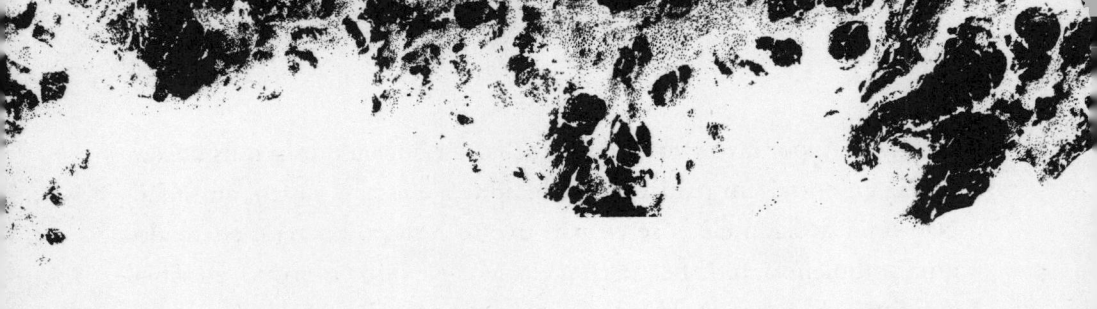

67

— E então, sobre o que você quer falar, exatamente?

— Como eu te disse, sobre você e eu. — Hana levanta a voz para ser ouvida em meio ao som do vento, cada vez mais forte. Ele puxa o topo dos pinheiros que margeiam a piscina, fazendo-os balançarem de um lado para o outro. — E sobre o Liam.

— Liam? — repete Jo, dando a volta na piscina. Ela pega o tapete de yoga, o enrola e o enfia debaixo do braço.

— Sim, sobre o Liam. Eu sei o que aconteceu.

Hana estava orgulhosa de si mesma. Orgulhosa do quanto estava calma. Controlada. Agora ela sabe que vai ficar impassível durante toda aquela conversa, que não será facilmente manipulada pelo charme nem pela conversinha fiada de Jo.

— Eu sei de tudo — continua. — De como você mentiu. Esse tempo todo.

— Você sabe... *de tudo* — gagueja Jo, apreensiva, a voz falhando. — Como?

— Você não precisa saber *como* eu sei. Você só precisa saber que eu sei o que você fez.

Hana não reconhece a própria voz, a insensibilidade de cada palavra. O vento faz com que uma janela entreaberta atrás delas se feche, batendo com força. Há um medo intenso nos olhos de Jo, e sua boca se retorce adquirindo um formato esquisito.

De repente, as palavras começam a ser vomitadas:

— Han, por favor, você precisa acreditar que eu nunca quis deixar ele lá. Eu entrei em pânico. Eu sabia que ele estava morto, eu sabia. Não teria deixado ele lá se eu não tivesse certeza. Eu teria chamado uma ambulância, teria ficado com ele. Mas ele tinha morrido, eu sabia que tinha. Fico pensando nisso o tempo todo... Eu não devia ter pedalado até o outro salto, ou talvez eu devesse ter tentado convencê-lo a vir junto comigo, mas ele era cabeça-dura, disse que queria tentar mais uma vez. Eu não vi nada, mas ouvi. Um barulho seco... — Jo fecha os olhos por um momento. — Eu voltei na mesma hora e, juro pra você, conferi pra ver se ele ainda estava respirando, mas não estava, e eu queria muito te contar, mas não tive condições. Como eu ia fazer isso?

Ela se abraça e começa a se balançar sobre os calcanhares, para a frente e para trás, num movimento estranho.

Hana observa a irmã enquanto tem uma sensação curiosa. A fúria incandescente que estava ali até então havia se convertido numa coisa mais fria e sombria.

— Você o *quê*? — Ela não tinha ideia de onde aquilo vinha, aquele autocontrole. — Você estava lá quando o Liam morreu? Na trilha de bicicleta?

— Mas não é disso que você está falando? — O rosto de Jo empalidece. Gotas de suor brotam em sua testa. — Você disse que sabia de tudo. Que eu estava com ele quando o acidente aconteceu.

Um silêncio pesado, horroroso.

— Não — diz Hana, por fim. — Descobri sobre o seu caso, o seu *lance*, o que quer que fosse. É disso que eu estava falando. — As palavras deixam um gosto ácido em sua boca. — Não *disso*. Que você estava com o Liam quando ele morreu, e que você o *abandonou*.

Ela não estava conseguindo absorver aquilo. Tinha repassado os últimos momentos de Liam tantas vezes em sua cabeça, recriando tudo meticulosamente a partir dos relatórios do inquérito, que era quase como se tivesse estado lá quando tudo aconteceu. Essa nova versão simplesmente não se encaixava em nada, as imagens às quais havia se agarrado com força agora trepidavam em sua cabeça.

— Eu entrei em pânico, Han, foi isso o que aconteceu, e eu juro que tentei te contar várias vezes, mas não tinha como eu fazer isso logo depois que ele morreu, e todas as vezes que tentei depois também não consegui. Eu abria a boca, ou começava a escrever uma carta, mas as palavras simplesmente não vinham. — O olhar de Jo encontra o dela. — Eu não queria te contar desse jeito, você precisa saber disso. Essa era a última coisa que eu queria. Tinha planejado fazer tudo do jeito certo, mas com esse acidente da Bea, e depois o Seth... — Lágrimas começam a se formar em seus olhos. — Nunca parecia haver o momento ideal.

— A Bea sabia, né? — Hana assiste a um inseto minúsculo subir pelo tapete de yoga, em direção à mão de Jo.

Jo faz um movimento afirmativo com a cabeça, um movimento espasmódico, mecânico.

— Sabia, ela viu uma foto de nós dois juntos no meu celular. Algumas semanas atrás ela me confrontou e tudo veio à tona. Ela disse que eu precisava contar pra você. Eu prometi que faria isso, disse que contaria aqui, durante a viagem. Na noite em que a Bea chegou à ilha, ela me ligou e perguntou se eu já tinha te contado.

— E então você foi se encontrar com ela, né? Foi você quem saiu do chalé aquela noite.

— Você sabia que tinha sido eu? — Jo aperta o tapete de yoga com mais força.

— O Caleb ouviu a sua conversa com o Seth.

Quando o inseto no tapete alcança o dedão de Jo, ela olha para ele e o arremessa longe.

— Ela me pediu para a gente se encontrar. Eu não tinha a menor ideia de por que ela queria conversar naquela hora e naquele lugar. A Bea estava estranha, ficou falando que eu tinha que resolver as coisas, contar a verdade. — Ela franze a testa. — Mas a gente se acertou, eu juro. Eu disse pra ela que eu te contaria no dia seguinte, e ela pareceu satisfeita com isso.

— E você a deixou na praia?

— Deixei. Ela disse que ia pegar as coisas dela e ir para o chalé. Porque ainda queria fazer uma surpresa para vocês.

— Tá, e o que é isso? — De seu bolso, Hana puxa o celular quebrado de Bea. — Eu encontrei no seu quarto. — Sua voz oscila. — Você estava com o celular dela, Jo. Era uma coisa que a gente podia ter dado para a polícia. Você o destruiu, tirou o cartão de memória. Por que você fez isso?

Jo olha para ela, ofendida.

— Eu não destruí nada. Já estava assim quando achei, na manhã em que encontraram a Bea. Ele estava caído do lado de um dos vasos perto do pavilhão de yoga. E já estava sem o cartão de memória.

Hana processa aquelas palavras, e um pensamento surge das profundezas de sua mente.

— Então era isso que você estava procurando quando eu te vi perto do pavilhão, depois de ter conversado com a detetive. Você sabia o que iam pensar se eles descobrissem que você tinha se encontrado com a Bea, e as mensagens que vocês trocaram. Como isso tudo poderia parecer, fora de contexto.

Jo se contorce ao ouvir aquelas palavras.

— É, e me sinto um lixo por isso, Han, mas eu não sabia o que fazer. Sério, eu não consegui achar o cartão de memória. Ou ele ainda está por lá em algum lugar, ou foi levado pela pessoa que destruiu o telefone dela. — Ela encara Hana. — Eu agi de uma forma estúpida e impulsiva, como sempre faço, mas eu não fiz nada com a Bea, Han. Você sabe disso.

— Mas você *abandonou* o Liam... — Hana nunca tinha ouvido um som como aquele dentro de sua cabeça, um zumbido altíssimo. Era como se seu crânio estivesse repleto de um enxame de mosquinhas minúsculas e furiosas.

Jo não responde, simplesmente vai em direção a ela, mas Hana se esquiva e começa a andar pela grama.

— Você o deixou lá, Jo — cospe Hana. O zumbido em sua cabeça está se transformando numa corrente elétrica esquisita. — Você o deixou lá para morrer.

Então relembra todos os momentos antes e depois do acidente de Liam em que Jo poderia ter contado para ela. A caminho do hospital, a caminho de casa, no enterro. Nas semanas seguintes.

Todos aqueles momentos gravados a ferro em seu cérebro, e Jo os havia sequestrado — Hana nunca mais seria capaz de se lembrar deles sem sentir ódio.

Mas as piores coisas que Jo havia roubado dela eram as únicas que lhe haviam restado, as mais preciosas de todas.

Suas recordações de Liam.

— Você acha que eu vou te perdoar por isso? Por roubar tudo de mim? Porque é isso o que você faz. Você toma tudo para si.

— Eu não sei o que você quer dizer... — Jo não consegue olhar para ela, e Hana sabe por quê.

Jo, mais do que ninguém, sabia que aquilo era um padrão — ela roubava as pessoas, sempre fez isso. Roubava seus hobbies e seus amigos, e então eles passavam a ser dela. E, durante algum tempo, ela se sentia melhor consigo mesma pelo simples fato de que havia vencido alguém.

— Ah, eu te explico.

Hana começa a listar tudo, fria e brutalmente: coisas insignificantes de que somente uma irmã se lembraria, ou consideraria importantes. Hana fala dos comentários ácidos que Jo sempre faz, de a irmã só ter feito aulas de patinação no gelo porque Hana fazia, e de ter treinado bastante até ficar melhor. De como Jo criticava Bea quando a irmã se dava bem em alguma coisa, e de como sempre dava um jeito de fazer um comentário negativo meio disfarçado quando alguém dizia qualquer coisa legal.

Ela segue colocando as palavras para fora. Quando termina, seu corpo está quente, a cabeça latejando.

Jo olha para ela em silêncio, mas sua linguagem corporal — ombros caídos, cabeça virada para o chão — diz tudo. *Agora eu consegui.* Finalmente alguma coisa havia atravessado aquela barreira.

— Me desculpa — diz a irmã, por fim, a voz abafada pelas lágrimas. — Eu sinto muito, muito mesmo.

Na verdade, aquela é a pior coisa que Jo poderia dizer: Hana queria algo mais suculento, alguma coisa com a qual pudesse se saciar, que pudesse refutar. Ela não quer as desculpas de Jo, porque também há pena ali, e pena é a última coisa de que precisa. Pena a fazia se sentir pequena e boba, e ela queria apagar aquilo do rosto de Jo.

Hana não havia planejado o que acontece em seguida, algo que surpreende até a si mesma, porque nunca foi uma pessoa muito física — era sempre aquela que fugia do conflito, não a que corria em sua direção. Bea e Jo eram mais propensas a brigar, a se engalfinharem no sofá, mas nunca Hana.

Determinada, ela se aproxima e agarra Jo bruscamente pelo pulso.

— Eu não acho que você sente muito coisa nenhuma.

Jo se retorce.

— Para, você está me machucando. — Jo tenta puxar o braço, o rímel em seus olhos borrado, escorrendo e deixando listras pretas pelo rosto.

— Não — responde Hana. O zumbido em sua cabeça, aquelas mosquinhas, está assumindo o controle. — Eu quero que você diga direito.

— Por favor, Han — implora Jo, tentando soltar a mão. — Você está me assustando.

Mas é como se Hana não a escutasse. Olhando para o rosto de Jo, vendo o medo em seus olhos, tudo em que consegue se concentrar é no sentimento que aquilo lhe proporciona, uma inebriante sensação de poder.

— Han…

Hana, entretanto, fica em silêncio.

Ela aperta o pulso de Jo com mais força, tão forte que consegue sentir a rigidez dos ossos debaixo da pele da irmã.

68

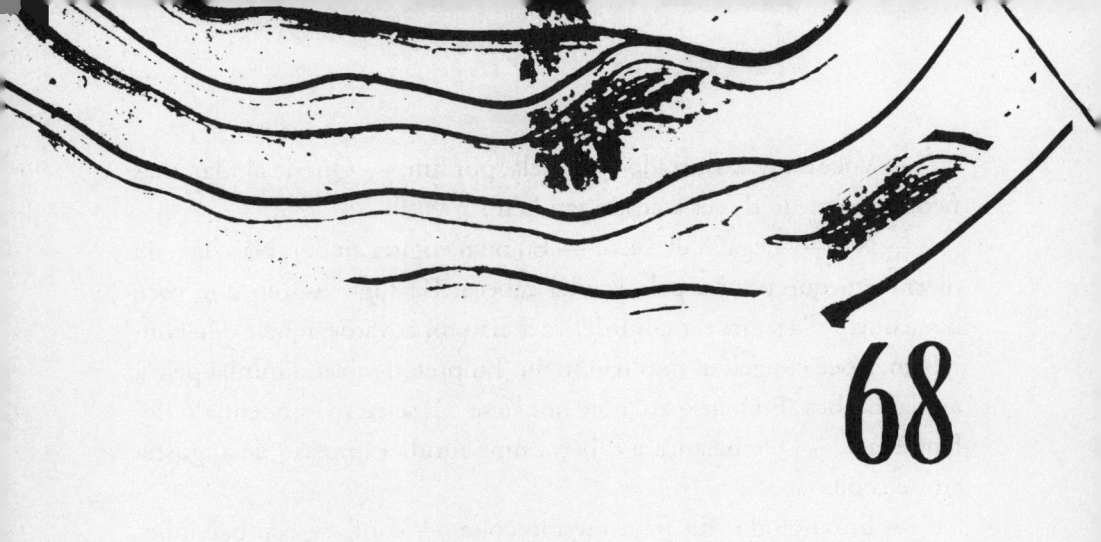

— Você.

É tudo o que Elin consegue dizer. Ela sente algo estranho no peito, a representação mental da sensação de ter um tapete sendo puxado de baixo de seus pés.

— Sim, mas ela estava me protegendo, Elin. Bancando a irmã mais velha. — Sua voz falha.

Elin tenta se conter. *Não julgue. Você não está em posição de julgar.*

— Mas o que aconteceu quando ela esteve lá? — indaga a detetive, com delicadeza.

— Quando *nós* estivemos lá. Eu também estava na ilha naquela semana. Como a turma da Farrah e a minha eram pequenas, as duas foram juntas.

Ela franze a testa.

— Mas a foto que eu encontrei... Você não estava nela.

— Era uma foto da turma da Farrah, não da minha. — Will faz uma pausa. — Na noite dos assassinatos, eu estava com a Thea, uma das meninas, quando ela foi atacada. A gente tinha entrado na mata, e a Thea se afastou um pouco para fazer xixi. Eu não tinha nem virado as costas quando alguém, do nada, a atacou. E atacou de novo e de novo, e eu... — Ele faz uma careta. — Só consegui sair correndo. Eu a abandonei lá.

Elin tenta encontrar palavras para reconfortá-lo, mas é difícil. Está abalada pelo que acabou de ouvir.

— Você estava assustado — diz ela, por fim. — Queria ajudar, mas ficou com medo de ser atacado também.

— Não — nega Will, seco. — Eu nem cogitei ajudar. Não dá para dizer nem que passou pela minha cabeça. Eu fugi. Aquilo que você disse outro dia sobre ser covarde, você não foi covarde aquele dia, com o Sam. Você congelou, mas não fugiu. Eu preferi salvar a minha pele a ajudar a Thea. Eu penso até hoje nos "e se". E se eu tivesse tentado defendê-la... — Ele balança a cabeça, uma nítida expressão de angústia em seus olhos.

— Eu entendo. Eu fiz a mesma coisa — confessa ela, baixinho. — Continuei pensando naquilo, repassando todas as possibilidades paralelas.

Ele assente.

— Depois do que aconteceu, eu fiquei escondido por um tempo. Quando saí do esconderijo, não tinha mais ninguém lá, só uma pedra na areia. Era estranho, tinha sido esculpida no mesmo formato da rocha. — O coração de Elin dispara. *Esculpida*, como as pedras da caverna. — Eu a peguei... E aí alguém me atacou pelas costas. Eu não consegui enxergar direito a pessoa, mas me lembro de ver um manto escuro, um capuz cobrindo o rosto.

Um manto: igual ao que eles tinham encontrado na caverna.

O que ele acaba de dizer comprova, sem sombra de dúvida, a ligação entre os dois casos.

— Não sei nem como, mas consegui escapar dele, e voltei correndo pela floresta. Eu a encontrei, ainda lá, na clareira. — Will cobre a boca com uma das mãos. — Tinha tanto sangue, e ela parecia tão tranquila, Elin. Aquilo não parecia natural. Eu fiquei ali por um tempo, parte de mim torcendo para que ela acordasse, dissesse que não passava de uma brincadeira, mas, no fundo, eu sabia. — Um soluço emerge por trás da mão dele. — No fim, consegui voltar até o acampamento, e eu ia contar para os professores, mas então vi a barraca do Josh e do David rasgada e, dava para ver, mesmo de longe, que eles estavam mortos. A pedra que eu tinha encontrado... — Sua voz sai mais aguda. — Estava do lado deles, coberta de sangue. Eu pensei, eu pensei...

— Que era a mesma pedra que você tinha encontrado na praia — completa Elin. Sabia aonde ele queria chegar.

Ele faz que sim. Solta outro soluço.

— Eu achei que tinha largado ela na praia, então, quando a enxerguei ali, fiquei pensando no pior. Eu sabia que as minhas impressões digitais estariam nela. Então entrei em pânico e peguei.

— E foi aí que você falou com a Farrah?

— Exatamente. Ela disse que eu não podia falar nada, que o meu DNA estaria na pedra e que, quando eles encontrassem a Thea, iam pensar que tinha sido eu. Então a Farrah a jogou no meio do mato.

Elin faz que sim com a cabeça, mas uma coisa ainda a incomoda em toda essa história — a ideia de que o assassino teria levado a pedra até a barraca, até a cena do crime. Não há provas, até onde ela sabe, de que o assassino tenha feito isso com Bea Leger nem com Seth Delaney.

Será que aquilo é algo importante, uma discrepância, ou implica outra coisa?

— E quando a Farrah decidiu prestar depoimento sobre o Creacher?

— Depois que ele foi preso. Ela disse que nós não tínhamos como ter certeza de que a polícia não encontraria alguma outra prova que me ligasse diretamente ao caso, então teve a ideia de dizer que tinha visto o Creacher rondando o acampamento.

— Isso foi ideia da Farrah?

— Aham, mas ela só disse aquelas coisas porque nós achamos que o Creacher era *mesmo* o culpado. A ideia por trás da mentira era a de cimentar aquilo que a polícia já suspeitava. Nós não pensamos nas consequências. — O olhar de Will encontra o dela, enquanto balança a cabeça. — Eu devia ter dito alguma coisa quando você começou a investigar esse caso, mas não queria nem imaginar que pudesse existir uma conexão.

— Não precisa se sentir culpado. Imagino que deve ser difícil falar sobre isso, e com o Creacher na prisão... — Mas, ao dizer aquelas palavras, uma semente de dúvida é plantada. *Isso foi para proteger ele e Farrah.*

— Mas, se a mentira que a Farrah contou pra me proteger foi o que causou o sumiço dela, então preciso me culpar. — Ele balança a cabeça. — Eu devia ter encarado a situação, contado para a polícia. Você estava certa quando disse que não dá pra jogar o passado pra debaixo do tapete, mas foi isso que eu fiz a minha vida inteira. O retiro, meu nome...

— Seu *nome*?

Ele faz que sim.

— Eu mudei de nome depois do que aconteceu. Meus pais enfrentaram toda a burocracia. Eu ainda tenho pesadelos até hoje, a Thea chamando meu nome. Era Oliver, mas ela sempre me chamava de Ollie.

As lágrimas começam a se acumular em seus olhos, e ele leva a mão para enxugá-las.

Ollie. Elin experimenta a estranha e desconcertante sensação de que sua vida inteira havia sido construída em cima de uma base que já não era mais tão firme.

— Então, se o Creacher não era o assassino, você acha que a pessoa que cometeu os assassinatos — dá pra ver ele engolindo em seco —, independentemente de quem seja, talvez tenha pegado... a Farrah...

Ela concorda com a cabeça.

— Sinto muito por ter que dizer isso, mas, sim, é uma possibilidade.

— Mas se não foi o Creacher quem matou a Thea, nem os meus amigos, então por que o assassino viria atrás da Farrah agora? O depoimento dela acabou sendo bom pra ele, não? Fez com que as suspeitas sobre o Creacher fossem ainda mais embasadas.

— Não sei qual é a motivação dessa pessoa. Julgando pela foto que encontrei na lixeira dela, estou achando que a Farrah começou a fazer umas pesquisas e reconheceu alguém. Se foi isso mesmo, essa pessoa provavelmente a reconheceu também. Essa pode ter sido a maneira que o assassino encontrou para avisá-la disso.

— Você acha que vai conseguir encontrar minha irmã? — A voz dele está desesperada. — Eu preciso falar com nossos pais e queria dizer alguma coisa positiva para eles.

— Vou fazer tudo que eu puder, você sabe disso, mas somos só nós dois aqui, e este lugar… não vai ser fácil… — Ela hesita. — Will, você se lembra de qualquer coisa sobre a pessoa que atacou a Thea?

— Bem que eu queria — responde ele, em voz baixa. — Tudo que eu sei é que era alguém forte, e que teria me matado se pudesse. De alguma forma, dava pra sentir a violência emanando daquela pessoa. Isso foi o que mais me marcou, mesmo depois de tanto tempo. Aquela… brutalidade.

— Eu sinto muito — diz ela, com delicadeza. — E odeio te forçar a reviver tudo isso, mas tenho uma última pergunta: alguém mencionou qualquer coisa sobre a escola? O detetive disse que os adolescentes do caso Creacher tinham medo de entrar no prédio da antiga escola, e nós encontramos referências a ela nas coisas da Farrah.

Há uma pausa longa, e então Will confirma:

— Assim que pisamos na ilha, a galera começou a falar disso. Espalhar rumores. Alguém disse que conhecia alguém que tinha estudado lá, que os professores eram obcecados pela rocha. Que costumavam levar as crianças para uma sala…

Elin sente um arrepio.

— Que tipo de sala?

— Não deram mais nenhum detalhe. Você sabe como são as coisas nessa idade. Provavelmente era tudo boato.

Ela fica em silêncio. *Boato.*

Talvez Will tenha razão, mas, depois de tudo que Elin aprendeu a respeito da ilha, não tem mais tanta certeza assim.

69

— O que aconteceu? Eu escutei gritos — diz Caleb, enquanto Hana entra no próprio quarto.

Ele para na porta, atrás dela, com a mochila já pendurada em um dos ombros. Ela está bem lotada: as alças estão puxando a camiseta dele para cima, revelando vários centímetros de sua barriga branca.

— A Jo — responde Hana, direto ao ponto, esbarrando com a mala na porta.

O rosto dele suaviza.

— Ela está chateada por causa do Seth?

— Na verdade, não. — Hana olha para baixo, com dificuldade de articular seus pensamentos. — Uma descoberta meio chocante: fiquei sabendo que ela estava tendo um caso com o Liam e... — Sua voz falha por um instante. — E ela me disse que estava lá... quando ele morreu.

Hana para de falar, incapaz de impedir sua mente de voltar àquela imagem dos dois juntos.

Caleb fica perplexo.

— *Com* ele?

— Aham, eles estavam andando de bicicleta juntos. Jo viu o acidente e o deixou lá, sozinho. Nunca contou pra ninguém. — Ela precisa morder o lábio para não começar a chorar. — Obviamente manter o caso deles em segredo era mais importante.

— Meu Deus. — Ele balança a cabeça, retorcendo a boca. Hana sabe em que ele está pensando: nada daquilo é uma surpresa. Era bem evidente que Caleb não esperava muita coisa da família dela, ainda mais da Jo. — Sinto muito — comenta, baixinho. — Eu não cheguei a conhecer o Liam, mas sei o que vocês dois tinham. Nem consigo imaginar como você deve estar se sentindo.

Hana aquiesce e, embora não estivesse planejando dizer aquilo, alguma parte horrível dela queria, e muito, que ele entendesse, nem que fosse só um pouquinho, as emoções que estavam fervilhando por dentro. *Divida o fardo.*

— E essa não foi a única coisa que ela confessou. Eu encontrei o celular da Bea no quarto dela. Ela admitiu que o pegou.

— O celular da *Bea*? — Sua voz sai trêmula.

— Bem, o que sobrou dele. Está destruído. Jo disse que ela já o encontrou desse jeito, perto do pavilhão de yoga, quando o perito criminal estava investigando.

— E a primeira reação dela não foi entregar o telefone à polícia?

— Pelo jeito, não. Disse que tinha coisas ali que ela não queria que fossem divulgadas. Sobre o Liam.

— Mas fazendo isso…

— É, eu sei.

O silêncio se prolonga entre eles.

— Você acreditou que ela simplesmente o encontrou ali? — indaga Caleb, por fim.

Hana dá de ombros — não precisa dizer nada. Os dois trocam palavras com o olhar.

— E onde está a Jo agora? — pergunta Caleb, rompendo o silêncio.

— Terminando de arrumar as coisas dela.

— E a Maya?

— No quarto dela. Eu combinei de me encontrar com ela para irmos juntas. — Hana franze a testa. — Ela está meio abalada, eu acho, com tudo isso.

— E quem não está? Sabe, quando eu pesquisei esse lugar no Google, depois da Jo mandar os detalhes, achei as teorias da conspiração engraçadas, mas agora…

Meio entorpecida, Hana concorda.

— Nem me fale.

Cedo ou tarde aquilo viria à tona, reflete, as consequências de todas aquelas mentiras, tendo eles vindo até a ilha ou não. Mas, ainda assim, não conseguia deixar de se sentir como se tivesse sido roubada, como se a ilha estivesse tomando coisas deles e não fosse parar até que eles não tivessem mais nada para lhe dar.

— A chuva deu uma boa apertada — comenta Caleb, olhando pela janela. — Não vai ser uma caminhada muito agradável.

Ele tem razão, pensa ela, seguindo o olhar dele. De repente, tudo ficou sombrio e melancólico, as nuvens aumentando não só em número como também em tamanho, obliterando o azul do céu. A força do vento já havia transformado aquela paisagem, até então tranquila, num verdadeiro caos — pequenos galhos espalhados por toda a varanda, flores esmagadas manchando o chão de pedra lisa.

Hana está quase se virando quando há uma rajada de vento. Um estalo seco repentino, um movimento farfalhante.

Caleb se encolhe.

Eles ficam assistindo, congelados, enquanto um galho enorme de pinheiro despenca no chão.

Parece uma amputação; suas entranhas claras e cruas expostas no ponto em que foi brutalmente arrancado da árvore.

Nenhum dos dois fala nada.

Só ficam olhando para o galho enquanto ele é empurrado de um lado para o outro pelo vento, até que uma lufada mais poderosa o arremessa para bem longe da janela, erguendo-o no ar e deixando-o cair novamente.

Uma dança feia e tortuosa.

70

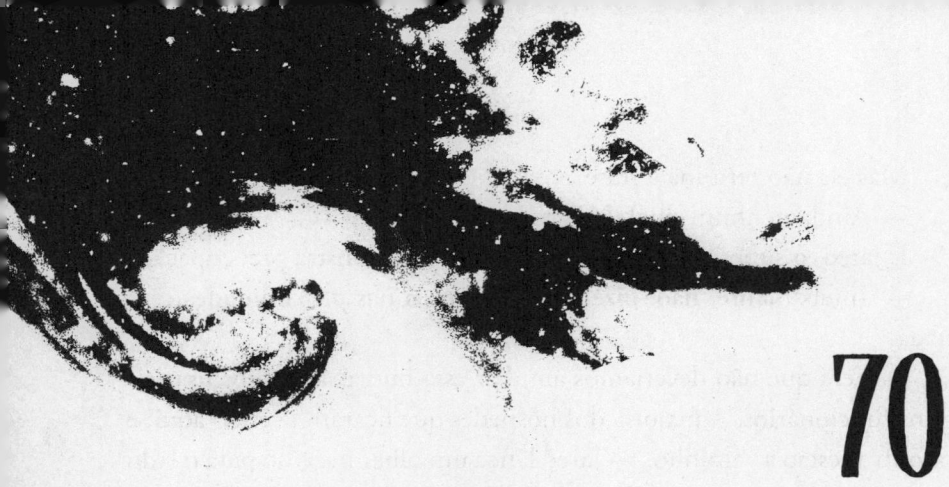

Elin conta para Steed o que Will havia revelado, seus olhos indo dos funcionários do retiro para os hóspedes restantes que vão se aglomerando no salão.

A tarefa dada por Farrah está em execução: os funcionários conduzem os hóspedes pelo corredor nos fundos da recepção. Há uma confusão de barulhos. Vozes. Rodinhas de malas. Os estalos erráticos de sandálias no piso.

— E o Will se lembra de alguma coisa que pudesse identificar quem o atacou? — pergunta Steed, seus olhos acompanhando o movimento frenético de alguns hóspedes perto dele. Eles estão discutindo e um homem aponta para a própria mala.

— Não — responde ela.

Steed franze a testa de leve.

— Aliás, más notícias. Eu cobrei um favor e pedi para uma pessoa pesquisar aqueles nomes no banco de dados... Não apareceu nada. Só o depoimento de Farrah, mas, obviamente, disso nós já sabíamos.

— Eu deveria imaginar que não seria tão fácil assim.

Ele assente.

— Acho que vale a pena voltar para o básico. Falar com todo mundo que sobrou, ver se aparece uma nova informação sobre os últimos dias. Alguém pode ter visto alguma coisa e não ter dado muita importância.

— Boa ideia. Isso também vale para Farrah. Alguém pode ter...

Mas ela não termina a frase.

— Ainda nenhum sinal da Farrah?

É Jared, o supervisor. Seu rosto anguloso demonstra preocupação.

— Infelizmente, não. Fizemos uma busca nas proximidades... E nada.

— Será que não deveríamos ampliar essa busca? Podemos usar alguns funcionários. A maioria dos hóspedes que ficaram já estão aqui, e os outros estão a caminho. — Jared lança um olhar nervoso para o lado de fora, para o volume cada vez maior de nuvens e os pingos de chuva estalando nas janelas. — A tempestade está apertando bastante. Se ela estiver lá fora sozinha...

Elin segue o olhar dele. Não tem saída: se fizer o que Jared está dizendo, eles vão colocar a segurança dos funcionários em risco. Se não fizer nada, as chances de encontrarem Farrah diminuem ainda mais. Se *realmente* fossem ampliar a busca, a pedreira e a caverna seriam os lugares mais óbvios por onde começar, mas ela não podia permitir que ninguém fosse para tão longe.

— Não, eu acho que...

Suas palavras se perdem em meio aos chiados do radiocomunicador de Jared, de onde, de repente, começa a brotar uma voz.

— Alô? — Ele aproxima o rádio do ouvido. — Pode repetir o que disse?

A pessoa repete, mas ainda é inaudível.

Seja lá quem está falando, deve estar do lado de fora, sua voz abafada pelo barulho do vento.

— Me deixa ir pra um lugar mais silencioso — pede Jared, contornando o balcão da recepção e entrando numa salinha na parte de trás.

Enquanto aguarda, Elin fica jogando o peso de seu corpo de um pé para o outro, o nervosismo revirando seu estômago.

Instantes depois, ele aparece de trás do balcão.

— Um funcionário encontrou uma bolsa nas pedras. Disse que parece a bolsa da Farrah.

— Eu vou até lá. — Elin se vira para Steed. — Começa a falar com os funcionários.

* * *

O lado de fora parece até outro mundo.

O cenário monótono de poucos instantes atrás havia se transformado numa coisa mais selvagem e desolada, com nuvens avançando pelo céu e o mar coberto de uma espuma branca.

— Ele ainda está lá? — pergunta Elin.

— Está — responde Jared, correndo à sua frente em direção aos degraus que levam até a praia.

Elin vai atrás dele. Quando os dois chegam no fim da escada, uma lufada de vento joga areia no rosto da detetive. Enquanto ela esfrega os olhos, Jared vira à esquerda, passando pela cabana da praia. Havia sido trancada, porém às pressas — um suporte de caiaques ficou de fora. O vento o faz balançar, os caiaques indo de um lado para o outro.

— Ele está ali. — Jared aponta.

À frente, Elin vê um funcionário do retiro parado perto das pedras, levantando a mão num cumprimento. É Michael Zimmerman. Ele está usando uma capa de chuva fina, aberta, a cúpula arredondada de sua barriga puxando a camisa polo. Mais uma vez, ela tem uma sensação de reconhecimento.

Por que não consegue se lembrar de onde o conhece?

Eles levam alguns minutos para chegarem até o velho e, quando finalmente param ao seu lado, tanto Elin quanto Jared estão ofegantes.

— Eu não toquei em nada. — Michael indica a bolsa. — Assim que vi, passei o rádio. — Ele balança a cabeça. — Não entendo. Esse foi o primeiro lugar em que procuramos. Não tinha nada aqui.

Elin segue o olhar dele até a bolsa, metade nas pedras, metade na praia. Está aberta, e o conteúdo, espalhado na areia — uma escova, um estojo de óculos escuros, um frasco de protetor solar todo gasto —, porém não é aquilo que lhe chama a atenção, e sim a bolsa em si. O tom de bege, a alça larga... Com certeza, é a bolsa de Farrah.

Mas por que estaria ali? É possível que o criminoso tenha tentando se livrar da bolsa, mas por que a deixaria *naquele* lugar? De onde estava, tudo que Elin conseguia ver era água. Uma extensão infinita de um azul-acinzentado, ficando mais furioso a cada minuto que passava.

Seus pensamentos viajam. Não há para onde ir a partir dali, a não ser embora da ilha. Será que a bolsa tinha sido deixada lá de propósito? Será que aquilo era algum tipo de armação, ou de distração?

Ou será que Farrah tinha fugido, assustada pelas ameaças? Não seria impossível que ela tenha dado um jeito de sair daquele lugar.

Mas há, ainda, uma outra possibilidade — e a detetive sente o estômago revirar enquanto a cogita. Será que Farrah tinha ido embora por vontade própria, por algum motivo mais perturbador? Elin não tinha como provar que a cunhada não havia colocado, ela mesma, aquele descanso de tela em seu computador para confundi-los.

Àquela altura, não podia descartar a possibilidade de que Farrah estivesse envolvida de alguma maneira naquilo tudo. Farrah havia mentido para a polícia, e tudo que eles tinham a favor dela era a palavra de Will. Talvez tivesse acontecido alguma coisa que ele não soubesse, alguma coisa que a cunhada estivesse desesperada para manter em segredo, e foi por isso que mentiu no depoimento. Será que suas perguntas sobre a escola estariam ligadas àquilo?

Sua mente analisa diferentes cenários enquanto Elin puxa do bolso o celular. Ela se agacha e tira uma foto da bolsa como eles a haviam encontrado, antes de colocar um novo par de luvas e começar a vasculhar o conteúdo. Ao fazer isso, reconhece alguns dos objetos: o estojo dos óculos escuros, a escova de cabelo, a agenda. E está quase fechando a bolsa quando percebe um papel saindo da agenda.

Seus batimentos aceleram.

Está rasgado. É o mesmo papel do caderno no escritório de Farrah.

Enquanto o desdobra com cuidado, seus olhos se concentram no texto escrito à mão no topo da página. É a mesma letra.

É a letra de Farrah: a parte que faltava na palavra escrita no pedaço de papel que eles encontraram na lixeira.

Agora, a palavra estava completa: *Escola.*

Ela estava certa: Farrah havia escrito o nome da Escola Rock House.

Mas aquela não é a única coisa na página.

Descendo os olhos, ela nota que tem mais um nome ali embaixo.

Michael Zimmerman.

71

E lin permanece de costas, o pedaço de papel se agitando por conta do vento.

Escola Rock House. Michael Zimmerman.

Parte dela sabia, de alguma forma, que a escola estava ligada àquele caso, e também aos assassinatos de Creacher. Farrah obviamente havia chegado à mesma conclusão. Mas como tudo isso se ligava a Michael? O medo eriça os pelos de sua nuca enquanto ela se lembra dele a observando.

Ela se vira lentamente na direção do velho, segurando o papel à sua frente.

— Encontrei isso dentro da bolsa da Farrah. Ela fez uma anotação sobre a antiga escola... e o seu nome está logo embaixo. Você sabe o que significa?

Michael olha para o papel e faz que sim com a cabeça.

— Ela estava fazendo uma pesquisa, até onde eu entendi. — *Farrah estava fazendo uma investigação própria.* Olhando para Jared, Michael abaixa o tom de voz até ela se transformar num murmúrio: — Agora, olha, o que ela me contou, acho que não era para ser de conhecimento público.

Elin começa a andar até que os dois fiquem a uma distância segura de Jared, para que ele não possa escutá-los.

— Se é sobre ela ter estado na ilha quando os assassinatos do Creacher aconteceram, já estou ciente.

Michael relaxa os ombros. Ele assente.

— Ela me perguntou o que eu sabia sobre a escola. Disse que alguém tinha metido medo nela e nos amigos sobre esse lugar quando eles estiveram na ilha para o curso da ONG, mas ela nunca entendeu muito bem a coisa toda. A parte da maldição até entendia, mas não a conexão com a escola. Disse que isso sempre a incomodou.

— E a Farrah disse quem foi que falou com ela?

Ele balança a cabeça em negativa.

Elin olha para o papel, sua cabeça um turbilhão de pensamentos. Se Farrah estava mesmo atrás de informações sobre a escola, certamente isso sugeria que o lugar tinha um papel naquele caso.

— E por que ela foi atrás de você?

— Farrah me ouviu conversando com um hóspede, aquele que eu comentei com você, o artista que tinha estudado na escola. Ela pensou que eu talvez soubesse de alguma coisa.

— E imagino que você saiba, não? — Sua pergunta é pontuada pelo guincho agudo de uma gaivota que passa voando por cima da cabeça deles.

Ele não responde a princípio, mas, após alguns instantes, confirma.

— Quando conversamos antes, eu não te contei a história toda. O artista, na verdade, ficou muito impactado quando viu este lugar ao vivo. — Ele puxa o boné, faz uma careta. — Nós começamos a conversar e ele se abriu um pouco sobre o que acontecia na escola. Uns castigos bem estranhos, pelo que deu pra entender.

— Em que sentido?

— Ele disse que tinha uma sala, escondida, para onde costumavam levar as crianças. Eu não fiquei perguntando, mas ele pareceu bem assombrado por aquilo, sabe? — Michael balança a cabeça. — Imaginei que a coisa toda devia ser bem ruim para continuar incomodando tantos anos depois.

Elin absorve aquelas palavras. Seu coração começa a martelar no peito. *Uma sala. Como o Will havia falado. Será que podem ter levado a Farrah pra lá?*

— Ele disse mais alguma coisa?

Há um instante de hesitação.

— Explicitamente, não. Mas sabe a pessoa que eu mencionei pra você, aquela que eu vi andando perto da rocha uma noite? Era o artista. Quando me deu o estalo de que era ele, fiquei preocupado depois do que ele tinha me contado, então fui atrás pra ver se estava tudo bem. Quando eu estava quase chegando, ele seguiu andando, e *passou* da pedra.

— Como assim, *passou*? — Os batimentos de Elin aceleram. — Ali só tem floresta, não?

— É, e isso me deixou intrigado. Eu fui atrás dele. Ele avançou um pouco floresta adentro, até chegar numa estrutura que parecia um tipo de bunker antigo. Fiquei me perguntando se aquela era a tal sala de que ele tinha falado, pensei que talvez ele quisesse fazer algum tipo de ritual de encerramento.

— Você contou isso para a Farrah?

— Contei, mas, quando eu mostrei pra ela, ela descobriu, assim como eu já tinha feito, que não tem nada lá. Definitivamente é um bunker, pelo que entendi. Quando o retiro foi construído, os pedreiros encheram de concreto. Despejaram meia tonelada de concreto nos degraus que levavam até lá, parece.

Elin sente um aperto no peito.

— Não dá mais para acessar esse lugar? Não existe nenhuma outra entrada?

— Não, a menos que tenha sido feita uma escavação. Está totalmente bloqueado. Eu posso te mostrar, se você quiser ver.

Vale a pena dar uma olhada, pensa, *mas, por diversos motivos, parece apenas mais um beco sem saída.*

— Obrigada por ser tão honesto.

Ele assente.

— Não tem de quê.

Elin vira de volta para a bolsa, frustrada. O que Michael lhe disse sugeria que eles estavam no caminho certo ao deduzirem que Farrah estava investigando por conta própria, mas, ainda assim, não explicava onde a cunhada estaria naquele momento, ou por que sua bolsa está ali.

Ela se agacha para pegar a bolsa.

— Precisamos voltar — comenta. — A tempestade está piorando. — Como se estivesse apenas esperando a deixa, um jorro de vento bate, arremessando jatos de areia grossa sobre eles. Ela se arrepia toda. — Vamos dar o fora daqui.

O alívio no rosto de Jared e Michael é evidente. Assim como Elin, eles não querem continuar ali.

No meio do trajeto pela praia, sua caminhada é pontuada por uma lufada ainda mais violenta de vento. *Deu uma boa aumentada*, pensa, temerosa. Ouve-se um estalo sinistro. Ela levanta a cabeça para cima e vê as árvores no topo do penhasco dobrando-se ao vento, os troncos inclinados em ângulos impossíveis.

— Vamos apertar o passo — sugere ela, fazendo uma curva. — Eu acho que...

Então Elin para abruptamente. Há uma mancha de um branco muito vivo em meio à areia, logo abaixo de uma gruta na falésia.

Ela começa a correr, enquanto seus olhos vão definindo os contornos: uma cabeça, um tronco, membros.

Cabelo loiro-claro.

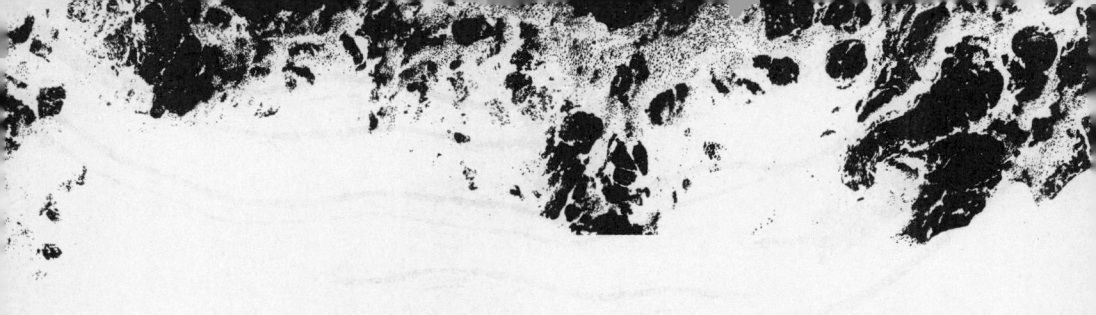

72

Elin corre pela praia, gotas finas de chuva atingindo-a no rosto. Piscando para tirá-las dos olhos, para um pouco antes de chegar à gruta e recupera o fôlego. A erosão havia aberto um buraco na face da falésia, esculpido sulcos profundos, formando uma saliência natural. Logo à sua frente, o sangue manchava a areia, pequenas poças vermelhas ao lado de um arco de gotas salpicadas e espalhadas.

Ela nota as marcas na areia, vestígios de pegadas. Sente o coração pulsar nos ouvidos enquanto raciocina: *Farrah foi atacada ali e depois arrastada até a gruta.*

Seguindo em frente, ela abaixa a cabeça — fica meio agachada para poder acessar a gruta.

A primeira coisa que chega até ela é o cheiro: não a umidade salina, o azedume da areia, mas a pungência metálica do sangue.

Forte o suficiente para abafar todos os outros odores.

O espaço apertado vibra com uma energia tremendamente violenta. Um alerta ecoa: *uma coisa terrível aconteceu aqui.*

Tomada por uma intensa onda de náuseas, Elin precisa se forçar a olhar para Farrah: o cabelo claro, o sangue na camiseta branca.

Desesperada, tenta identificar qualquer movimento, qualquer sinal de vida. Apesar do sangue e da posição do corpo, Elin ainda se agarra a um fio de esperança de que Farrah talvez esteja viva.

Ela contorna o corpo até conseguir enxergar o rosto.

Não é a Farrah.

73

É Jo Leger.

Seus olhos estão fechados, mas ela parece qualquer outra coisa, menos em paz. Há um enorme ferimento ensanguentado logo acima de seu olho direito, onde seu crânio está esmagado e seu cabelo, bagunçado e sujo com uma mistura de sangue e areia.

A blusa branca que Elin havia confundido com a camiseta de Farrah está toda salpicada de areia e sangue.

Agora que tem certeza de que aquela é Jo, ela nota os detalhes com mais atenção: a musculatura definida, o tom de pele mais escuro. As semelhanças com Farrah eram apenas superficiais.

Ao se aproximar, Elin não consegue parar de engolir, sua garganta seca de um jeito um tanto impossível.

Ela calça um par de luvas e toca o pescoço de Jo para checar o pulso. Enquanto posiciona os dedos, prende a respiração, ansiosa pelo resultado, mas o corpo não lhe dá nenhum sinal além de um leve calor residual.

O coração de Elin hesita por um momento. *Jo está morta, mas não faz muito tempo.*

Michael estava bem próximo quando encontrou aquela bolsa, e ela e Jared também não estavam tão longe assim quando vieram correndo ao encontro dele. O risco havia aumentado significativamente; um assassino que não tem medo de ser descoberto — ou das consequências de ser descoberto — é capaz de qualquer coisa.

Elin examina o ferimento meticulosamente. A causa da morte parece ter sido um traumatismo craniano provocado por um objeto grande. Mas onde está a arma?

Seus olhos percorrem aquele espaço reservado e toda a área externa. Não há sinal de objeto algum.

Mas, ainda assim, sente uma pontinha de esperança: a escolha de Jo como vítima revela algo fundamental.

Três mortes no mesmo grupo de pessoas. Bea. Seth. Jo. O que antes poderia ser entendido como uma coincidência, naquele momento se assemelha a um padrão.

Por que esse grupo de vítimas específico?

Depois do que tinham visto na caverna, Elin e Steed estavam inclinados a aceitar a teoria de que a escolha das vítimas talvez fosse aleatória, algo que se encaixaria com o grupo de adolescentes que o assassino havia selecionado anteriormente. Agora, entretanto, ela se questionava se a escolha não era, na verdade, mais deliberada.

Embora a motivação do assassino ainda pudesse derivar de uma crença delirante na maldição da Pedra da Morte, talvez ele também tivesse outros motivos para mirar nesse grupo específico de pessoas.

— É a Farrah?

Elin leva um susto, mas é apenas Jared, parado do lado de fora da gruta, com Michael logo atrás dele.

— Não — diz ela rapidamente. — É uma hóspede.

Ele dá um passo para trás, visivelmente abalado.

— Ela está…?

— Sim. Não faz muito tempo.

Então, após tirar algumas fotos, Elin sai da gruta enquanto Jared lhe faz outra pergunta, mas suas palavras são engolidas pelo barulho da tempestade, que não para de ganhar potência.

É como se a ilha, pacata e silenciosa por tanto tempo, tivesse finalmente encontrado sua voz — uma voz que se manifestava através do mar, da chuva, do vento que bradava e dos berros furiosos das gaivotas.

Aquela energia que, até pouco tempo atrás, apenas fermentava, produzindo leves estalos, havia se transformado num tremendo rugido.

— Não é melhor a gente sair daqui? — A voz de Jared põe um fim aos seus devaneios.

Elin concorda, o medo pulsando de forma persistente dentro de seu peito. Ela precisa checar a situação do envio de reforços e conversar com o grupo de hóspedes afetado — ou com o que sobrou dele.

Hana, Maya, Caleb.

Está na hora de pegar pesado.

74

—Desculpa, Elin, não tem mais nada que eu possa fazer. Já mexi todos os meus pauzinhos. As equipes de bombeiros e de resgate ainda estão lá ajudando as pessoas, mas já está quase no fim. Questão de horas, espero.

— Mas a Farrah continua desaparecida. — Elin consegue ouvir o desespero na própria voz. As coisas mudaram. Anna com certeza entende isso. — Nós precisamos de mais recursos para fazer as buscas.

Seu olhar corre até a janela. A parede de vidro do outro lado está molhada por conta da chuva, a silhueta borrada dos funcionários indo de um lado para o outro, distribuindo um jantar improvisado composto de sanduíches e frutas.

— Eu entendo, mas não há nada que eu possa te dizer além de aguente firme. Estaremos aí com vocês assim que for possível.

— Tudo bem, então. Eu mantenho contato.

Ela precisa reunir toda a sua força de vontade para colocar alguma positividade em seu tom de voz. É em momentos como aquele — e sempre existem momentos assim numa investigação —, quando as coisas não saem como você gostaria, que você mostra quem é de verdade. Ela precisa resgatar aquela força que havia sentido antes.

— Imagino que esteja tudo na mesma — adivinha Steed, em um suspiro, depois que ela se despede.

— Por enquanto, sim. Eles ainda estão bem atolados por lá. Parece que vai ser uma noite longa.

— Pelo menos nós temos um plano. — Mas a confiança em sua voz contrasta com a preocupação em seu rosto.

Ele também está com medo. Só não quer demonstrar.

Ela faz que sim.

— Primeiro, temos que falar com o que sobrou do grupo dos Leger. Conseguir algumas respostas.

— Duas pessoas do mesmo grupo talvez ainda pudesse ser uma coincidência, mas três...

— Pois é. Eu acho que tem um motivo para o assassino ter escolhido seus alvos. Tem que ter.

Steed se concentra em um funcionário que está claramente de olho nos sanduíches.

— Mas isso não vai contra a teoria de que a motivação estaria ligada à Pedra da Morte?

— Talvez. Mas é complicado. Se existe, de fato, um plano para executar todo esse grupo, isso sugere uma motivação muito pessoal. Mas, ao mesmo tempo, temos todos aqueles adolescentes mortos... e o assassinato da Jo na praia... Isso sugere um assassino mais descontrolado, que age por impulso.

Sua mente está dando cambalhotas. Steed passa a mão na testa.

— Essas diferenças podem ser o resultado do mau uso de algum medicamento. Em algumas situações, ele pode estar mais lúcido do que em outras.

— Ou até mesmo que são duas pessoas diferentes trabalhando juntas — acrescenta Elin, mordendo o lábio. — Eu só não estou conseguindo montar esse quebra-cabeça. Tudo que nós encontramos na caverna e as questões envolvendo a condenação da Creacher sugerem que é a mesma pessoa, mas essas discrepâncias me incomodam. Os diferentes níveis de planejamento, por que deixar aquelas pedras ao lado do corpo dos adolescentes, e agora não temos nenhum sinal delas...

Ele dá de ombros.

— Vai ver a escolha daqueles adolescentes tenha sido bem mais intencional do que estamos pensando.

— Verdade, mas qual seria a ligação entre eles e os Leger?

— Bom, talvez seja mesmo só uma coincidência todos serem do mesmo grupo — comenta Steed, pausadamente. — Não sobrou muita gente na ilha. O assassino pode estar só aproveitando as oportunidades que tem.

— Talvez. Mas eu tenho a sensação de que nós estamos deixando alguma coisa passar, especialmente em relação à escola.

— Mas como isso se relaciona aos Leger? — Steed franze a testa. — A menos que eles tenham uma genética extremamente abençoada, eles não deviam ser nem nascidos quando a escola estava em funcionamento.

— Eu sei. Mas acho que vale a pena dar uma conferida para ver se algum deles tem alguma ligação com a escola.

— Bom, podemos perguntar agora — diz Steed, gesticulando com a cabeça em direção à porta. — Eles acabam de chegar.

75

— Deixa comigo — diz Elin, mas, à medida que as palavras saem, sua voz vai ficando cada mais fraca, o peso da notícia que está prestes a dar se tornando, de repente, insuportável.

É como se a visão de Hana, Caleb e Maya tivesse removido o bloqueio que ela havia colocado na própria mente desde a praia. A lembrança está fresca em sua memória: o corpo ensanguentado de Jo Leger estendido sobre a areia.

— Não precisa ser agora — conforta Steed, a observando.

— Acho que a ficha… acabou de cair. Foi um choque duplo, de certa forma; eu tinha certeza de que era a Farrah, mas acabei encontrando outra pessoa… — A detetive fecha os olhos, relembrando o momento.

— É compreensível. Quer que eu faça as honras?

Elin sorri, agradecida.

— Por favor.

Hana está parada a alguns metros de distância. Elin e Steed andam até ela. O cabelo da mulher está molhado; suas pernas, salpicadas de barro. Caleb e Maya estão logo atrás, igualmente enlameados, parados de um jeito todo esquisito. Os cachos pretos de Maya, libertos de seu lenço de sempre, estão encharcados, colando nos ombros. Caleb tira um AirPod do ouvido quando eles os cumprimentam, mas parece um tanto atordoado, enquanto passa os dedos na bainha de sua camiseta azul. Anestesiado.

— Desculpe por termos vindo direto em cima de vocês, mas precisamos ter uma conversa em particular. — Steed os conduz até um canto da sala. Ele abaixa a voz: — O que vou dizer agora será um choque, mas preciso que tentem não reagir nem chamar atenção dos outros hóspedes. Vocês acham que conseguem?

Hana é a única que parece captar alguma coisa em sua expressão, ou, talvez, no tom de sua voz.

— Aconteceu alguma coisa, não foi? — inquere ela, rapidamente.

Steed vai direto ao ponto:

— Infelizmente eu tenho que informar a vocês que Jo está morta. Nós a encontramos agora há pouco.

Há uma puxada de ar coletiva. Uma mudança repentina na atmosfera, carregada de emoções. Os olhos de cada um do grupo se fixam no rosto de Steed, primeiro, e depois no de Elin, como se estivessem esperando o desfecho de uma piada, mas não há desfecho algum.

— Não é possível — gagueja Maya. — Ela estava com a gente agorinha mesmo. No chalé. — Ela se vira para Hana. — Você disse que ela estava fazendo a mala, não foi?

O rosto de Hana fica pálido e se tensiona.

— Foi. Eu pensei que ela estivesse. — Um toque de histeria tempera sua voz. — Nós batemos na porta do quarto dela antes de sairmos, mas ninguém respondeu. Achamos que ela já tinha vindo pra cá. — Ela solta um gemido baixinho. — Quem está fazendo isso? E por que a gente?

Caleb passa o braço em volta de seus ombros.

— O que foi que eu disse? — resmunga. — Este lugar não é...

— Como? — diz Maya, em tom de desespero, cortando o que ele está dizendo. — O que aconteceu?

— Nós a encontramos na praia. Parece que alguém a atacou lá.

Hana começa a chorar, seus ombros sacodindo. A imagem afeta Elin: apesar de Caleb e Maya estarem ao lado, ela parece sozinha. Vulnerável.

Steed pigarreia e olha para eles.

— Lamento ter que perguntar isso justamente agora — começa ele, numa voz calma —, mas vocês estiveram todos juntos nas últimas horas?

— Sim, nós estávamos no chalé, arrumando nossas coisas para vir pra cá. — Lágrimas também se formam nos olhos de Maya. — Digo, não ficamos juntos o tempo inteiro... Cada um estava no próprio quarto, mas ninguém saiu de lá, saiu?

— Eu não iria sozinho a lugar nenhum aqui — solta Caleb.

Ele dá uma risadinha sarcástica, que não é capaz de suprimir a tremedeira em seus lábios. De repente, explode em choro e vira o rosto, envergonhado, quando um outro hóspede, à direita deles, olha naquela direção.

— Nem eu. — Hana balança a cabeça, as lágrimas agora escorrendo por seu rosto. — Não consigo acreditar. A Jo também...

Maya morde o lábio, mas não consegue se conter — começa a chorar ruidosamente.

Steed espera antes de voltar a falar.

— Olha, sinto muito por bombardear vocês de perguntas desse jeito, mas ajudaria muito se pudessem nos dizer quando foi, exatamente, a última vez que viram a Jo, para que tenhamos uma ideia mais clara da movimentação dela.

— Acho que, pra mim, é mais fácil responder essa — diz Caleb, girando a caixinha do AirPod nas mãos. — Eu nem a vi direito hoje, desde o café da manhã. E também não saí do chalé, exceto quando fui comer alguma coisa, umas horas atrás.

Maya tenta se recompor, enxugando os olhos.

— A última vez que eu a vi foi depois do café da manhã.

— E você? — pergunta Steed, se dirigindo à Hana.

Hana enche o peito, depois solta o ar pela boca.

— Acho que a última vez que eu a vi foi lá fora, perto da piscina. A gente... a gente discutiu. Eu a segurei pelo braço... — Ela para, e começa a chorar de novo. — Eu a segurei pelo braço e...

76

Ao lado dela, Maya congela, seus olhos arregalados de medo. Por um momento, é como se todos estivessem se equilibrando no fio de uma navalha, incapazes de se mexer ou de falar.

O silêncio se adensa.

— Eu fiquei apertando o pulso dela... — continua Hana, por fim. Suas palavras saem meio engasgadas. — A Jo começou a chorar, mas era como se eu não conseguisse parar. Eu continuei apertando, cada vez mais forte. E estava sentindo uma raiva que eu nunca tinha sentido antes, como se alguma coisa tivesse se partido dentro de mim. Tudo em que eu conseguia pensar era que eu queria fazer com que ela sentisse mais dor do que ela tinha me feito sentir. — O coração de Elin acelera enquanto lembra que havia detectado uma tensão se formando entre o grupo. — Por um instante... — Hana hesita, as lágrimas escorrendo pelo rosto. — Meu Deus, por um instante... — Ela usa as costas da mão para enxugar o choro. — Mas não consegui... Eu tive vontade, mas eu a soltei.

Elin solta o ar.

— E o que aconteceu com a Jo depois disso?

— Ela voltou pra dentro. — Hana olha nos olhos da detetive. — Achei que tinha ido para o quarto.

Um silêncio incômodo se estabelece, e Maya e Caleb encaram Hana, como se estivessem com dificuldades de processar o que haviam acabado de ouvir.

— Posso perguntar sobre o que foi a discussão? — diz Steed.

Hana pisca os olhos.

— Meu namorado. Ele morreu no ano passado. E eu só descobri agora que... — Ela respira fundo, seus olhos brilhando, cheios de lágrimas e sentimentos. — Que ele e a Jo estavam tendo um caso, e que ela estava junto quando ele morreu. Minha irmã tinha escondido tudo isso de mim. — Seus ombros começam a tremer. — Esse tempo todo. — Ela está se esforçando tanto para pronunciar as palavras quanto para segurar as lágrimas. — Ela também admitiu que estava com o celular da Bea.

Elin troca olhares com Steed. *O telefone desaparecido.*

— Ela explicou por que estava com o celular?

— Ela disse que achou na manhã em que a Bea foi encontrada, perto do pavilhão de yoga. Estava destruído e sem o cartão de memória. A Jo ficou preocupada que se vocês encontrassem o celular da Bea e soubessem que elas tinham se encontrado aquela noite...

— Então nós suspeitaríamos dela.

— Eu mesma suspeitei — confessa Hana, tremendo tanto que quase não é possível entender. — Praticamente a acusei.

— Você sabe o que ela fez com o cartão de memória? — pergunta Steed, com delicadeza.

— Ela disse que não o encontrou. Ainda está desaparecido.

O estômago de Elin se revira. *Ou o assassino pode estar com ele.*

Por um breve momento, Hana fecha os olhos.

— Eu pensei que a Jo estivesse mentindo, sabe, que ela talvez tivesse alguma coisa a ver com tudo isso... — Um soluço faz seu corpo tremer.

— Sinto muito — diz Elin, baixinho. — Eu sei que isso é difícil, mas nós temos mais algumas perguntas: vocês sabem se existe algum motivo para que Jo e o restante de seu grupo sejam alvos de alguém? Perceberam alguma pessoa agindo de forma suspeita recentemente?

Um por um, eles balançam a cabeça em negativa.

— E algum de vocês tem qualquer ligação com esta ilha além dessa viagem? Sabem alguma coisa sobre a escola que funcionava aqui?

Mais uma vez, Hana e Caleb respondem que não, mas Maya faz que sim.

— Um amigo do meu pai trabalhou na antiga escola, mas não por muito tempo. Disse que era um lugar horrível. Mas, infelizmente, isso é tudo que eu sei. Ele nunca deu muitos detalhes.

Elin olha para Steed, decepcionada. Não estava esperando nenhuma grande revelação, mas mesmo assim…

— Obrigada. Mais uma vez, sentimos muito mesmo pelas perdas. Se vocês se lembrarem de qualquer coisa, nós… — Ela perde a concentração, sentindo o celular vibrar. Detetive Johnson. *Te mandei os arquivos que você pediu por e-mail.* — Com licença, vou precisar deixá-los.

Eles vão se afastando, e Steed olha para ela.

— E aí, o que você achou disso?

— Difícil dizer a essa altura. O mais interessante é o cartão de memória. Você pode acionar a equipe de extração de dados de celulares?

— Deixa comigo.

— Enquanto você faz isso, vou tirar um minuto aqui. O Johnson mandou os arquivos dele do caso Creacher.

Ela solta duas cadeiras de uma pilha à sua frente. Steed a ajuda a levá-las até perto da janela, longe da visão do grupo. Mal dá para ver a floresta densa e majestosa do lado de fora. Naquela luz difusa, parece ainda mais impenetrável.

Elin pega o caderno e abre o primeiro anexo no celular. Mas mal começou a ler quando ouve um som de choro abafado.

Caleb. Está sentado no chão, com a cabeça entre as mãos.

— Eu vou — murmura Elin, se levantando.

Quando chega até eles, Maya já está com um dos braços em volta dos ombros de Caleb.

— Tem algo que eu possa fazer? — pergunta Elin, com cuidado.

Hana balança a cabeça, seus olhos ainda molhados.

— Acho que ele está no limite. O pai morreu faz pouco tempo. E, pelo que ele disse, em circunstâncias bem ruins. Não acho que ele tenha conseguido processar tudo ainda. E ter uma perda em cima da outra desse jeito, e agora a Jo… é muita coisa.

Elin assente, olhando para os hóspedes e funcionários que enchem o salão. A maioria tinha acabado de comer, restando uma calmaria que deixava bem perceptível a tensão palpável ali. As pessoas digitavam de forma frenética no celular, suas conversas acaloradas.

Uma panela de pressão. É isso que parece. Uma panela de pressão prestes a explodir.

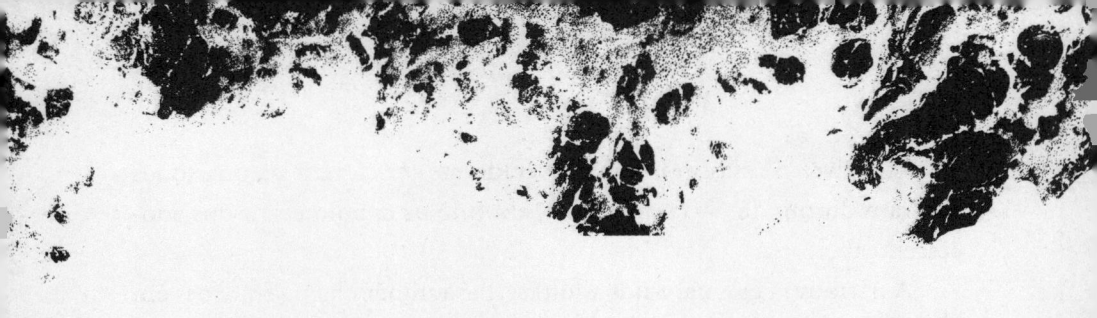

77

Johnson havia se dado ao trabalho de fotografar cada documento. Como estavam em alta resolução, os arquivos eram grandes demais para caberem em apenas um e-mail, de modo que uma longa sequência de mensagens começa a preencher a caixa de entrada de Elin.

Steed olha para ela.

— Equipe de extração de dados de celulares acionada. Quer uma mãozinha aí?

— Por favor. Vou te encaminhar uma parte dos arquivos.

Elin abre os primeiros anexos: depoimentos da noite em que Lois Wade desapareceu. A narrativa era homogênea: *Lois Wade não estava na ilha. Nunca existiu a possibilidade. Ninguém a viu lá.*

Ela dá uma olhada nos depoimentos colhidos no caso Creacher. Monitores do acampamento, professores. Sempre a mesma história: todos acordaram ouvindo gritos e relataram o que viram quando saíram de suas barracas. O Creacher em si é citado muito brevemente; eles o achavam meio esquisito e perceberam que ele ficava olhando para as crianças.

— Alguma coisa de útil?

A detetive nega.

— É meio que um padrão... sempre a mesma história. E você?

— Mesma coisa. — Steed balança a cabeça. — Não consigo acreditar que ninguém estava acordado quando o assassino agiu. Numa viagem escolar, era de se esperar que todo mundo estivesse acordado.

— Talvez o assassino tenha esperado até ter certeza de que todos estavam dormindo — comenta ela, abrindo os depoimentos dos adolescentes.

A narrativa era igual à dos adultos, mas também havia emoções em estado cru; nenhum deles tinha a formalidade comedida dos relatos dos adultos, aprendida de forma subconsciente nos livros e programas de TV. *Como Prestar um Depoimento, versão para leigos.*

— Alguém mencionou algum tipo de discussão? — Steed olha para ela. — Aqui não tem nada.

— Ainda não. Estou com o da Farrah aqui — murmura Elin, fazendo uma careta enquanto lê o que sabe que são mentiras.

— Difícil de ler?

Ela faz que sim, deixando os depoimentos de Farrah e Will de lado para se concentrar no último prestado, o do barqueiro. O arquivo começa com as lembranças dele de pegar o grupo no continente, e expondo suas observações sobre Creacher. Ele ainda comentou que achava o comportamento de Creacher estranho, e tinha percebido que ele ficava observando não só aquele grupo de adolescentes, mas também outros. *Eu não quis falar sobre isso antes, sabe?*

Elin estava quase fechando o arquivo quando seus olhos se fixam no nome do barqueiro; ela não havia reparado da primeira vez que tinha visto.

Porter Jackson.

Aquilo resgata alguma coisa das profundezas de seu subconsciente. Após alguns instantes vasculhando sua memória, ela se dá conta: um Porter Jackson era mencionado brevemente no artigo que havia lido sobre o projeto do retiro na ilha, a pessoa que protestava contra os planos de Ronan Delaney.

Elin digita o nome no Google junto com as palavras *Pedra da Morte.*

Várias páginas de resultados aparecem. As primeiras trazem versões da matéria que ela havia lido originalmente, tanto no noticiário local quanto no nacional, a história amplificada pelos veículos de massa. Moradores protestam contra propriedade em polêmica ilha. Nenhuma surpresa ali: os veículos de projeção nacional adoram noticiar os conflitos internos regionais, uma voz solitária que se levanta contra o sistema.

Elin clica no primeiro link, sentindo a adrenalina pulsando em seu corpo. *Ela estava certa*: Porter Jackson *havia* se declarado publicamente contrário ao projeto. Aquilo não podia ser uma coincidência, mas será que significava alguma coisa? Se você trabalhasse na ilha enquanto ela ainda se encontrasse em seu estado natural, mesmo que fosse um simples barqueiro, não seria nada estranho reclamar quando uma mudança dessa magnitude fosse proposta.

Mas, enquanto está rolando pelos resultados de sua busca, ela para repentinamente, seu dedo flutuando sobre a tela. É o único site que não está ligado às obras na ilha.

Uma discussão no Reddit. Elin vê o nome de Porter Jackson citado em um tópico que imediatamente a intriga: *Quem aí estudou na escola da ilha entre 1963 e 1967?*

Certamente aquela discussão se referia à Escola Rock House. Rolando a tela rapidamente para baixo, Elin começa a explorar os comentários.

Oi, meu nome é Alain Dunne, eu estudei na Rock House entre 1963 e 1967. Agora é bem óbvio que aquilo ali era o lixão onde as autoridades locais de todo o Reino Unido despejavam as crianças "desajustadas" (que era como se referiam a nós) que tinham problemas de comportamento.

Alguma outra pessoa comentou:

Eu gosto da expressão "internato de 'delinquentes juvenis'", mas acho que o termo politicamente correto seria "internato de 'meninos com desajustes comportamentais'". Só sei que eu era um desses.

Vários comentários abaixo, surge uma foto na discussão sobre a escola. Elin continua lendo.

Um amigo do meu pai foi professor na Rock House nos anos 1960 e 1970. Eu era criança na época, mas morria de medo dele, então vai saber o que aqueles meninos devem ter passado.

Depois, outro comentário:

Mais alguém se lembra do Porter Jackson? Ele era da minha turma. Única pessoa com quem não mantive contato.

Elin encara a tela, seu coração batendo tão forte que conseguia senti-lo nos ouvidos.

Estava bem ali: Porter Jackson, barqueiro na época dos assassinatos de Creacher e alguém que havia protestado publicamente contra o desenvolvimento da ilha, tinha estudado naquela escola.

Sua ligação com a ilha ia muito além dos assassinatos de Creacher.

— Achou alguma coisa? — Steed tenta olhar para a tela dela.

— Achei. O barqueiro, Porter Jackson.

Ela conta para Steed sobre a ligação dele com o artigo que havia lido, e depois continua lendo os outros comentários, lembranças de professores e da comida de qualidade duvidosa. Com o dedo sobre a tela, se detém em um deles quase na metade da página.

Mais alguém se lembra daquela sala estranha para onde eles nos levavam? Tinha umas coisas esquisitas no chão — umas pedras que se pareciam com a pedra da ilha.

Elin pisca e relê aquela mensagem enquanto tem uma sensação estranha de estar perdendo o chão: a sala, com certeza a mesma que Michael Zimmerman havia mencionado.

Uma sala com pedras no chão. Como a caverna na pedreira.

Aquilo não podia ser coincidência. Ela vira a tela do telefone para Steed.

— Olha isso.

Ele solta um assobio.

— Puta merda.

Elin sente um arrepio. Os rumores que tinha ouvido sobre a escola agora faziam sentido; as expressões anestesiadas dos garotos nas fotografias, Zimmerman falando sobre o trauma que o artista tinha relacionado ao tempo em que estudou lá.

Perplexa, ela continua a leitura.

Você se lembra onde era?

Não. Eles vendavam a gente, né? Mas não ficava muito longe da casa. Eu lembro que tinha que descer uns degraus.

Só sei que funcionava. Nos deixavam a noite inteira ali, sozinhos... era um castigo horrível, mas, depois daquilo, eu nunca mais me comportei mal.

Até hoje eu tenho pesadelos com isso. Eu comecei a usar isso na minha arte... foi a única maneira que encontrei para processar tudo isso.

Vamos continuar essa conversa em privado, não acho que um fórum público seja o lugar para falar desse assunto.

Elin continua lendo, mas aquela é a última menção à sala.

— Eu não entendo o que se passa na cabeça dessas pessoas. — Steed faz uma careta. — Crianças indefesas...

— Pois é. E gente que deveria estar lá para protegê-las... — Enquanto Elin volta a tela até um ponto específico da conversa, seus olhos se fixam numa frase: *Eu comecei a usar isso na minha arte.* — Essa parte, sobre arte, me fez pensar naquela obra que está na recepção, cheia de imagens da Pedra da Morte. E se elas forem representações das pedras que ficavam nessa tal sala?

— Talvez seja uma maneira de processar tudo, como disse esse cara.

— Algo que, talvez, o nosso assassino nunca tenha feito. Acho que temos uma motivação bem substancial aqui. E se o nosso assassino estiver revivendo através de seus crimes as experiências que teve naquela sala? E se estiver lidando com um... trauma profundo? E se, ainda por cima, ele estiver em surto...

Steed concorda lentamente com a cabeça.

— Mas, se esse *é* o caso, isso implica o fato de o assassino ser alguém que estava na escola, ou que a frequentou. Ou, no mínimo, alguém que a conhece.

— Você tem razão. — A mente de Elin vai direto para a pessoa cujo nome havia chamado sua atenção para aquela discussão. — A única pessoa que se encaixa nesse perfil é Porter Jackson, mas a pergunta é: ele estava na ilha quando Lois Wade desapareceu? Vou mandar uma mensagem para o Johnson.

Ele responde quase que instantaneamente. Elin vira-se para Steed.

— O Jackson era o barqueiro quando Lois desapareceu. Johnson não achou isso relevante na época, porque, pelo jeito, Jackson deixou os adolescentes lá e foi embora, e várias pessoas confirmam isso.

Ela detecta um brilho efêmero nos olhos de Steed.

— Mas só porque ele foi embora, não quer dizer que não tenha voltado.

— Exatamente.

Era uma teoria. Ela, no entanto, não conseguia ignorar os furos: apesar de Jackson ter estado ou na ilha ou em algum lugar próximo na época dos assassinatos do Creacher, não há nenhuma prova de que esteja ali agora.

— Vamos ver se conseguimos descobrir alguma coisa sobre o paradeiro atual dele. — Elin rapidamente procura o nome dele, mas a busca lhe retorna diversas páginas de resultados. — Péssima ideia. Vou perder horas nisso. Vamos ligar para a inteligência, pedir ajuda. Enquanto isso, eu queria falar com o Michael e dar uma olhada nessa estrutura que ele mencionou. Ele disse que está bloqueada, mas, depois de ler isso, acho bom dar uma conferida para ver se não tem algum outro ponto de acesso.

— Você acha que o assassino pode estar escondendo a Farrah nesse lugar?

— É uma possibilidade. Fique de olho nas coisas por aqui e eu vou atrás do Michael.

Então, pegando sua bolsa, ela sente uma injeção de entusiasmo, a adrenalina pulsando tão rápido em suas veias que ela chega a tropeçar enquanto sai andando pelo salão.

Eles estão quase lá. Peça por peça, o quebra-cabeça está sendo montado.

78

— Chegamos. Essa é a entrada — indica Michael, afastando os galhos que cobrem o que restou da soleira da porta.

Elin sente o aroma suave da vegetação antiga quando aponta a lanterna, sua luz revelando uma intrincada teia de aranha com minúsculas gotículas de água decorando suas filigranas. Ouve-se o rugido gutural de um trovão, seguido por uma lufada de vento que faz os galhos das árvores se agitarem com violência de um lado para o outro. Quando o vento diminui, Elin observa, decepcionada, o que está à sua frente: um monte de escombros misturados com concreto.

Não resta a menor dúvida de que a entrada da sala está completamente bloqueada.

— Agora vai ser difícil de enxergar, mas ali estão os contornos da porta — comenta Michael, apontando para o lado esquerdo dos escombros, e o capuz de sua capa escorrega de sua cabeça quando ele faz isso.

No céu, um relâmpago: uma explosão repentina de luz branca. As árvores, o chão coberto por folhas e Michael, tudo dá um salto do monocromático para uma cartela de cores vivas e fugazes.

Enquanto a luz vai cedendo, Elin examina a estrutura. Parece algum tipo de bunker, que possivelmente tinha uma escada para a peça subterrânea que ele havia descrito. Os cabelos de sua nuca se arrepiam. Apesar do bloqueio, uma atmosfera horrível permeia toda aquela área. Quanto mais olha para a estrutura, menos consegue não imaginar o que poderia acontecer lá embaixo.

Elin começa a contornar o espaço.

— E você tem certeza de que não tem nenhuma outra entrada?

Michael balança a cabeça, piscando os olhos para tirar as gotas de chuva.

— A menos que alguém tenha cavado um túnel, acho bastante improvável. Além disso, se alguém conseguisse chegar até a sala, ela estaria toda aterrada.

Elin concorda. Ele tem razão. Está bem claro: o lugar está selado.

— Desculpa não poder ajudar mais — diz Michael, a última parte de sua frase abafada pelo barulho da chuva. A tempestade está mais intensa, e bate com força no chão encharcado. — Pelo que o cara falou, a ideia era enterrar este lugar para sempre, e eles cumpriram bem a tarefa. — Ele olha ao redor. — E não dá para culpar ninguém. Este lugar não tem uma energia boa, né?

— Não mesmo — responde Elin, mas seu desconforto é prontamente substituído por uma sensação de ficha caindo, quando percebe o que Michael acabou de dizer: uma nova informação, que tinha uma diferença sutil em relação ao que ele havia dito a ela na praia. — O que você disse, sobre enterrar este lugar para sempre... Alguém falou isso explicitamente, na época? Não foi só uma orientação de segurança essa coisa de aterrar um prédio antigo?

— Sim. — Michael fecha um pouco mais sua capa. A chuva pesada faz seu cabelo grudar na cabeça, revelando uma parte calva. — Parece que o dono fazia muita questão disso. Foi o que me fez pensar que a sala que o artista mencionou estava *embaixo* de tudo isso. Ele queria concretar tudo, não só a entrada. E até onde eu sei, ele quis fazer isso com a escola também.

Elin olha para ele, um frio percorrendo sua espinha.

Ronan Delaney.

79

— Jackson? — Ronan Delaney fecha seu notebook, uma leve expressão de reconhecimento no rosto.

Elin assente.

— É verdade que vocês dois estudavam juntos, aqui na ilha?

Os olhos de Ronan vão do rosto dela para o de Steed, demonstrando preocupação.

— É, sim. Nós fomos colegas de turma. Gostávamos de futebol, os dois, mas torcíamos para times rivais.

Steed dá um meio sorriso.

— E ele também foi publicamente contrário à construção do retiro?

— Foi. — Ronan faz uma careta. — Ficou contra, causou vários problemas. Fez campanha, organizou protestos, mas, pra ser sincero, faz parte do meu trabalho. Você acaba irritando as pessoas. Especialmente os moradores da região. Ninguém gosta de mudança. Acho que o fato de termos sido colegas de escola também não ajudou. — Ele faz uma pausa. — E eu sempre achei que aquilo havia sido um tanto... pessoal, pelo que havia acontecido antes.

Elin hesita por um instante. Tem algo nele que ela não está conseguindo identificar direito. Embora esteja claramente em processo de luto, sua linguagem corporal é a de um entrevistado profissional, mostrando-se incomodado com os temas que está sendo discutido: gestos grandiosos, a boca ensaiando um leve sorriso ao final de cada frase.

Uma pessoa acostumada a apertar a mão de colegas, seduzir investidores. Ela sabe que aquilo tudo provavelmente é automático, um reflexo, mas, ainda assim, é desconcertante.

— E o que aconteceu exatamente? — pergunta Steed.

— Eu aconselhei Jackson, e vários outros amigos da escola, a fazerem um investimento. Tudo deu errado no final, mas o risco faz parte do negócio. Às vezes você ganha, às vezes você perde. Jackson levou para o coração, mas, se você tem uma tendência a fazer isso, então nem deveria colocar as moedas na mesa.

Elin aquiesce. Claramente havia um problema entre os dois, mas como isso se relacionava com o caso?

— Falando na escola, nos falaram de uma sala que não ficava no mesmo prédio e que era usada para aplicar castigos. Você tem algum conhecimento sobre isso?

Segundos se passam.

— Sim — confirma ele, por fim, pigarreando. — Mas é um assunto sobre o qual eu nunca falei.

— Você pode nos contar o que acontecia? — pede Steed, seu tom de voz baixo.

Ronan concorda e, quando seu olhar se encontra com o de Elin, a detetive detecta um medo primal ali.

— Assim que cheguei à escola, eu já senti que tinha alguma coisa... errada. A gente espera que garotos dessa idade estejam subindo pelas paredes, mas eles estavam arrasados, tremiam de verdade quando um adulto entrava na sala. Depois de alguns dias por lá, eu descobri o porquê. — Ele faz um breve silêncio. — Fui acordado de madrugada por uma figura vestindo um... — ele retorce o rosto — ... um manto. Essa é a única maneira que eu consigo descrever.

Elin fica tensa. *Um manto.* Um cenário bem consistente está começando a se formar.

— Nós fomos vendados e levados para fora da escola, até uma sala que ficava em outro lugar. — Ronan balança a cabeça, como se quisesse se livrar daquela recordação. — Eu me lembro de tirarem a minha venda. Estava escuro, mas, depois de algum tempo, os olhos se acostumam. Tinha umas… pedras no chão, esculpidas no mesmo formato da Pedra da Morte. — Sua voz começa a falhar.

O coração de Elin acelera. *Pedras… esculpidas no formato da Pedra da Morte.*

— Acontecia alguma coisa lá dentro? — pergunta ela, cuidadosa.

Ronan assente e, pela primeira vez, sua fachada desaba por completo. Seu corpo parece ter implodido por dentro, seu rosto todo se contorcendo.

80

— Eles nos trancavam lá por horas — conta ele.

Ronan olha para suas mãos. É a primeira vez que Elin percebe as unhas roídas, a pele inflamada ao redor delas.

— Nós tínhamos ouvido falar da maldição, então aquelas pedras... eram assustadoras. Depois de algum tempo, a mente começa a pregar peças. Eu ficava o tempo inteiro com uma sensação horrível de que estavam nos observando. Era uma coisa que os professores sempre nos diziam. *A Morte está observando*. Se a gente fizesse qualquer coisa de errado, ela nos encontraria.

— Devia ser muito assustador — murmura Elin, sentindo grande dificuldade de entender por que alguém infligiria esse tipo de medo em crianças.

— E era mesmo. Era um terror psicológico doentio que eles colocavam na gente só para nos controlar, sabendo que não reagiríamos. Como adulto, agora consigo ver bem o que aquilo era: abuso de poder. Mas quando eu era criança...

— Sinto muito — diz a detetive. A carga do que ele lhes contou pesa o ambiente. Elin tinha imaginado várias possibilidades, mas não *isso*. — E tinha algum padrão para esse tipo de coisa acontecer?

— Na verdade, não. — Seu sorriso profissional aparece mais uma vez, para então sumir logo em seguida.

— Você chegou a descobrir quem se fantasiava de Morte? — pergunta Steed. — Qual professor?

— Não. — Ronan leva a mão esquerda à boca, seus dentes encontrando a carne viva ao redor de suas unhas.

Steed está escrevendo em seu caderno.

— Ninguém nunca falou nada sobre isso?

— Nós tínhamos muito medo. Um menino disse que estava pensando em contar aos pais, mas, no dia seguinte, ele sofreu uma queda durante um passeio na pedreira. Ninguém teve coragem de falar mais nada depois daquilo. O tempo todo nós acreditávamos piamente que — ele faz as aspas com os dedos — "a Morte" era a responsável. Nós não éramos mais tão crianças, mas o medo que sentíamos...

Alguém queria calá-los, pensa Elin, e do jeito mais inteligente possível: consolidando a terrível narrativa de que a morte os machucaria caso eles saíssem da linha.

— Manipulação — diz ela, baixinho.

— Exatamente — concorda Ronan. — Do pior tipo.

— E o Porter Jackson? Imagino que ele tenha passado pela mesma coisa.

— Imagino que sim. Tenho quase certeza de que nenhum de nós escapou.

Steed levanta os olhos do caderno.

— E você estava ciente de que Porter Jackson trabalhava como barqueiro na ilha na época dos assassinatos do Creacher?

Após uma breve pausa, ele concorda com a cabeça.

— Agora que você mencionou, sim. Acho que li a respeito.

— Isso o surpreendeu? Depois da passagem dele pela escola?

— Por incrível que pareça, não. Eu senti a mesma coisa, essa necessidade de voltar pra cá, de tentar botar alguma espécie de ponto-final no que tinha acontecido aqui. — Ronan dá de ombros.

Assim como Will e Farrah, pensa Elin, e o artista que criou aquela tapeçaria.

— E depois do confronto por causa do projeto do retiro, você voltou a ter contato com Jackson?

— Não, mas nem teria como. — Ronan olha para eles. — Um amigo da escola me contou alguns meses atrás que Jackson tinha morrido. Falou sobre um funeral na cidade natal do Jackson, Ashburton. Acho que foi em novembro do ano retrasado.

Elin encara Steed, sua própria decepção refletida nos olhos dele. Ela pega o celular e começa a procurar pelo nome do homem e a cidade. Os termos de busca mais específicos trazem um resultado bem preciso: um site em homenagem à sua memória, de mais de dois anos atrás. Há uma fotografia no topo da página. Ela vira a tela para Ronan.

— É ele?

Ele assente. Elin dá uma lida no texto abaixo da imagem, que traz informações sobre o enterro de Jackson. Há também uma breve biografia mencionando a passagem dele pela escola e sua vida profissional, incluindo a temporada na ilha.

É ele. Não há a menor dúvida. Porter Jackson está morto.

As mortes de Bea, Seth e Jo: não tem como ele ser o responsável.

— Imagino que não era isso que vocês esperavam ouvir — comenta Ronan, olhando para eles.

— Não exatamente. — Ela ainda está processando aquilo. — Você sabe se ele tinha algum parente?

— Não tenho certeza. Desculpa.

— E nenhuma outra pessoa que tenha frequentado a escola entrou em contato com você recentemente?

Elin percebe o desespero na própria voz. *Ela estava tão certa daquilo. Jackson não só tinha uma motivação genuína... como também estava na escola e na ilha durante os assassinatos do Creacher.*

— Não. — Ronan faz uma pausa e balança a cabeça. — Mas, para ser sincero, eu acho difícil entender por que uma pessoa que passou pelo que nós passamos ia querer fazer a mesma coisa a outra pessoa.

— Às vezes, isso faz parte de um padrão, um ciclo. Uma pessoa que é agredida de certa maneira se tornar, ela própria, uma agressora. Na maioria das vezes não é o que acontece, lógico, mas é uma possibilidade. Eu... — Ela para. Seu telefone está tocando. Will. — Desculpa, preciso atender.

— Sem problema. Se precisarem de mais alguma coisa, estarei com o grupo. — Ronan junta suas coisas. — Fui fortemente orientado a ir logo.

— Caiu... — murmura Elin enquanto eles deixam a sala.

— Quem era? — pergunta Steed.

— O Will. É melhor eu ligar de volta.

Steed segura o braço dela, de leve.

— Espera, antes de fazer isso, eu estava pensando em ir de novo até a cabana da praia, se por você tudo bem ficar sozinha aqui...

Elin franze a testa.

— A cabana? Nós combinamos que ninguém sairia daqui, e o Seth...

Ele faz que sim com a cabeça, muito sério.

— Vou vestir meus equipamentos e vou ser o mais rápido possível. Tem alguma coisa me incomodando no que a gente viu por lá. Quando o Delaney falou sobre futebol, me deu um estalo. A caneca que eu vi lá, naquela prateleira, comemorava um campeonato que só aconteceu no ano *passado*.

O coração de Elin se acelera.

— Alguém esteve na cabana recentemente.

Steed olha em seus olhos.

— Sim, depois que o retiro foi construído.

81

Will nem sequer a cumprimenta.

— Alguma notícia? — pergunta.

Elin engole em seco, relutante em destruir a esperança implícita em sua voz.

— Nenhum sinal da Farrah, infelizmente. A única coisa que encontramos foi a bolsa dela na praia.

— Isso quer dizer que ela esteve lá, não? — questiona ele, rapidamente. — Vocês precisam fazer uma busca na região.

— Nós já fizemos, mas não é seguro mandar ninguém de novo agora, não sem termos apoio.

Uma pausa.

— E quanto às ameaças? Com certeza tem alguma pista nelas.

— Sim, mas ela não deu nenhum detalhe.

Elin sente o prenúncio de um calorão subindo pelo pescoço. Assim que as palavras saem de sua boca, ela percebe seu erro, não apenas no que deixou escapar — o fato de que Farrah lhe contou que vinha sofrendo ameaças —, mas no que havia feito. O motivo pelo qual Farrah não lhe deu nenhum detalhe foi porque Elin a ignorou, por não ter percebido a conexão entre aquilo e o que estava acontecendo. Farrah tentou contar algo e Elin a afastou.

— *Ela não deu nenhum detalhe.* — A calma na voz de Will é um tanto sinistra. — Do jeito que você disse, parece que a Farrah já tinha contado para você sobre as ameaças. Não entendo como isso seria possível, já que ela já estava desaparecida quando você encontrou aquilo no computador dela.

O calorão agora está se espalhando para além do pescoço.

— Eu não sabia, Will... ainda não sei... se o que ela tinha me contado tem alguma ligação com tudo isso. Ela me disse que era o ex dela. Tentando assustá-la.

Um silêncio pesado se instaura.

— Deixa eu ver se entendi direito — começa Will, por fim. — A Farrah te falou *antes* de desaparecer que estava sendo ameaçada. Você ao menos se deu ao trabalho de investigar isso?

— Não, mas... — Elin estava falando no piloto automático, porque a enormidade do que tinha feito acaba de se tornar evidente para ela. Havia falhado com Farrah, não tinha levado a sério o que ela contou.

— Você estava ocupada demais bancando a heroína, né?

— O que você quer dizer com isso? — questiona ela, surpresa com o tom agressivo de Will.

— O que você está dizendo é que não teve tempo para ela, mas esta... esta *situação*, você está totalmente envolvida nela e não deveria estar. Você mesma disse que ainda não estava pronta para esse tipo de caso, mas foi lá e aceitou mesmo assim. Você estava com dúvidas... e elas se justificaram, porque você deixou passar elementos muito importantes. E agora a Farrah desapareceu. Se você tivesse levado as preocupações da Farrah a sério, nós poderíamos ter protegido a minha irmã... mas, não.

— Olha, a gente nem sabe se ela está mesmo desaparecida.

— Como assim?

— Bem, eu estava pensando que existe a possibilidade de ela ter simplesmente fugido, ou...

— Ou o quê? — diz ele, seco.

— Bom, eu só estava pensando... — Agora Elin já estava improvisando, tateando no escuro. *Por que tinha tocado nesse assunto? Hora errada. Tom errado.* — Se você realmente sabe de tudo que aconteceu na ilha naquela noite, se a Farrah foi completamente honesta com você, talvez alguma outra coisa tenha acontecido.

Ele fala por cima dela:

— Mesmo depois que eu te contei que a Farrah mentiu para *me* proteger, você ainda está duvidando dela? O que você acha que aconteceu de verdade, Elin? Que ela mentiu para *se* proteger? E agora, o quê? Que ela está envolvida nisso, de alguma forma? Que não está desaparecida?

Elin sabia que precisava negar aquilo logo de cara, porque não é o que ela pensa, não mesmo, só disse porque estava ali, na sua cabeça, e queria que ele parasse de falar, que parasse de dizer todas aquelas coisas a seu respeito.

— Não, não é o que eu acho — rebate ela, rapidamente, mas, mesmo aos seus próprios ouvidos, não parece o bastante. — Mas eu preciso investigar todas as possibilidades, você sabe disso.

Faz-se um longo silêncio.

— Eu sei disso, Elin — responde ele, por fim. — Sei que você precisa explorar tudo, mas você também não precisa *acreditar* em tudo.

— Mas eu não acredito.

— Para de mentir, dá pra ouvir na sua voz. Você está duvidando dela e, por tabela, isso significa que também está duvidando de mim. O que isso diz sobre nós dois? — A voz dele sai trêmula. — Ah, é, eu esqueci, nós... a nossa relação... vem em segundo lugar, né? Sempre depois do seu trabalho.

— Isso não é verdade.

Ela se vira e encara a janela à sua frente. Seu reflexo aparece salpicado pelos vestígios da tempestade.

— É, sim, e é uma merda o fato de você nem se dar conta disso. Você deixou a Farrah na mão e, em vez de assumir a responsabilidade, está tentando, de uma maneira torta, jogar a culpa em cima dela. O que você não entende é que não se deixa a família na mão, ou talvez *você* deixe, porque a sua família é tão fodida que você não faz nem ideia do que seja se importar com alguém.

— Will, eu...

— Não, Elin, você não entende. O que a Farrah fez por mim depois que a Thea morreu, mentindo para a polícia, foi errado, eu sei, mas isso é amor. O que você fez aqui foi o oposto disso. Você jogou a sua família no lixo por causa do seu ego.

— Eu cometi um erro, foi só isso.

— Cometeu mesmo, mas foi um erro que você poderia ter evitado. Sabe, esse tempo todo você estava preocupada se era covarde por não ter feito uma coisa, mas, às vezes, *não* agir é a coisa mais corajosa que você pode fazer. Reconhecer os seus limites. — Sua voz tinha uma frieza incomum, que ele costumava reservar para aquelas vezes em que alguém o havia magoado de verdade. — A Farrah é minha irmã, Elin. Minha irmã. — Ele dá um longo suspiro. — Se você tinha alguma dúvida, qualquer porra de dúvida que fosse, você devia ter falado comigo.

Elin aperta o celular com força contra a orelha. Uma vergonha terrível toma conta dela.

— Eu sinto muito. Eu não sabia que o que ela ia me contar tinha qualquer relação com algo tão importante quanto este caso...

Uma pausa.

— É disso que eu tô falando. Você não achou que fosse importante como *este caso*. Nosso relacionamento nunca vai ser tão importante quanto o seu trabalho. É isso que te faz sentir viva, Elin. Eu vi um pouco disso na Suíça, achei que fosse porque o caso era pessoal, mas, não.

As palavras de Will são como ondas de água gelada batendo no rosto de Elin.

A detetive ouve a angústia na voz dele, algo que, ela sabe, tem a ver, principalmente, com o que aconteceu com Farrah, mas, ainda assim, aquilo parte seu coração. Ela quer protestar, contestar, mas não consegue.

Parte dela sabia, no minuto em que pisou naquela ilha, que ela estava cometendo um erro, mas fez aquilo porque queria, porque *tinha* que fazer, porque sentiu vontade. Talvez *fosse* porque seu irmão tinha morrido tão jovem. Ela nunca havia reconhecido aquilo de forma consciente, mas, desde que aquilo aconteceu, Elin teve certeza de que não queria viver uma vida comum. Queria viver sempre no limite, na adrenalina, elétrica, porque o Sam jamais poderia fazer aquilo.

— Eu sinto muito. Sinto muito por não ter conseguido encontrar a Farrah. — Aquilo era tudo o que tinha para dizer.

E, apesar de sentir seu coração se partindo, as palavras que estão na ponta de sua língua para expressar aquilo, palavras que poderiam melhorar as coisas — como "desculpa" e "eu te amo" —, simplesmente não saem. Essa parte sua está... com defeito. Emperrada.

— Eu sei que você sente, mas é que tem sempre alguma coisa. Outro caso, outra investigação pra você mergulhar de cabeça. Nada que eu faça ou diga nunca vai ser capaz de competir com isso.

Elin está anestesiada. É como se Will tivesse arrancado a camada protetora atrás da qual ela se escondia. Como se a tivesse exposto. A pessoa em quem ela mais confiava tinha removido seu véu.

— Eu não vou desistir até encontrar a Farrah.

— Eu sei, mas tudo o que aconteceu me fez pensar. Quando você voltar para casa, acho que precisamos conversar, Elin. Decidir para onde nós vamos a partir daqui.

82

As pernas de Elin tremem no trajeto para o salão de eventos. Ela se sente como se estivesse oca, vazia, após ouvir as palavras de Will.

Ele quer conversar — aquilo soa péssimo. Não consegue parar de pensar que Will finalmente tinha percebido como ela era de verdade, e não tinha gostado do que viu. E se eles não conseguissem se recuperar disso? Como ela lidaria com a situação se ele não confia mais nela como antes?

Assim que chega à porta do salão, porém, ela se força a parar de pensar naquilo.

Recomponha-se. Você ainda tem trabalho a fazer.

Assim que o funcionário do retiro do lado de fora do cômodo abre a porta, um cenário caótico se revela: malas e roupas espalhadas pelo chão, fragmentos de conversas frustradas pipocando de todos os lados. *Por que eles não nos dão nenhuma informação? Eu quero ir embora agora. Eu quero ir pra casa.* Os funcionários estão no processo de levar colchões para lá, mas a maioria das pessoas já se acomodou — em camas improvisadas feitas com suas próprias roupas, ou empoleiradas em ângulos esquisitos nas cadeiras.

Com a chegada da noite, as luzes no teto são a única iluminação do ambiente. O efeito da luz artificial é implacável, revelando as queimaduras de sol e as olheiras escuras no rosto de cada um.

— E aí, como foi? — diz Steed, quando ela para bem ao seu lado.
— Nada bem. E você?

— Tudo certo. O Seth... Estava tudo como tínhamos deixado. — Ele faz uma pausa. — Mas eu tinha razão, não fomos os primeiros a pisar naquela cabana desde os tempos da ONG. Encontrei jornais do ano passado, e isso aqui, escondido lá nos fundos. É de antes da construção do LUMEN. É a cópia de um projeto. — Steed tira um papel dobrado de dentro da mochila e entrega a ela. — Parece um projeto alternativo de desenvolvimento para a ilha.

Ele aponta para um trecho escrito a lápis no canto superior direito. Elin analisa melhor. É uma proposta de conservação ambiental, uma designação da ilha como Local de Interesse Científico Especial.

— Essa história de Local de Interesse Científico Especial tinha aparecido naquele artigo que eu li sobre o Porter Jackson reclamando das obras de desenvolvimento da ilha...

Steed continua olhando para o projeto.

— Também tem um nome aqui, Christopher alguma coisa... Não consegui entender o resto.

Ela examina aquela letra bonita, enquanto algo começa a piscar em sua cabeça, mas não consegue dizer exatamente o quê.

— Mais alguma coisa?

— Um estudo de caso sobre o impacto desse tipo de obra no ecossistema, na vida selvagem... dados acerca do uso de energia, destruição do meio ambiente...

— Talvez estivessem planejando uma denúncia contra o retiro.

— É o que parece. — Ele dá de ombros. — Desculpa não ter sido mais útil. Achei que isso poderia trazer revelações.

— Sem problemas. — Elin respira fundo. — Beleza, vou tentar acalmar os ânimos do pessoal. Imagino que você não tenha nenhuma novidade sobre o envio de reforços.

— Não, mas falei com eles. Boas e más notícias. Vou começar pelas boas, embora não tenha muita certeza de que merecem ser classificadas desse jeito... A equipe de análise de dados mandou o relatório do celular de Bea Leger. Confirma o que o cara dos esportes aquáticos disse para você. Ela fez várias ligações na noite em que chegou na ilha. Uma é para o que sabemos ser o celular da irmã dela, e outra para um número desconhecido. Tentei ligar para ele, mas está fora de área. Pedi que levantassem qualquer informação disponível sobre o número.

— Você acha que pode ser um celular descartável?

— Provavelmente, e a irmã tinha razão. O cartão de memória *foi* mesmo tirado do telefone. E foi usado diversas vezes desde que o corpo de Bea Leger foi encontrado.

— Possivelmente pelo assassino. Deve estar deletando informações.

— Parece que sim. — Steed dá de ombros. — Mas descobrir em qual telefone ele foi inserido talvez seja que nem procurar uma agulha no palheiro.

— E as más notícias?

— Eu falei com a Anna quando estava voltando da praia. Você devia estar no telefone... Ela tentou ligar para você. — Ele hesita por um instante, visivelmente desconfortável com o que está prestes a dizer. — Postaram mais um tuíte, Elin.

Sua mente leva um momento para entender do que ele está falando.

— Mais um?

— Aham. — Ele parece incomodado. — Anna ligou porque, dessa vez, tinha uma foto sua...

— Mas no tuíte anterior também tinha uma foto minha.

O tom de voz dele a deixa preocupada: não é o tom casual, genuíno e reconfortante dos últimos dias, mas uma coisa forçada. Ele está apavorado por ela.

— Não, dessa vez foi diferente — explica ele, e se atrapalha tentando pegar o celular. — A Anna fez um print. Olha.

Steed passa o celular para ela. Elin olha para o tuíte.

Por uma fração de segundo, sente como se seu coração tivesse parado de bater. E entende imediatamente por que ele hesitou tanto em lhe contar aquilo.

A questão não era terem feito a mesma coisa de antes — dois buracos no lugar de seus olhos —, mas o que o fundo da imagem lhe dizia.

A foto havia sido tirada no dia em que ela chegara ao retiro. Elin estava parada ao lado do pavilhão de yoga.

A pessoa que está postando esses tuítes está na ilha junto com ela.

83

Flashes dos últimos dias passam pela cabeça dela: Elin sozinha nos fundos do prédio principal, alguém andando com uma lanterna pelo mato; a pedra despencando da falésia…
Será que ela está correndo perigo real?
Steed pega o celular de volta.
— Eu acho que alguém está querendo intimidar você, só isso.
— Se fosse só isso, por que não tentariam fazer o mesmo com você também?
Ele hesita por um instante.
— Não sei — diz o colega, por fim.
Elin sente a cabeça rodopiar: *E se não for o assassino quem está postando essas coisas? Será que é o mesmo troll que fez uma coisa parecida durante o caso Hayler? Será que é o próprio Hayler?* Aquilo não seria impossível. Ele nunca chegou a ser encontrado. E quanto a Zimmerman? A detetive tinha a impressão de que o conhecia de algum lugar…
— Talvez não signifique nada — reitera Steed, rapidamente. — Pode ser só uma brincadeira, alguém que descobriu que você é policial e quer te dar um susto. Por mais horrível que possa parecer, acho que, por ser mulher, você é mais suscetível a esse tipo de coisa. Nós dois sabemos muito bem o que as policiais precisam aturar. A maioria dessas pessoas são covardes se escondendo atrás do teclado. Não quer dizer que elas vão mesmo fazer alguma coisa.

Elin assente. Ele tem razão, a maioria jamais faz algo físico, mas isso também não chega a ser um alívio. Afinal, já trabalhou com vítimas de stalkers e sabe que o medo real vem da *ameaça* de violência, da certeza de que alguém está sempre observando. À espreita. A imprevisibilidade de qual será seu próximo passo.

— Olha, é só uma coisa em que temos que ficar de olho. — A voz de Steed estava mais estável agora, como se ele estivesse reforçando sua convicção naquilo conforme vai dizendo as palavras em voz alta. — Alguém, seja ou não o assassino, está tentando entrar na sua cabeça, atrapalhar a investigação. Você não pode deixar que isso aconteça. Não depois de já termos chegado tão longe. — Ele indica com a cabeça as demais pessoas no cômodo. — Todo mundo aqui está confiando em você. Eles precisam de você para saber o que está acontecendo.

— Você tem razão.

Suas palavras destoam do turbilhão que sente dentro de si. Ela está começando a ter um mau pressentimento quanto àquilo.

Elin se recompõe. Em seguida, se dirige até a parte da frente do salão.

— Com licença, gostaria de dizer algumas palavras.

Nenhuma reação. Nem sequer olham para ela.

Batendo palmas alto, Elin levanta a voz:

— Com licença, se puderem me dar um minuto de sua atenção, eu gostaria de dizer algumas palavras...

— Já estava na hora — comenta alguém, mas Elin segue falando.

— Entendo que a situação é preocupante e que vocês provavelmente têm mais perguntas do que eu tenho respostas. Neste momento, tudo o que posso dizer a vocês é que estamos lidando com um incidente aqui na ilha e, para a segurança de todos, o melhor a se fazer é ficarmos todos juntos. — Mais cochichos de descontentamento. — Fiquem tranquilos, pois a polícia está ciente da nossa situação. Assim que puderem nos enviar reforços, farão isso.

— Mas *o que* está acontecendo, exatamente? — questiona outra pessoa.

— Infelizmente, não posso entrar em detalhes, não até que tenhamos mais informações.

Suor começa a brotar na nuca dela. Há mais burburinho e cabeças balançando. Uma onda de tensão permeia o cômodo, uma hostilidade profunda nos rostos reunidos à sua frente.

Elin sabe o porquê: as pessoas costumam se sentir aliviadas quando alguém assume o controle de uma situação, mas não quando não há respostas. Sem respostas, a imaginação toma conta.

Ela continua a falar, seguindo o roteiro improvisado que havia preparado em sua mente: instruções sobre como proceder quando alguém quiser usar o banheiro, ou como se portar numa emergência. Está na metade de sua fala quando um homem se coloca à sua frente, a insatisfação bem óbvia em seu rosto. Ele enfia as mãos nos bolsos da calça, deixando os polegares para fora, apontados para ela, sinalizando hostilidade.

— Você não pode dizer mais nada? — Uma marca vermelha de sol na lateral do rosto dele faz parecer que levou um tapa. — Falar de um incidente sem dar detalhes não é o suficiente. Minha esposa está apavorada, a gente só fica ouvindo os boatos. Alguém ouviu um funcionário do retiro dizer que acharam um corpo na praia.

Elin o encara, se sentindo exposta.

— Infelizmente, não tenho maiores informações a esse respeito. O que nós queremos agora é manter todo mundo em segurança.

O homem permanece olhando fixamente nos olhos dela, como se a estivesse desafiando, mas o momento é interrompido pelo barulho ensurdecedor do vento do lado de fora. Parece enlouquecido, fora de controle, como se estivesse querendo arrancar o prédio do chão.

O salão cai num silêncio incômodo.

Mas Elin sabe que eles só estão dando uma trégua porque está tarde. É quase meia-noite, as pessoas estão cansadas, não conseguem raciocinar direito. *Já passou da hora de dormir*. Amanhã, quando todos acordarem descansados, estarão em polvorosa. Ela precisa estar preparada.

— Vou repassar minhas anotações mais uma vez, reler os depoimentos que Johnson mandou — diz para Steed, após se afastar das pessoas.

— Eu também.

Sentando-se num canto do cômodo, Elin começa a ler, procurando alguma coisa, qualquer coisa. Agora tinha uma motivação plausível, mas, se Jackson estava morto, quem seria o responsável?

Tinha que ser alguém ligado a três linhas do tempo diferentes — a escola, os assassinatos de Creacher e o presente momento. As possibilidades parecem escassas e, ao mesmo tempo, infinitas. Além disso, enquanto vasculha os arquivos, fica repassando a conversa que teve com Will.

Às vezes, não fazer nada é a coisa mais corajosa que você pode fazer. Reconhecer seus limites.

Lágrimas começam a incomodar seus olhos. E se ele tiver razão? E se isso estiver *além* das capacidades dela? Elin se sente consumida por antigas dúvidas, seus pensamentos acelerando. *E se acontecer alguma coisa com a Farrah esta noite? Bem debaixo do seu nariz? E aquele tuíte?*

Com os pensamentos ainda rodopiando na mente, ela sente o estresse acumulado do dia atingi-la feito uma marreta.

Então, se recosta na cadeira e fecha os olhos para ter um momento de sossego.

84

Dia 4

Elin não sabe ao certo por quanto tempo dormiu quando escuta uma voz que parece sair das profundezas de sua mente.

Ao abrir os olhos, ela leva um susto. Ronan está parado logo ali, inclinado para ela, com o celular nas mãos, girando-o entre os dedos.

— Desculpe acordá-la.

— Tudo bem. — Ela se ajeita na cadeira, sentando-se melhor. — Eu não deveria ter caído no sono.

O salão à sua volta está mergulhado na penumbra, cheio de gente dormindo nas cadeiras e pelo chão. Algumas poucas pessoas ainda estão acordadas — a luz da tela dos celulares dando um brilho esquisito aos seus rostos. Ela nota que Steed também sucumbiu ao sono e está dormindo sentado na cadeira, com a cabeça virada para o lado. Elin o cutuca com um dos pés, mas tudo o que ele faz é soltar um leve ronco.

Ronan balança a cabeça.

— Compreensível, e eu deveria estar fazendo a mesma coisa, mas minha cabeça não para desde a nossa conversa. Eu fiquei pensando sobre o Jackson, aquilo que você perguntou sobre a família dele. — Ele balança a cabeça. — De repente, eu me lembrei. No dia dos protestos, o Jackson *estava* com alguém. Ele meio que me apresentou para a pessoa, acho que era o filho, e eles estavam trabalhando juntos. Mas tinha tanta gente lá, virou tudo meio que um borrão.

— Você se lembra de alguma coisa sobre o filho dele?

— Não muito. Ele estava usando um boné, tinha barba e os olhos eram parecidos com os do Jackson… — Uma pausa. Ele franze a testa. — Na verdade, tinha uma coisa, *sim*. Ele gaguejava um pouco, igual ao Jackson. Provavelmente foi por isso que eu cheguei à conclusão de que eram parentes. Eu sei que esse tipo de coisa é hereditário. Meu tio era gago e meu primo também.

Gago. Enquanto assimila aquela palavra, Elin sente algo se conectando. Alguma coisa que tinha captado na primeira vez que conversou com alguém ali, a maneira extremamente calculada como a pessoa falava. Uma pausa quase imperceptível no começo de cada frase, como se estivesse escolhendo a dedo as palavras. Outra associação: a camiseta azul da figura que tinha visto andando no meio do mato. Era da mesma cor que a pessoa estava usando naquele momento.

As idades batiam.

— Me dá um segundo — pede a detetive.

Elin enfia a mão dentro da bolsa e tira um saco plástico contendo a fotografia rasgada. Ela vai organizando os fragmentos de papel no colo, meio desajeitada, e fica olhando para a imagem.

Rostos se formam no meio daquela bagunça. Adolescentes. Professores. Monitores do acampamento.

Ela os examina cuidadosamente mais uma vez, até que seus olhos se detêm num rosto em particular.

Caleb.

Bem ali, na última fileira, um dos monitores.

Por um momento, ela não enxerga Caleb na foto — parece uma pessoa completamente diferente, o maxilar delicado de agora escondido atrás de uma barba, cabelos sebosos e compridos alongando seu rosto. O boné camufla ainda mais suas feições quando ela tenta olhar mais de perto.

Agora que sabe o que está procurando, as semelhanças estão muito evidentes. Os olhos, o desenho da boca. Foi por causa disso que seu subconsciente havia apitado quando ela juntou todos os pedaços rasgados que encontrou na lixeira de Farrah.

Seu coração bate com força enquanto a mente vai ligando os pontos, antes aparentemente tão desconexos: a gagueira, o comentário de Steed de que Caleb falava muito mal de Seth e do retiro, o fato de Hana ter lhe dito que Caleb havia perdido o pai.

Seu pai era Porter Jackson.

— É ele — balbucia Elin.

O vento se choca novamente contra a lateral do prédio, abafando suas palavras.

Caleb estava na ilha quando os assassinatos de Creacher aconteceram.

85

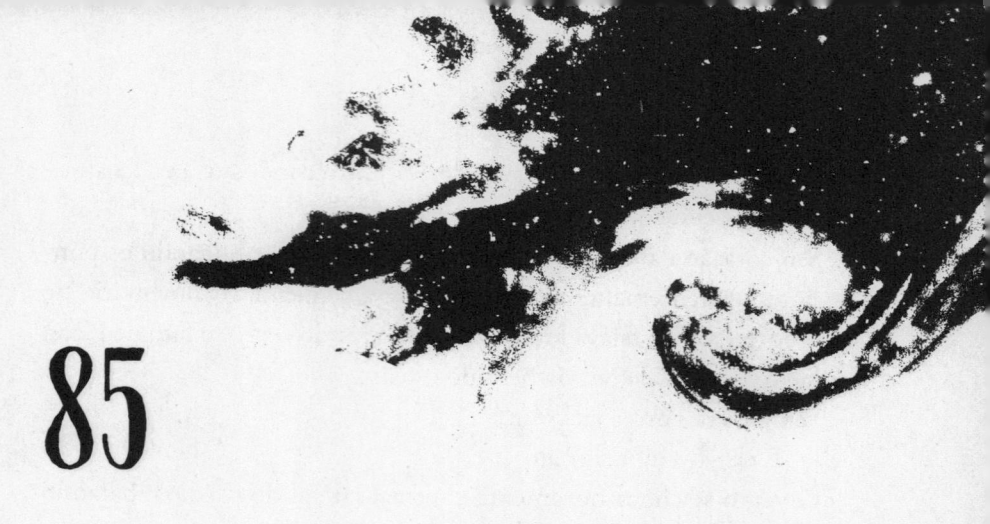

Lutando para controlar a voz, Elin dirige-se a Ronan, gesticulando para a imagem em seu colo.

— Foi essa pessoa que você viu junto com Jackson?

Ele se inclina e observa a foto.

— Desculpe, é difícil dizer, isso já faz muito tempo. Mas ele é parecido, se isso ajuda. Você sabe quem ele é? — Ela assente. Apesar da penumbra, Ronan fica olhando ao redor, pelo salão. — Você acha mesmo que, se ele *for* o filho do Jackson, ele está envolvido nisso?

— Não tenho certeza.

Até então, ela estava convicta de que o assassino precisaria ter uma ligação direta com a escola, com o que acontecia por lá, mas Caleb não era sequer nascido naquela época. O pai dele tinha uma motivação plausível por ser ex-aluno, mas Caleb, não. *O que eles estão deixando passar?*

— Vou acordar o meu colega — anuncia ela. — Avisamos assim que tivermos mais informações. Se você se lembrar de qualquer outra coisa...

— Pode deixar — diz Ronan.

Ele assente e retorna ao seu lugar. Depois que ele se afasta, Elin tenta acordar Steed. Ele estava num sono pesado, então leva alguns instantes até que desperte.

— Que horas são? — Ele esfrega os olhos. — Eu não queria ter pegado no sono...

— Cinco e pouquinho.

Em seguida, Elin lhe diz o que Ronan havia contado. Bocejos mal contidos pontuam seu discurso, e ela não tem muita certeza do quanto Steed está absorvendo do que diz até que ele endireita o corpo abruptamente, olhando na direção dos Leger.

— E qual é o plano? Vamos cair em cima dele antes que ele perceba o que está acontecendo?

— É uma boa pedida.

Eles juntam as coisas e se movem com cuidado, desviando das pessoas dormindo no chão. Elin aponta a luz de sua lanterna para o grupo. Hana é a primeira a ser iluminada, deitada em posição fetal. Maya está dormindo ao seu lado, o celular meio solto ainda em sua mão.

— Caleb não está aqui — sussurra Elin, enquanto balança delicadamente Hana pelo braço. Ela parece surpresa quando vê o rosto da detetive, e seus olhos se arregalam. — Desculpa incomodar — fala, baixinho. — Mas você sabe onde está o Caleb?

Com os olhos semicerrados, Hana balança a cabeça.

— Ele estava aqui antes... — Ela se perde no que ia falar, percebendo o tom de urgência. — Aconteceu alguma coisa?

— Sim. Eu preciso falar com ele.

— Vou acordar a Maya. — Hana se senta, aperta a mão de Maya e fala alguma coisa baixinho em seu ouvido.

Ainda deitada, Maya olha para os dois por entre os fios de cabelo caindo no seu rosto.

— Ele estava aqui quando eu caí no sono — informa ela, meio grogue. — Ele dormiu antes de mim, dava pra perceber pela respiração dele.

— Ele não acordou no meio da noite e disse que ia sair daqui? — Elin se vira lentamente, confusa.

Se Caleb havia mesmo saído, como tinha conseguido fazer isso? O funcionário do retiro que ficava na porta havia sido instruído a não deixar ninguém passar, exceto para ir ao banheiro, sempre aos pares e com supervisão, e deveria soar um alerta caso eles não retornassem. Como Caleb teria furado o bloqueio?

— Não... — Mas Maya faz uma pausa, seu rosto fica sério. — Na verdade, eu acho que ouvi uns passos, algumas horas atrás. Mas eu não cheguei a acordar de fato, então não sei dizer se era ele.

Elin balança a cabeça. *Ela não está gostando daquilo.*

— Vocês notaram algo de estranho no comportamento dele nesses últimos dias? Alguma coisa diferente do normal?

Hana balança a cabeça.

— Na verdade, não, mas eu estava muito fechada na minha bolha. Ele estava mal, é claro, como vocês viram ontem à noite, mas tirando isso...

— Digo o mesmo — afirma Maya.

— Ele não falou nada para nenhum de vocês? Teve alguma briga? — pergunta Steed.

Hana para por um instante.

— Bom, não chegou a ser uma briga, propriamente dita, mas o Caleb andou falando meio mal do Seth. Da Jo também. Mas eu achei que era uma coisa pessoal, que eles tinham feito alguma coisa que o deixou irritado.

Steed inclina-se para baixo.

— Essa é a bagagem do Caleb? — Ele aponta para uma mochila grande aos pés de Hana.

Ela assente.

— Tem uma mala também — acrescenta ela, apontando.

Com uma eficiência brutal, Steed vasculha primeiro a mochila e depois abre o zíper da mala. Maya e Hana ficam observando em silêncio enquanto ele examina o conteúdo delas.

— Não tem nada aqui — informa Steed, alguns instantes depois, fechando-a de volta. — Ele não tem nenhuma outra bagagem?

— Não — murmura Maya, mas então franze a testa. — Na verdade... — Ela se vira para Hana. — Antes de a gente sair do chalé para vir até aqui, vocês foram até o meu quarto, não foram? Han, você foi dar uma última olhada, pra ver se nós não tínhamos esquecido alguma coisa. Enquanto você estava fazendo isso, o Caleb e eu ficamos conversando. Aí eu fui ao banheiro e, quando voltei, ele estava mexendo no zíper da sua mala. Ele disse que ela estava aberta. Na hora eu achei que não fosse nada de mais, mas...

Elin olha para Steed, arqueando uma sobrancelha. *Será que Caleb ousaria fazer isso?*

— Você está com a sua mala aqui?

— Sim, é aquela ali — diz Hana, apontando.

Elin fica pensando: Caleb deve ter imaginado que não haveria motivo para que eles precisassem reabrir as malas até chegarem ao continente, especialmente se estivessem viajando com uma mochila ou uma bolsa menor. Então poderia ser um ótimo lugar para esconder alguma coisa.

Steed puxa a mala.

— Tudo bem se eu abrir?

Hana assente.

O policial puxa os zíperes até o fim e abre a tampa da mala. Por um instante, parece que a teoria de Maya está errada: tudo o que Elin consegue ver são roupas amassadas, emboladas, umas por cima das outras, sem nenhuma ordem aparente.

— Ali — diz Maya, categórica, apontando. — Aquilo ali não é seu, né, Han?

Enfiada num canto, em meio às roupas de banho, está uma bolsinha. Hana balança a cabeça em negativa enquanto Steed estica o braço para pegá-la.

— Não parece nada de mais — observa ele.

— Talvez ele só tenha ficado sem espaço na mala — sugere Maya, como se ela também tivesse dificuldade em ver qualquer coisa de sinistra naquele objeto trivial.

— Então por que ele não me perguntou se podia colocar isso aí? — Hana franze a testa. — Pra que esconder?

Steed abre a bolsinha e analisa o conteúdo: escova e pasta de dentes, gel para o cabelo.

— São apenas itens de higiene pessoal — diz Maya, mas sua voz vai perdendo força quando Steed tira mais um objeto de lá.

Enquanto ele segura o objeto no ar, ela abre a boca para falar de novo, mas não consegue dizer nada.

86

— Um passaporte. — Elin levanta a lanterna, a luz fraca iluminando as palavras. *Christopher Jackson.* — Um outro nome e um outro rosto...

Ela examina a fotografia. Uma barba bem cheia, mais escura do que seu cabelo, deixando o rosto mais largo e conferindo uma coloração mais amarelada à sua pele. A imagem tem uma incrível semelhança com a foto que ela havia resgatado da lixeira de Farrah.

Seu olhar se concentra rapidamente naquele nome, e seus batimentos aceleram: *Christopher.*

— Esse nome, Christopher, não estava no projeto que encontramos na cabana?

Steed faz que sim com a cabeça.

— Então, se o Caleb for mesmo esse Christopher, provavelmente esse era o plano que pai e filho tinham para a ilha.

Ela volta a pensar no artigo que havia lido sobre as obras do retiro, e os planos frustrados de garantir o status de Local de Interesse Científico Especial para a ilha. Um Chris também era mencionado naquele texto, tinha certeza disso.

As engrenagens em sua cabeça começam a funcionar.

— Você não disse que o Caleb tinha falado muito mal do retiro?

— Falou mesmo — responde Steed. — Eu achei um pouco fora do tom, levando em conta tudo o que havia acontecido.

Hana olha para ela.

— Ele disse algo parecido para mim...

— Você acha que Ronan Delaney sabia desse projeto quando propôs a construção do retiro? — pergunta Steed, bem devagar.

— Não sei. Mas se esse *era mesmo* o projeto de Caleb e Porter Jackson, e ele nunca saiu do papel, certamente corrobora com a tese de que Jackson tinha algum interesse em se opor aos planos de Delaney para a ilha.

— Sim, eu... — Steed para. — Espera, tem mais alguma coisa aqui. — Ele ainda estava fuçando a bolsinha.

Elin olha por cima do ombro dele e, ao lado de uma cartela velha de analgésicos, vê os contornos arredondados de um telefone.

Quando o colega o tira de lá, os dois trocam um olhar carregado de significado. *O cartão de memória desaparecido.*

Steed pressiona o botão lateral, e o celular acende. Não está protegido por senha, e a tela inicial aparece, com uma sequência organizada de ícones.

— Esta é a tela do celular da Bea — confirma Hana assim que a vê, seu rosto empalidecido.

Steed clica no ícone de um envelope na parte inferior da tela.

— Deve ser o e-mail profissional dela.

Elin olha para a sequência gigantesca de mensagens não lidas enquanto novas mensagens vão sendo carregadas na tela.

Steed faz uma busca usando o nome de Caleb e depois vai fazendo o mesmo, de forma metódica, em cada um dos aplicativos — WhatsApp, mensagens do iPhone.

— Parece que ele fez uma limpa geral. Não estou achando nenhuma mensagem aqui entre ele e a Bea.

Franzindo a testa, Hana aponta para um ícone no topo da tela.

— Dá uma olhada aqui... a conta do Yahoo dela. A gente criou junto, quando nós éramos crianças. Eu não sabia que ela ainda usava.

Steed abre o aplicativo. Novas mensagens inundam a caixa de entrada.

Elin espera, ansiosa.

Quando os e-mails mais recentes terminam de serem baixados, não é o nome de Caleb que aparece no topo — é o de Bea.

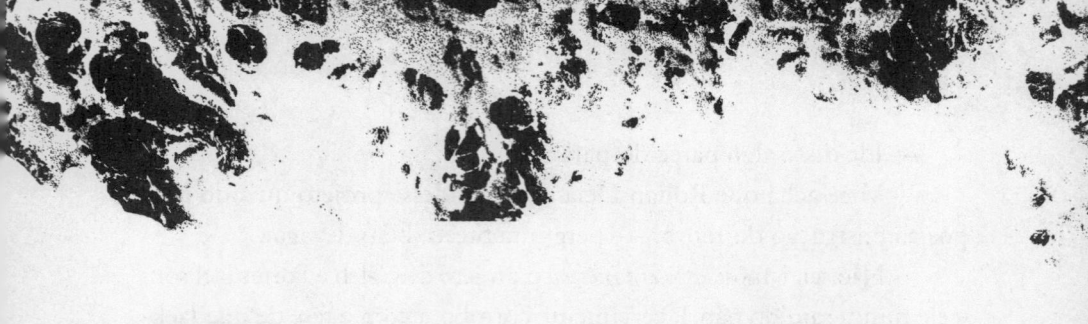

87

— Parece que são e-mails que ela enviou para si mesma, cópias de mensagens que tinha mandado para o Caleb — diz Steed. — Pelo que estou vendo, a Bea mandou para o Caleb essas mensagens na manhã em que o grupo chegou à ilha. — Ele toca na tela. — Parece que ela também encontrou o passaporte. Ela tirou uma foto do documento e perguntou: *O que é isso?* — Ele faz uma pausa e continua a descer a tela. — Ela também perguntou a ele sobre e-mails que encontrou, enviados por uma conta diferente. Ao que parece, mensagens ameaçadoras. E pelo jeito ele nunca a respondeu.

— De quando são essas mensagens?

Ele segue passando o dedo pela tela.

— O primeiro que aparece aqui foi mandado há uns dezoito meses.

Dezoito meses atrás. Aquilo não podia ser uma coincidência.

— Mais ou menos na mesma época em que estavam construindo o hotel. Não muito tempo depois do funeral do Porter Jackson.

Maya vira-se para Hana.

— O Caleb disse pra você que o pai dele tinha morrido, não?

Hana assente.

— Em circunstâncias bem trágicas, pelo que parece. Ele me contou esses dias que alguém tinha dado um golpe e roubado o dinheiro do pai não muito antes da morte dele. Se não me engano, ele estava começando a colocar a vida nos eixos quando isso aconteceu.

Enquanto absorve aquelas palavras, Elin pensa no que Ronan Delaney havia lhe dito sobre Jackson ter perdido dinheiro num investimento — um investimento que ele o havia aconselhado a fazer.

Todos aqueles pedacinhos começam a se encaixar em sua mente, formando, pela primeira vez, uma narrativa coerente: uma que atribuía a Caleb uma motivação mais consistente para assassinar Seth Delaney. E, pelo que eles haviam encontrado, parecia que o fato de Bea ter descoberto sua verdadeira identidade também lhe dava um motivo para matá-la.

O ceticismo se instala na cabeça de Elin quando ela se dá conta de que aquele caso não tinha nada a ver com maldição alguma. A motivação de Caleb era outra, uma totalmente diferente.

— Acho que temos um cenário perfeito aqui — diz Elin, afastando-se lentamente, para que Hana e Maya não pudessem ouvi-la. — E se o plano que Caleb e o pai haviam feito para a ilha nunca foi posto em prática porque Delaney deu um golpe em Porter Jackson para que ele perdesse todo o dinheiro que tinha, um dinheiro que poderia ter sido usado justamente para dar entrada nesse processo? E depois que tudo isso aconteceu, o Delaney iniciou às obras do retiro.

— Foi um tremendo tapa na cara.

— Exatamente. Os Jackson tentam protestar contra as obras, não dá certo, e aí, pouco tempo depois, Porter Jackson morre. — Ela olha para Steed. — Isso daria uma motivação bem sólida para o Caleb.

— Vingança.

Ela faz que sim.

— Uma motivação muito mais sólida do que as maldições envolvendo a Pedra da Morte.

— Mas e tudo que nós vimos na caverna, os adolescentes do Creacher? — questiona Steed, lentamente. — Onde isso se encaixa?

— Acho que tudo se encaixa perfeitamente. A caverna, eu tenho certeza, foi obra do Porter Jackson e, para ele, a motivação da maldição, da influência da Morte, permanece. As pequenas diferenças que percebemos entre os casos ocorrem pelo fato de os crimes terem sido cometidos por duas pessoas diferentes. Acho que Porter Jackson era obcecado pela pedra, e matou aqueles adolescentes em 2003, e Caleb apenas se utilizou dessa conexão para tentar nos despistar.

— Faz sentido, mas uma coisa que eu não entendo é por que, para começo de conversa, a coisa do Local de Interesse Científico Especial importaria tanto para os Jackson.

— Pense no que Caleb disse a Hana sobre como seu pai estava conseguindo colocar a vida de volta aos eixos pouco antes de morrer, e nos e-mails ameaçadores que Seth Delaney estava recebendo. A mensagem por trás dessas duas coisas é bem similar: Ronan Delaney tinha impedido que as pessoas tocassem suas vidas. Se quem mandou os e-mails *foi mesmo* o Caleb Jackson, talvez eles estivessem se referindo a isso. Talvez essa coisa do plano de preservação fosse uma maneira de garantir que o pai não sentisse a necessidade de voltar a matar. Se a ilha se tornasse uma reserva ambiental, ela não seria habitada, e aí não haveria nenhuma tentação.

— Quebraria o encanto.

— Exatamente. Eu... — Elin para de falar ao ouvir passos se aproximando.

Eles veem Tom, o instrutor de esportes aquáticos, desviando das pessoas dormindo no chão.

— Preciso falar uma coisa pra vocês — diz ele, com pressa. — Eu vi um homem lá fora, correndo pela ponte que dá acesso à ilhota.

Elin puxa o ar com força.

— Quando?

— Faz uns dez minutos... Eu tinha acabado de acordar, ouvi um barulho. Achei que fosse a tempestade, a princípio, mas daí lembrei que tinha me esquecido de guardar o último suporte de pranchas. Não queria que elas ficassem se batendo na cabana, então fui até lá para resolver isso.

— Imagino que você não tenha usado a porta principal para sair.

Um pouco constrangido, Tom faz que não com a cabeça, apontando para um biombo perto de uma parede lateral, montado paralelamente a ela.

— Tem uma porta ali atrás. — Ele faz uma pausa. — Só fazia alguns minutos que eu tinha saído quando o vi.

— Era um funcionário?

— Não tenho certeza — responde Tom. — É meio escuro ali... A ponte em si não tem luzes.

O estômago de Elin se revira.

A ilhota.

Virando-se para Steed, ela diz num tom mais baixo:

— Você procurou por lá, não procurou?

— Passei um pente-fino.

— Alguma chance de ter deixado alguma coisa de fora?

— Sempre é possível. A mata é bem fechada em algumas partes.

— Eu quero dar mais uma procurada. — Elin olha para ele. — Vou até lá.

Ele franze a testa.

— Sozinha?

— Tem que ser, não posso correr o risco de deixar as pessoas sem supervisão aqui.

— E você vai agora?

Ela faz que sim com a cabeça, a adrenalina pulsando em seu corpo ao olhar para fora.

— Se for mesmo o nosso assassino — diz —, possivelmente Caleb, acho que tem um bom motivo para ele ter ido até lá.

— Farrah.

88

Depois que os detetives se afastam, Maya volta a se deitar, seus cachos pretos se espalhando pelo tecido claro do casaco.

— Han, tenta voltar a dormir. Não tem nada que você possa fazer. Não agora. Você precisa dormir.

Hana a fita, incrédula. *Como é que a Maya pode sequer pensar em descansar?*

Uma onda de náusea percorre seu corpo quando ela pensa que o grupo que desembarcou no cais poucos dias atrás foi reduzido a isto. A elas duas. Hana não consegue suportar.

— Eu não entendo. — As lágrimas se acumulam, esquentando seus olhos. — O Caleb... ele amava a Bea. O jeito como ele falava dela... não tem como fingir uma coisa dessas.

Ela repassa as conversas dos dois na cabeça, uma bola de raiva e frustração queimando em seu peito. Ele estava visivelmente enlutado. *Como ela não havia percebido algo tão importante?*

— As pessoas mentem, Hana, você sabe disso. — Maya diz aquilo num tom sem vida.

— Eu sei, mas quando foi que ele fez isso? A gente passou a maior parte do tempo junto.

— Mas não todo. Eu estava pensando nisso. Depois que tudo aconteceu, nós nos fechamos nas nossas próprias bolhas e ficamos achando que ele estava no quarto, mas pode ser que ele tenha saído. Teve várias vezes em que o Caleb foi sozinho até o restaurante, dizendo pra gente que tinha ido beber ou comer alguma coisa, mas só Deus sabe o que ele estava fazendo. Eu não saberia dizer quais foram, exatamente, os movimentos que qualquer um de nós fez... não de verdade.

Hana aquiesce enquanto pensa em tudo aquilo.

— Mas como ele seria capaz de fazer algo assim? Algo tão *errado*? Mesmo se você odeia muito uma pessoa, isso não te dá o direito de... — Ela não se contém, e as lágrimas começam a cair, escorrendo pelo rosto.

— Eu não faço ideia. Como saber o que passa pela cabeça de outra pessoa? — Maya faz uma pausa. — E, Han, não é você quem tem que descobrir essas respostas. Nós já passamos por muita coisa. A Jo... está morta. — Ela tenta olhar nos olhos da prima. — Nós ainda nem falamos sobre isso, né? Sobre a Jo, quero dizer.

Hana balança a cabeça. Ela sente tudo ao mesmo tempo. Toda a raiva que sentia de Jo misturada a uma estranha culpa. Arrependimento. Amor. Uma mistura complexa que não consegue compreender, e menos ainda administrar. Mas pode senti-la, entalada em sua garganta, toda a emoção represada ali, petrificada, de alguma forma.

— Eu não perdoo o que ela fez com o Liam, mas eu amava a Jo, Maya — diz ela, com a voz trêmula. — E eu amava a Bea também. — Ela engole. — Eu amava muito as duas, e agora elas estão mortas.

— Eu sei.

Maya segura a mão dela, e ali, no chão, naquele espaço repleto de estranhos dormindo ao seu redor, as lágrimas e os sentimentos reais finalmente afloram. Todas aquelas emoções haviam se tornado uma bola enorme, que só agora estava sendo desenrolada.

— Eu estou sozinha, Maya — percebe Hana, e não só é a primeira vez que diz aquilo em voz alta, mas também que aceita na própria cabeça. — Eu estou totalmente sozinha. Minhas irmãs estão mortas.

Seu peito começa a palpitar quando a ficha cai. Uma marretada de tristeza.

Maya olha para ela. Por um instante, Hana acha que a prima também está prestes a chorar, mas, então, Maya estende os braços em sua direção e a abraça com força.

Hana se lembra das duas fazendo isso quando eram crianças, a última vez, na noite do incêndio. Maya sempre tinha pesadelos terríveis, e Hana a abraçava até que ela voltasse a dormir.

— Você não está sozinha — consola Maya, com carinho. — Eu juro. Eu estou aqui. E dessa vez, Han, não vou te abandonar. Vou ficar aqui pelo tempo que você precisar.

89

Elin se vê no olho da tempestade. Embora já tenha amanhecido há algum tempo, ainda está escuro. A chuva é torrencial — atingindo-a pelos lados, molhando seu rosto e suas costas. Ela consegue até sentir o gosto, uma fragrância terrosa inebriante tomando o ar.

A tempestade tinha provocado uma devastação: há cadeiras espalhadas por toda a varanda, galhos de árvores ao longo do trajeto. As árvores estalam de forma sinistra ao seu redor, os troncos inclinados pelas lufadas de vento.

Chegando na praia, mais destruição: um pinheiro foi arrancado pela raiz e rolou pela areia; uma Medusa. O suporte de que Tom havia comentado se encontrava tombado, e as pranchas tinham sido arremessadas pelo vento e estavam enterradas na areia.

Olhando ao redor, Elin tem a sensação de que o retiro não sobreviverá àquilo — que a tormenta, a ilha e a pedra em si não se darão por satisfeitas até que o lugar esteja totalmente limpo, até que o menor sinal possível de seres humanos tenha sido extirpado.

A detetive avança lentamente pelas pedras até a ponte de madeira. Na primeira, ela já hesita, constatando que estão molhadas e escorregadias. Cada passo é dado com cuidado, os braços abertos em busca de equilíbrio. Elin leva vários minutos até chegar ao começo da ponte, cujas tábuas finas também estão escorregadias, e sente o próprio corpo tremer enquanto observa a ponte balançar de um lado para o outro com violência.

Ela se segura com força nas cordas que servem de corrimão e tenta atravessar a ponte. Gotas finas de chuva atingem seu rosto e seus olhos, borrando a visão da ilhota, mas Elin segue olhando fixamente para a frente, determinada a evitar olhar para baixo, por entre o vão das tábuas. A água ali embaixo não está mais calma, nem tem o lindo tom verde-mentolado de antes — agora é sombria e furiosa e projeta uma espuma branca pelos ares.

O medo pulsa de forma implacável em seu peito, e é um alívio quando ela por fim pisa em terra firme do outro lado. Assim que faz isso, sobe correndo pela trilha que serpenteia por entre as árvores, a densa formação de copas fornecendo um abrigo para a chuva, mas não para o vento, seus galhos balançando furiosamente.

O chalé surge em meio à escuridão. Parece mal conseguir ficar de pé: a estrutura aparenta ser frágil demais para a tempestade que cai sobre ela. Elin para na porta da frente e olha pelo vidro molhado de chuva. O lugar parece vazio, o cenário congelado desde o momento em que ela havia ido até ali, junto com Farrah, para revistar os cômodos.

Ela se atrapalha um pouco, mas enfim puxa o cartão e o encosta na tranca da porta, que se abre com um clique. Com a respiração aflita, entra lentamente no espaço, sentindo o alívio instantâneo da proteção da chuva, mas não há ninguém ali.

— Farrah? — chama.

Sem resposta.

Ela confere o banheiro. *Vazio.*

O coração de Elin acelera, tomado pela mesma sensação de isolamento que ela havia sentido da última vez em que estivera ali, só que desta vez mais forte. Ao voltar para o centro da sala, continua procurando, mas, agora, também presta atenção aos sons, tentando isolar o barulho da chuva.

É então que sente um arrepio na nuca.

Embora o lugar esteja vazio, ela tem aquela sensação única de que alguém a está observando. Elin pensa na foto daquele tuíte.

Será que alguém a observa naquele exato momento?

Incomodada, ela ruma em direção à porta e segue até a varanda, contornando o chalé pela lateral. Ondas tombam sobre o deque, formando poças nas tábuas, lavando as pernas das cadeiras e da mesa. Ninguém ficaria ali, pensa, a menos que fosse algum suicida. Basta uma onda pra ser puxado para o mar.

Ela entra no matagal à direita da varanda, com suas árvores desordenadas, mas não vê nada além de poças de lama e o chão coberto de folhas escorregadias e engolido pelas sombras.

Elin segue em frente. A mata vai se fechando cada vez mais; ela precisa forçar passagem por entre os troncos. A escuridão da floresta prega peças em sua cabeça. Enquanto se esforça para prosseguir, ela enxerga um vulto se dissolvendo em meio ao matagal, mas credita a visão à tempestade e à sensação de movimento incessante que produz.

Mais alguns passos e o terreno começa a se inclinar para baixo, com uma corrente veloz de água da chuva descendo em direção ao mar. A torrente encontra resistência em galhos quebrados e pedras soltas, criando sinuosos afluentes.

Em questão de minutos, ela está suando bastante e com a respiração pesada. Precisa conjurar toda a concentração que tem para se manter de pé.

Ela está bem próxima da água.

Avançando aos poucos, tudo o que consegue ver por entre as árvores é o mar — ondas raivosas se agigantando diante das pedras e depois despencando com tamanha força que é quase como se estivessem querendo arrancar um pedaço da ilha.

Olhando ao redor, Elin está quase começando a voltar quando detecta alguma coisa em sua visão periférica.

Uma perna atrás de uma árvore, um pedaço branco de uma panturrilha.

O coração de Elin vai à boca conforme ela vai chegando mais perto.
Não.

Quando contorna a árvore, consegue vê-la por inteiro: Farrah, deitada de costas naquele chão lamacento, com uma venda nos olhos.

Sem fazer qualquer movimento. Absolutamente nada.

Um pânico profundo inunda seu peito.

O estômago de Elin se revira, o coração alcançando um ritmo frenético assim que ela enxerga uma mancha escura de sangue no cabelo de Farrah. Ela chega mais perto. Consegue ver agora um grande ferimento na têmpora esquerda da cunhada, e ainda mais sangue.

Caleb a matou, da mesma forma que havia matado Jo Leger.

Mas o nojo que está sentindo por ele é atropelado pelo nojo que sente por si mesma.

Ela deixa um soluço escapar. *Tinha decepcionado Farrah. Tinha deixado a cunhada na mão.*

Farrah tinha tentado contar alguma coisa para ela. E Elin a havia ignorado, cometido um erro. Elin se imagina algumas horas antes daquilo, quando ainda não sabia o que a esperava.

Será que ela realmente acreditava que aquela história teria qualquer outra conclusão?

Com a mão tremendo, ela toca suavemente o pescoço de Farrah.

Uma breve esperança surge, mas se esvai logo em seguida. Não há nenhuma movimentação no peito da cunhada, absolutamente nada além da pulsação do próprio sangue de Elin correndo em suas veias.

Outro soluço lhe escapa. A angústia já se faz presente, começando a tomar forma dentro dela, uma dor que está sentindo não apenas por Farrah, mas também por Will, porque sabe o que isso fará com ele. Como a tristeza criará raízes dentro dele e crescerá, até que ele se transforme, para sempre, em outra pessoa.

— Sinto muito — murmura. — Sinto muito mesmo.

Elin está quase tirando a mão de cima dela quando sente alguma coisa, uma coisa tão fraca que, a princípio, pensa ser sua própria pulsação.

Chegando mais perto, ela pressiona os dedos com mais força contra a pele de Farrah.

Ela tem pulso?

90

Elin pressiona os dedos mais uma vez.

Sim. Tem pulso. Graças a Deus. Uma onda de alívio a toma por dentro.

— Farrah — chama ela, ansiosa. — Está me ouvindo?

Farrah está inconsciente. Respira, mas não responde.

Elin se ajoelha no chão ao lado da cunhada, e a coloca, cuidadosamente, na posição lateral de segurança. Removendo a venda de Farrah, puxa a cabeça dela para trás, devagar, levantando seu queixo e certificando-se de que não há nada obstruindo suas vias aéreas.

Elin escuta um leve gemido. Não sabe se porque a movimentação despertou Farrah ou se ela está simplesmente recobrando a consciência, mas o fato é que a cunhada abre os olhos rapidamente antes de voltar a fechá-los.

Os segundos se arrastam de forma agoniante até que as pálpebras de Farrah se movem novamente, e ela finalmente abre por completo os olhos, tentando focar.

— Sou eu, Elin. Você está bem?

Farrah tenta se sentar enquanto Elin a observa, em pânico. Com possíveis danos ao pescoço e à coluna, a última coisa que ela deveria fazer é se mover antes de ser examinada.

— Não tente se mexer — orienta ela, com urgência. — Tem um ferimento bem feio na sua cabeça.

Mas Farrah já está fazendo isso.

— Estou com frio. — Ela começa a tremer bem forte e envolve o próprio corpo com os braços. — Tá muito frio. Não dá pra ficar aqui.

Elin hesita por um instante. Farrah tem razão. Ela está completamente encharcada, e a tempestade não está dando nenhum sinal de trégua. Se as duas ficarem ali, Farrah corre o risco de ter uma hipotermia.

— Ok, mas antes de você ficar de pé, deixa eu conferir algumas coisas. Você consegue mexer os dedos?

Alguns instantes depois, porém, ela é forçada a declarar derrota quando Farrah começa a se levantar. Elin a ajuda, instruindo-a a se apoiar nela. Avançando lentamente em direção ao chalé, não consegue desgrudar os olhos do rosto da cunhada, a dor estampada em seu semblante enquanto as duas vão andando por aquele chão escorregadio. Cada raiz de árvore e cada poça d'água é um obstáculo.

É um alívio quando chegam no chalé.

— Vamos entrar, você precisa se esquentar.

Mas, quando Elin abre a porta, o ar-condicionado está a toda, e as roupas molhadas amplificam a sensação de frio.

Ela logo encontra o controle do ar e o desliga. Enquanto vai conduzindo Farrah em direção à cama, sob a intensidade da luz das luminárias, nada no rosto da cunhada parece familiar — há hematomas arroxeados e ferimentos em carne viva, a pele dela pálida, leitosa.

Farrah se deita, e Elin puxa o edredom até os ombros dela. A irmã de Will ainda está tremendo e batendo os dentes quando se recosta, e faz uma careta de dor ao encostar a cabeça no travesseiro.

Elin pega um copo na mesa de cabeceira, enche-o de água e entrega a ela. Farrah puxa seu corpo um pouco para cima e começa a beber, em goles pequenos.

— O que aconteceu? — pergunta Elin, num tom amigável, mas se corrige logo em seguida: — Não se preocupe, eu entendo se você não estiver a fim de falar.

— Não, tudo bem. — Colocando o copo sobre o móvel, Farrah volta a se acomodar no travesseiro, sentindo novamente o corpo se contrair de dor com o movimento. — Foi o Caleb... Ele... — Ela ainda tem dificuldades de pronunciar as palavras. — Ele me acertou com alguma coisa... me largou lá pra morrer.

Ela fecha brevemente os olhos, e Elin sente um nó na garganta.

— Quando foi que ele te atacou?

— Acho que já faz algumas horas.

Enquanto Farrah olha para Elin, a detetive percebe alguns novos detalhes: o rosto e a testa da cunhada estão sujos de terra e cobertos de pequenos arranhões. Um talho logo abaixo de seu olho está repleto de sangue.

— Eu estava me escondendo aqui desde ontem.

— O Caleb foi até o seu escritório, não foi?

Farrah assente. Ela fecha os olhos de novo por um momento, como se estivesse revivendo aquela memória.

— Recebi uma mensagem da recepção dizendo que um detetive queria me encontrar no meu escritório. Imaginei que fosse você, mas quando cheguei lá... — Ela engole em seco.

— Tudo bem, não tenha pressa.

Farrah se recompõe.

— Quando eu cheguei no escritório, ele estava lá, me esperando. Eu tentei encerrar a situação logo de cara, peguei minha bolsa, disse que precisava fazer outra coisa, mas a expressão no rosto dele... — Ela solta um som baixinho, de engasgo. — Eu sabia que não tinha a menor chance de ele me deixar escapar. Então saí correndo pela porta dos fundos, tentei abrir uma distância entre nós. Depois desci pelos degraus que levam para as pedras perto da ilhota. Eu sabia que havia uma sala de manutenção no porão aqui nos fundos do chalé. Foi o único lugar em que consegui pensar. Achei que talvez ele não soubesse que existia. — Ela faz uma pausa. — E ele não sabia mesmo. Consegui despistá-lo no meio do matagal.

Seu olhar fica vago, como se ela tivesse começado a perder o foco.

— Você não estava com o seu celular, para ligar para alguém? — pergunta Elin.

— Estava na bolsa, mas deixei cair quando estava fugindo.

O olhar de Farrah se perde mais uma vez, e ela fica mexendo no edredom, beliscando-o para depois soltar o tecido.

— Nós encontramos a sua bolsa quando estávamos procurando por você — conta Elin. — O celular não estava lá.

Elas ouvem um ruído seco, colossal. Apreensiva, Farrah vira a cabeça e olha direto para a porta.

O pulso de Elin acelera. É bem possível que Caleb ainda esteja lá fora. Pode estar observando as duas naquele exato momento...

A detetive se levanta num pulo, mas, antes que possa fazer qualquer movimento, ouve-se aquele ruído mais uma vez, junto com um movimento inesperado que ela percebe com o canto do olho.

91

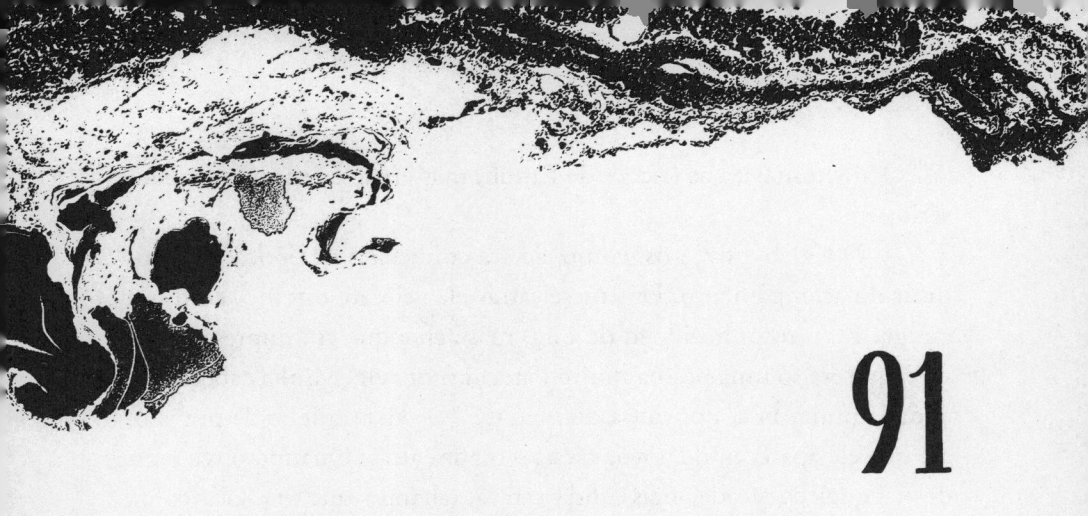

Elin gira o corpo, mas então enxerga um galho grande a cerca de um metro da parte de cima da janela. Está sendo balançado pelo vento, todo mole e num ângulo esquisito, como se estivesse sendo puxado para baixo.

— É só um galho — diz, voltando a se sentar na cama, mas ainda está em alerta, seus olhos atentos a cada centímetro daquele cômodo. — O que você estava falando sobre a sua bolsa?

Farrah assente.

— Provavelmente o Caleb pegou meu celular e se livrou do resto. — Ela se contorce mais uma vez enquanto troca de posição. — Hoje de manhã eu ia tentar voltar até a ilha principal para te contar tudo, mas ele deve ter me visto... Ou ele sabia que eu estava aqui esse tempo todo, e estava só esperando o momento certo. Eu tentei fugir de novo, mas ele me alcançou. Acho que pensou que tinha feito o serviço direito. Que eu estava...

Ela para de falar e pisca os olhos, lágrimas caindo.

— E você sabe por que ele veio atrás de você? — pergunta Elin, num tom suave.

— Sei. — Os olhos de Farrah encontram os dela. — Imagino... que você já saiba que eu estava na ilha quando os assassinatos do Creacher aconteceram.

Elin assente.

— Já conversei com o Will. Ele me explicou tudo.

O alívio suaviza as feições de Farrah, mas então seu rosto fica mais sério.

— O Caleb, ou Chris, como ele era conhecido na época, era monitor do acampamento. Uns meses atrás ele veio até o retiro, com um amigo. Eu o reconheci logo de cara, mas achei que era impressão minha, que era só uma pessoa muito parecida com ele. Minha cabeça não anda lá muito boa, por causa do meu ex. Não dei muita bola pra isso, até que ele apareceu de novo, várias semanas atrás. Quando ouvi a voz dele, fiquei encucada, mas ainda estava achando que era só a culpa falando mais alto, que eu estava sendo paranoica. — Farrah balança a cabeça. — Mas aí percebi que ele estava olhando para mim. Ele foi até o bar algumas vezes, sempre com a desculpa de pegar uma cerveja, mas dava pra ver que estava me observando. Não estava ali a troco de nada, sabe?

— Ele também reconheceu você.

— É, acho que sim. Foi aí que eu ressuscitei aquele recorte antigo do jornal da viagem da escola. Não dava pra ter certeza de que era ele, mas eu estava quase certa. — Farrah esfrega a têmpora. — Isso não seria nada de mais, mas aí a Bea caiu, o Seth foi encontrado morto e eu sabia que o Caleb estava com aquele grupo... Eu lembro que, quando era monitor do acampamento, ele ficava o tempo todo falando sobre a antiga escola e a Pedra da Morte, querendo aterrorizar a gente. Ele sempre foi um cara meio estranho, sabe?

— Então você achou que o Caleb talvez tivesse alguma coisa a ver com tudo isso?

Ela faz que sim com a cabeça.

— Acho que ele deve ter imaginado que eu estava desconfiando de alguma coisa, provavelmente tenha pensado que, se ele tinha me reconhecido, eu também poderia ter feito o mesmo. Comecei a me perguntar se aquelas mensagens que eu vinha recebendo não podiam ser dele, se estava tentando me afastar da ilha antes dessa última vez que ele veio pra cá.

— E ele não fazia a menor ideia de que você pensaria que era o seu ex quem estava mandando aquilo.

— Exatamente, e eu imagino que, quando percebeu que não fui embora, como tinha esperado, ele achou que teria que fazer alguma outra coisa. — Ela morde o lábio. — Eu devia ter tomado mais cuidado.

Cheia de culpa, Elin olha para ela, sentindo um calor se alastrando pelas bochechas.

— A culpa não é sua. Eu não te escutei quando você me disse que queria conversar. Eu te ignorei. — Ela balança a cabeça. — Sinto muito. Deveria ter levado isso mais a sério.

— Não — responde Farrah, um vestígio de raiva no rosto. — Você não tem que me pedir desculpas. Você ter me encontrado onde me encontrou mais do que compensa. Se eu ficasse mais tempo lá…

Ela pega a mão de Elin e a aperta com força. Seus olhos procuram os da cunhada e, quando se encontram, há uma troca ali, como a que havia acontecido na frente do chalé naquele primeiro dia.

Uma conexão num grau que ela jamais imaginou que seria possível.

Elin desvia o olhar, sentindo mais uma vez um nó se formando na garganta. Sabe que, por ter encontrado Farrah, ela ganhará o perdão não apenas de Will, como também de si mesma. Ao ver Farrah imóvel, ali, naquele chão encharcado, teve a sensação de estar diante de um acontecimento que mudaria para sempre a vida de Will — mas também a dela. Uma vergonha e um arrependimento que a perseguiriam para sempre.

Farrah olha para ela.

— Você pode avisar ao Will que eu estou bem?

— É claro. Ele estava surtando. — Elin pega o celular no bolso, pensando que também precisa avisar Steed a respeito de Caleb, dizer que as suspeitas deles estavam corretas. — Mas, antes disso, alguém precisa examinar você. Eu vou tentar conseguir ajuda médica.

Porém, quando ela olha para o mar revolto pela janela, um mau pressentimento começa a se formar. Mesmo se uma equipe médica estivesse disponível, será que mandariam um barco naquelas condições? Mais para o meio do mar as ondas estão enormes, verdadeiras paredes de água de muitos metros de altura. Levando em conta o vento, um helicóptero parece ainda menos provável.

Prestes a digitar, Elin para, percebendo o ícone na tela.

— Não tem sinal. — Ela tenta controlar a voz.

— O sinal aqui não é muito bom mesmo, comparado com o da ilha principal. — Farrah gesticula na direção da mesinha de cabeceira. — Tenta o fixo.

Elin vai até o telefone, mas tudo que ouve é silêncio.

— Está mudo. Ou a tempestade tirou do ar, ou o Caleb cortou o cabo. — Ela morde o lábio. — Não quero deixar você assim, mas preciso ir até a ilha principal para usar o telefone. Vou mandar um paramédico para cá assim que eu chegar lá.

Farrah percebe o tom de hesitação na voz de Elin.

— Está tudo bem, de verdade. Pode ir.

Ainda relutante em deixá-la, a detetive pondera a situação. Não faz ideia do paradeiro de Caleb, então aquilo é um risco. Mas *não* ir até a ilha principal também é.

— Vai. — Farrah aperta sua mão. — Sério, eu estou bem.

— Beleza, mas quando eu sair você precisa trancar a porta.

Farrah assente. Após examiná-la uma última vez, Elin deixa o chalé, a porta batendo com força às suas costas.

Há água por todos os lados. Poças de lama, correntes maiores escorrendo entre as folhas. Elin vai pulando todas até chegar à trilha e entra pelo meio das árvores. Começa a correr de leve, fazendo espirrar uma mistura de água e terra molhada.

Quando aumenta a velocidade no trecho final da mata, uma lufada de vento joga o cabelo dela no rosto, o que a cega por um momento, fazendo com que precise parar, derrapando no chão.

Elin começa a tirar o cabelo dos olhos, mas é tarde demais: nota um movimento repentino pelo canto do olho.

Uma dor aguda e intensa.

Tudo começa a rodopiar, uma escuridão que parece vir da base de seu crânio cobrindo-a por inteiro, como uma onda. Por um momento, parece que a chuva está dentro da sua cabeça, os pingos estalando delicadamente em seus ossos. Parece que ela está entrando num túnel, tudo ficando cada vez mais escuro, de dentro para fora.

Até uma escuridão completa.

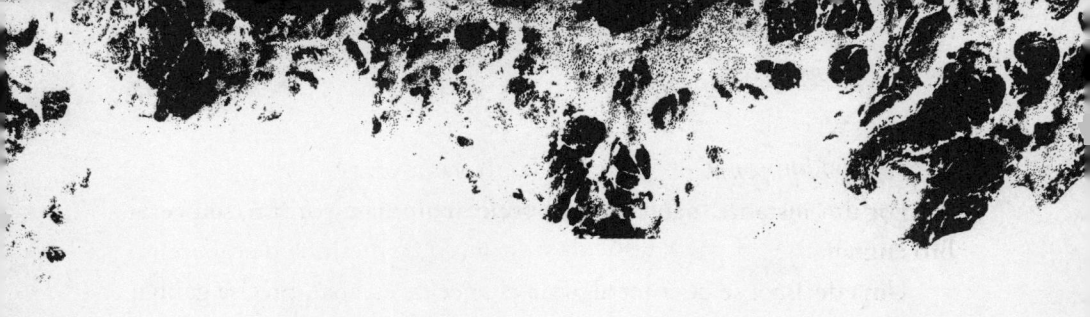

92

Quando recobra a consciência, Elin está completamente encharcada, sentindo um frio de gelar os ossos.

Por um instante, imagina que está na água, flutuando, as ondas quebrando ao seu redor, mas, quando seus tornozelos começam a se mexer — para cima e para baixo, em pequenos espasmos — percebe que, apesar de estar de fato se movendo, não está na água, e sim na terra.

Ela pisca uma, duas vezes, mas não consegue enxergar nada; está vendada.

Quando tenta mexer os braços, erguê-los, o pânico se instaura — Elin está deitada, de costas, com as mãos amarradas atrás de si.

Então sente dedos enterrando-se com força em suas costelas.

Caleb. Ele a está puxando por trás, as mãos em suas axilas.

Tudo que ela consegue ouvir é o barulho do mar. A cada passo de Caleb, o som fica mais alto, mais intimidante.

Ela sente a bile subindo pela garganta. *Ele a está arrastando para o mar.*

Embora exista uma chance de que Caleb simplesmente vá jogá-la na água, há também uma chance equivalente de que antes vá querer se certificar de que ela está de fato inconsciente. Se isso realmente acontecer, é o fim da linha.

O medo fecha sua garganta. Ela sente dificuldade de engolir.

Perguntas ficam pipocando em sua mente: *Quanto tempo ficou inconsciente? Será que ele já foi atrás da Farrah e fez a mesma coisa com ela?*

Pense, Elin, pense.

Por um instante, não consegue raciocinar, mas, por fim, seu cérebro engrena.

Uma decisão: se quer ter alguma chance de escapar, precisa ganhar tempo. Fingir que está inconsciente, esperar que ele pare e então entrar em ação.

Sente água espirrando em seu rosto. Eles estão a só um metro de distância do mar, ela precisa agir agora.

Com um movimento aparentemente natural, projeta seu corpo para frente; um movimento espasmódico e desengonçado com a cabeça e o tronco.

Mas a manobra funciona: Caleb se desequilibra, afrouxando por um momento as mãos.

Elin cai para a frente, nos joelhos, e começa a se arrastar lentamente sobre a areia.

Suas costelas estão doloridas. Após alguns metros, ela estica a perna direita e tenta ficar de pé, mas Caleb já se recuperou.

Ele a segura pela perna, puxando-a de volta em sua direção.

A detetive tenta se desvencilhar mais uma vez, ficar fora do alcance dele, mas Caleb é mais rápido. E mais forte.

Ele segura o tornozelo dela com mais força. Elin sente os dedos dele apertarem até os ossos, uma tremenda pressão.

Não tem tempo para pensar, precisa agir. Ela rola para o lado, pressionando o rosto com força contra o chão. O movimento não apenas o faz soltar sua perna como também afrouxa o nó em seus pulsos; a pressão da corda cede sutilmente. Esfregando os pulsos para trás e para frente no chão, ela tenta afrouxá-la ainda mais.

Uma, duas, três vezes.

Funciona: Elin solta seus dedos com uma repentina euforia e leva os braços de volta à frente do corpo, mas não pensou no próximo passo, na vulnerabilidade de estar deitada de costas no chão.

Ela começa a se arrastar para trás, feito um caranguejo, mas parte dela sabe que aquilo é inútil. Lançando-se em sua direção, Caleb a prende no chão, as pernas em cima das dela.

Elin tenta arranhá-lo, mas suas mãos encontram apenas o ar. Ela tenta arrancar a venda para ter um vislumbre de onde ele está, mas antes que consiga encostar no pedaço de pano, ele a acerta.

Um soco no peito, outro no rosto.

Golpe sobre golpe, sincronizados com os grunhidos de Caleb. Ela sente o odor em seu hálito: rançoso, azedo e bolorento.

Outra pancada — e essa parece se espalhar pelo seu rosto, uma dor que irradia a partir de seu olho.

Elin não consegue mais pensar.

Só consegue sentir: cada centímetro ferido em seu corpo, o gosto amargo e metálico do sangue na garganta.

Socos, um atrás do outro. Socos atordoantes, que a fazem ver estrelinhas brilhantes em meio à escuridão. Parece ir perdendo e recobrando a consciência.

Caleb a pega pelos braços mais uma vez, a levanta e começa a arrastá-la, como se ela fosse um saco de lixo do qual quer se livrar, e Elin fica imaginando se ele havia feito o mesmo com Seth, daquela maneira impiedosa. Se ele o havia espancado e, depois, o enfiado friamente naquele vão em meio às pedras no mar.

Estamos perto do mar de novo. Parece que a água está bem atrás dela.

Sua jaqueta e sua blusa estão levantadas às suas costas, e ela sente o chão molhado roçando a pele. Caleb apenas solta grunhidos de esforço.

As últimas reservas de força de Elin estão se esgotando, ao contrário do que acontece com o mar, que exala poder.

Parte dela só quer desistir, acabar logo com aquilo.

E, assim, Elin fecha os olhos, se preparando para os golpes violentos do oceano.

93

Mas isso não acontece.
Enquanto Caleb a segura pelos braços, ela escuta novamente a voz do pai dentro de sua cabeça.
Você é uma covarde, Elin. Uma covarde.

Aquelas palavras transformam a última fagulha que havia dentro dela em um incêndio. Elin joga o corpo para trás, o topo da cabeça atingindo com força alguma coisa dura, produzindo um estalo.

O queixo dele? A lateral do rosto? Ela não consegue ver, mas onde quer que o tenha atingido, o golpe faz com que ele cambaleie para trás, surpreso. Ela se aproveita da vulnerabilidade temporária de Caleb para dar um chute para trás. Como ele já estava desequilibrado, o golpe é suficiente para fazê-lo tropeçar.

Elin consegue rodar o corpo e, finalmente, leva as mãos ao rosto e arranca a venda.

Mas o fluxo luminoso repentino é intenso demais. Sua visão fica borrada, e ela não consegue enxergar direito. Tudo o que consegue ver é uma silhueta muito imprecisa de Caleb enquanto ele cambaleia, meio de lado.

Ele parece hesitar por um instante, então vai na direção dela e depois volta. Elin já estava se preparando para um novo ataque, mas, em vez disso, ele começa a recuar, se distanciando.

Elin deita no chão, fechando e abrindo os olhos até que sua visão se estabilize e a vertigem cesse.

Ela soluça.

É difícil acreditar que escapou. Ainda consegue sentir a violência no ar. Caleb estava muito perto de matá-la, queria desesperadamente fazer isso; ela era capaz de sentir a raiva em cada parte do corpo dele, em cada membro, cada tendão.

Quando se senta, perguntas começam a pipocar em sua mente. *Por que ele parou de atacá-la naquele momento?* O ataque parecia uma coisa tão... íntima. Uma coisa que não deixaria inacabada. *Será que ela o havia machucado mais do que imaginava? Será que ele ficou com medo de não conseguir terminar o serviço?*

Mas seus pensamentos são imediatamente suplantados pela conclusão de que, se ele a deixou ali, então provavelmente iria atrás de outra pessoa. Farrah, se é que já não havia feito isso, ou Ronan Delaney, ou Steed, que estava sozinho lá em cima.

Com um tremendo esforço, Elin consegue endireitar o corpo, mas é uma luta para ficar de pé. Os golpes a deixaram tonta. Ainda meio grogue e cambaleante, ela começa a pensar no que a aguarda, e sabe que precisa tomar uma decisão.

Ela chegou num ponto crítico — ou desiste agora ou vai atrás dele.

Só precisa de um segundo para se decidir, à medida que o medo vai retrocedendo, dando lugar a outra coisa: indignação.

Sente uma raiva bruta, avassaladora. Caleb a havia feito se sentir fraca. Covarde.

Ela não queria mais se sentir desse jeito.

Percorrendo o caminho de volta até o chalé, Elin olha pelo vidro da porta da frente e sente o alívio se espalhando ao identificar Farrah deitada na cama, de olhos fechados. *Ele não veio atrás dela.*

Ela bate suavemente no vidro. Farrah arregala os olhos, num susto, até perceber que é Elin.

Arrastando-se para fora da cama, ela vai andando até a porta.

— Está tudo bem? — murmura, empurrando a porta para abri-la.

— O seu rosto...

Elin passa uma das mãos de leve na bochecha. Acaba fazendo uma careta de dor.

— Caleb.

Os olhos de Farrah o procuram, em pânico, atrás de Elin, mas não há nenhum sinal de movimento além da tempestade: o caos que ela gerou, a água ainda batendo contra o vidro, ainda formando poças de lama em meio à trilha.

— Ele não está aqui. — Elin entra no chalé com ela. — Acho que voltou para a ilha principal. Você não o viu?

— Não, mas eu fiquei dormindo e acordando aqui.

Elin assente e se dá conta de que Caleb não tinha vindo atrás de Farrah porque, para ele, era irrelevante se ela estava viva ou morta. Sua ida até a ilhota era uma manobra para distrair Elin, um dos poucos obstáculos em seu caminho, afastando-a da ilha principal. Ganhando tempo suficiente para chegar até seu verdadeiro alvo.

Ronan.

Farrah volta para a cama e relaxa, recostando-se no travesseiro.

— Estou cansada.

— Eu sei. Deixa só eu dar mais uma examinada rapidinho em você, e aí vou atrás de ajuda. Tenta descansar.

— Tudo bem — concorda Farrah, e abre a boca como se quisesse dizer alguma coisa, mas seus olhos voltam a se fechar.

Alguns minutos depois, de volta ao lado de fora, Elin começa a andar em direção à ponte. Dessa vez, vai mais devagar: os golpes de Caleb fazem com que sinta dor a cada passo — um puxão em cada um de seus membros. Ela nunca havia se sentido esgotada daquela maneira, uma fadiga pesada, atordoante, que se espalha por todo o corpo, dificultando o mero ato de colocar um pé na frente do outro.

Ela parece levar muito tempo até finalmente conseguir sair do meio das árvores. Quando está a menos de um metro da água, seu estômago se revira.

A ponte não está mais lá.

94

As tábuas oscilantes da ponte se converteram num vazio: tudo que Elin consegue ver é o mar revolto à sua frente.

A ponte, em si, está pendurada aos pilares de sustentação na margem mais próxima.

Caleb cortou as cordas na outra ponta.

Olhando mais de perto, Elin vê que a estrutura inteira está agora submersa, as tábuas de madeira sendo agitadas pelas ondas.

Ela não tem como voltar à ilha principal.

O olhar da detetive fica perdido em meio à água espumosa. Mesmo sem uma ponte ali, aquela ainda é a distância mais curta entre a ilhota e a ilha principal. Atravessar aquele trecho a nado é a única saída.

Em qualquer outro momento, ela nem pensaria duas vezes: são apenas cinquenta metros, no máximo. Mas Elin fica olhando para o espaço enquanto sente o corpo inteiro estremecer. Já não tinha mais medo de água, havia conseguido superar as terríveis lembranças do caso Hayler, mas mesmo assim...

Desde que a tempestade havia começado, o mar tinha se convertido numa *outra* coisa, totalmente irreconhecível. A água se revolve, ainda mais do que quando Elin passou por ali pouco tempo atrás. O barulho das ondas se chocando nas pedras mais próximas se combina ao das que batem nas rochas da ilha principal, jogando água para o alto de uma forma selvagem.

Mas Elin resolve agir.

Tira os sapatos e a jaqueta e enfia o celular dentro de um bolso com zíper. Vai descendo de costas para a água, centímetro por centímetro, usando os pedregulhos na borda da ilha como uma espécie de escada improvisada.

Um jorro de água atinge seus tornozelos e panturrilhas, e seu corpo já começa a se enrijecer, mas ela mergulha de uma vez. Sem hesitar.

Começa a nadar para a esquerda, desviando da ponte, que ainda está se debatendo dentro do mar. A água salgada explode contra as pedras à sua frente, e respingos atingem seus olhos.

Ela logo sente a força da corrente, jogando-a de volta na direção da ilhota. Assim, Elin aumenta a intensidade das braçadas, numa tentativa desajeitada de nadar para a frente, mas é impossível encontrar qualquer ritmo com a água a puxando, suas roupas ficando cada vez mais pesadas. Ela devia ter tirado mais algumas peças.

Sua respiração está entrecortada. Não por causa da dor ou da exaustão, mas pelo medo. A detetive tenta limpar a mente, concentrar-se no básico — usar mais as pernas. A parte mais forte de seu corpo.

Elin vai batendo as pernas e se impulsionando para a frente. Funciona: pouco a pouco, o movimento delas vai lhe conferindo mais propulsão.

Quando vê, está a poucos metros das pedras do outro lado. Ao chegar, se agarra a elas e começa a escalá-las, mas a exaustão do nado a deixou meio descuidada. Ela calcula mal onde deve colocar as mãos e os pés, e dá um grito quando esfola o joelho.

Mesmo assim, consegue chegar ao topo das pedras e começa, lentamente, a seguir em direção à praia, a água escorrendo pelo corpo e pelo rosto. Quando pisa em terra firme, a areia está pegajosa, não mais se esfarelando a cada pegada, mas viscosa, grudando nos pés de Elin.

O espaço dos esportes aquáticos está ainda mais devastado — as pranchas estão espalhadas por uma área enorme, que se estende por toda a praia. Uma delas atingiu alguma coisa no caminho, e tem uma rachadura em forma de raio em sua superfície.

Devagar, Elin atravessa a praia e então sobe os degraus que conduzem até o prédio principal. Precisa parar no meio do caminho, no entanto, sem fôlego, a dor nas costelas dificultando as respirações mais fundas.

Conforme a adrenalina diminuiu, ela sente os ferimentos espalhados pelo corpo.

Tudo está meio borrado; a visão de seu olho esquerdo, cada vez mais comprometida. Ela torce para que seja apenas uma consequência do inchaço por causa dos socos, e não um dano ao olho em si.

Elin tira o celular do bolso. Está molhado, com a tela coberta de gotas d'água, mas ainda funciona. Limpando a tela, ela olha para o indicador de sinal.

Nada.

Não era só na ilhota. A tempestade derrubou as comunicações.

Por um instante, o vento dá uma trégua, permitindo a Elin que recupere o fôlego e se concentre em seus pensamentos, mas aquela quietude não dura muito tempo.

O som de um tiro corta o silêncio.

95

O coração de Elin acelera.

Caleb está armado... isso muda tudo.

Ainda meio cambaleante, ela vai subindo até o prédio principal. O cascalho está escorregadio, aglomerado em formações irregulares. Cada passo, cada solavanco e cada sacudidela renovam suas dores.

À sua esquerda, o toldo que cobria o bar do restaurante está solto numa parte, balançando com o vento; as lufadas o atingem a toda. Garrafas tilintam, batendo umas nas outras, e várias rolam de um lado para o outro em cima do balcão.

Quando ela chega nas portas automáticas, uma garrafa se espatifa no chão, fazendo barulho. Elin segue em frente.

Assim que entra no prédio, a detetive diminui a velocidade e olha com muita atenção para todos os lados, sem ter ideia do que pode encontrar. O saguão está tomado por um vazio estranho — sofás abandonados, ninguém na recepção. Há um sentimento esquisito de desolação no ar. De desamparo total. Um contraste muito forte com o que tinha visto da última vez.

Ao avançar, Elin vê uma trilha de pegadas molhadas que leva até o corredor dos fundos. São pegadas bem espaçadas, sujas de areia, acompanhadas de respingos e poças d'água.

Aquilo conta uma história: alguém passou correndo, vindo do lado de fora. Alguém com um propósito.

Encontrar Ronan Delaney.

Elin aperta o passo, indo em direção ao salão de eventos. No meio do caminho, tenta respirar de verdade, mas seu peito dói, pontadas incandescentes em suas costelas. Quando finalmente chega à porta, está ofegante.

Não tem tempo para se recuperar. Ela tira o cartão do bolso, encosta no sensor e empurra a porta.

Há uma resistência imediata.

Com o ombro encostado na porta, a detetive a empurra com força, mas a passagem cede muito pouco. A dor irradia a partir de seu diafragma, mas ela tenta mais uma vez. Dá um passo para trás e se joga contra a porta com toda a força de seu corpo concentrada no ombro.

O impacto a faz berrar, a dor lancinante em suas costelas é insuportável, mas funciona: a porta cede um pouco mais — o suficiente para que consiga enxergar parcialmente o que está do outro lado.

Pernas de mesas. Cadeiras.

Fizeram uma barricada usando móveis.

Ela agarra a lateral da porta e empurra mais um pouco, para olhar para dentro. Está tudo mergulhado na penumbra, é impossível decifrar o que há atrás da barreira. Desse modo, Elin apalpa o corpo à procura da lanterna, então a encontra e a acende, apontando para dentro.

— Detetive Elin Warner — anuncia ela.

As pernas metálicas das cadeiras refletem o feixe de luz, dificultando a visão de seja lá o que estiver além dos móveis empilhados. Ela começa a discernir a silhueta imprecisa de rostos em meio à sombra.

Apesar da ausência de movimento, o medo dentro daquele cômodo é quase palpável. É como se todos ali tivessem prendido a respiração ao mesmo tempo.

Os pensamentos dela aceleram. *E se o Steed não sobreviveu?* Faria sentido que Caleb o matasse primeiro, pois assim ficaria livre para fazer o que havia planejado para Delaney.

Alguns instantes depois, entretanto, ela ouve passos. A luz da lanterna ilumina o rosto do Steed, espiando por entre os móveis, do outro lado da barricada.

— Você está bem? — pergunta ela, de imediato.

— Estamos todos bem, mas o Delaney não está aqui — informa ele, a voz oscilando enquanto Steed remove cadeiras e mesas para deixá-la entrar. — Não pude fazer nada. O Jackson está armado, fez alguns disparos de alerta. Não dava para neutralizá-lo. — Ele fala mais baixo: — O Delaney foi com ele por vontade própria. Mas estava bem evidente o que aconteceria se ele não fosse.

Elin passa por cima de uma mesa virada de ponta-cabeça e entra no cômodo. O grupo das pessoas restantes está concentrado nos fundos, seus olhos todos arregalados, apavorados, vidrados nela.

Levando-a para um canto, Steed por fim presta atenção em seu rosto, seu corpo, seu olhar carregado de preocupação.

— O que aconteceu com você? Você está encharcada.

— Eu estava... — Ela para e reformula a frase: — O Caleb... ele me atacou na ilhota. Eu consegui escapar, mas ele arrebentou a ponte, eu tive que nadar até aqui.

— Puta merda. — Ele respira fundo. — E a Farrah?

— Eu a encontrei lá. Ele tinha batido nela... Ela está com um ferimento na cabeça, mas vai sobreviver.

— Ela ainda está lá?

— Aham. — Elin treme, experimentando a desagradável sensação da água gelada pingando de seu cabelo na base da nuca. — Não queria deixá-la sozinha, mas eu não tinha sinal para ligar para ninguém, e sabia que ele estava vindo para cá. Ela ficou no chalé.

— A gente podia tentar mandar um funcionário pra lá.

— Eu tinha pensado nisso antes de ver que a ponte tinha sido derrubada. A água é muito violenta para nadar ali. É arriscado demais mandar alguém.

Uma pausa. Steed parece preocupado.

— E tem certeza de que *você* está bem?

— Tá tudo certo.

Mas, assim que fala, a dor em suas costelas se manifesta novamente, deixando-a sem fôlego.

— Elin...

Ela rebate a preocupação de Steed com uma pergunta:

— Você viu pra que lado ele foi?

Com os olhos ainda fixos nela, ele aponta para as portas ao fundo.

— Ele levou o Delaney por ali.

— Faz quanto tempo?

— Uns cinco minutos, talvez dez.

Elin segue o olhar de Steed, fazendo cálculos. Aquela porta estava no mesmo lado do prédio em que ficava o escritório de Farrah. Não tinha muitos lugares para onde ir a partir dali.

— Eu preciso trocar de roupa e vou sair de novo.

Steed encara a detetive.

— Elin, nem pensar. O Caleb está armado. Nós temos que esperar os reforços.

Elin hesita e, durante esse breve momento, o medo se instaura no silêncio que eles compartilham enquanto ela relembra a violência do ataque de Caleb na ilhota. Ela sente tudo de novo, cada soco cheio de raiva, seu estômago se revirando enquanto ele a arrastava para o mar.

Conforme a lembrança vai se dissipando, porém, os ecos daquela violência apenas consolidam sua determinação.

— Com os telefones fora do ar e a tempestade, não temos ideia de quando as equipes vão chegar aqui, ou mesmo se elas vão vir. Para o Ronan, talvez isso seja tarde demais. Acho que agora que nós sabemos a motivação do Caleb, eu consigo convencê-lo a se entregar.

Steed fica em silêncio enquanto Elin vai tirando a jaqueta molhada. Cada movimento, por menor que seja, dispara ondas de dor pelas suas costelas. Ela pega a bolsa e vai para trás da barricada trocar de roupa, mas, apesar do que tinha acabado de dizer para Steed, sente o pânico subindo pela garganta.

Tenta lutar contra aquele sentimento e inclina o corpo para baixo para vestir o short. Uma nova dor: algo pulsando não apenas ao redor de suas costelas, mas partindo das próprias costelas, como se os ossos estivessem protestando.

É assolada pela dúvida mais uma vez: será que ela tem condições de detê-lo nesse estado?

Quando a detetive sai de trás da barricada, Steed olha nos seus olhos.

— Elin, eu fiquei aqui pensando. Você não pode ir sozinha. Pelo menos deixa eu...

Mas ela já está a caminho da porta.

96

Do lado de fora, Elin se sente como se estivesse cercada, o mundo movendo-se freneticamente à sua volta.

Árvores. Móveis. Guarda-sóis. Um carrossel feito de areia e lama.

A adrenalina corre em suas veias. Cada som e movimento é como um alerta, falando para ela voltar para dentro. *Proteja-os. Proteja-se.*

Mas ela não pode fazer isso. Ronan e Caleb estão em algum lugar ali fora.

Ela dá uma conferida ao redor e fica pensando em para onde eles poderiam ter ido. Olha para a esquerda, depois para a direita, parando em um declive no gramado que leva até a borda da falésia. Não há outro acesso à praia além dos degraus que viu quando Steed e ela estavam procurando Farrah. Será que seriam íngremes demais para o Delaney, se ele estivesse amarrado?

Elin segue adiante, tentando identificar todos os sons, mas é impossível: a tempestade é a única voz que se escuta por ali. Não há a menor chance de ouvir qualquer coisa além do uivo do vento e dos estampidos das gotas de chuva.

Ela passa na frente do prédio principal: *nenhum sinal de Caleb nem de Ronan.*

Quando chega à varanda do restaurante, alguns instantes depois, para abruptamente.

O lugar está completamente devastado. As cadeiras empilhadas que tinha visto quando fez o trajeto inverso haviam sido derrubadas e estavam espalhadas por todos os lados, várias delas imprensadas contra a mureta.

Ao erguer a perna para passar por cima dos escombros de uma mesa, indo na direção do bar, percebe que o toldo não está mais sendo agitado pelo vento — desapareceu por completo.

Sem nenhum obstáculo, o vento propaga o caos. Garrafas rolam pelo chão, e ela ouve o barulho do vidro triturado sob seus pés à medida que avança. Um líquido âmbar de uma garrafa quebrada forma uma poça em meio aos cacos, e o aroma forte do álcool chega às narinas da detetive.

Um movimento faz Elin olhar para cima: um dos fios cheios de luzinhas se desprendeu e está balançando loucamente para a frente e para trás. Outro se soltou por completo e caiu no chão, onde jaz agora, serpenteando em meio ao vidro quebrado e às poças de bebida.

Ela está prestes a se virar, ir até o parapeito e olhar para baixo, quando alguma coisa se move em sua visão periférica.

Uma massa escura vem em sua direção.

Numa fração de segundo, ela se dá conta: o toldo. *Ele não desapareceu.* Ainda estava preso pelo topo, e uma lufada de vento o havia removido de seu campo de visão por um instante, antes de trazê-lo de volta.

Elin dá um passo para trás, mas já é tarde: a lona a atinge no rosto e no peito, e o golpe inesperado quase a derruba. Recobrando rapidamente o equilíbrio, ela sente uma onda de tontura, o sangue correndo para sua cabeça.

Ela respira fundo. E de novo.

Só precisa de alguns segundos antes de voltar a se mexer. Desviando dos destroços, ela atravessa toda a varanda do restaurante e olha por cima do parapeito, para a piscina. Por um momento, acha que viu uma pessoa, mas logo se dá conta de que é apenas uma espreguiçadeira meio submersa.

Ela se vira para a direita, para ter uma boa visão da praia.

O caos.

Vários focos de vento rodopiavam pela areia. As árvores arrancadas pelas raízes agora também tinham levado junto delas algumas pedras, espalhando enormes pedaços de rocha pela praia. Elin olha para a esquerda, na direção da ilhota. Daquele ângulo, só consegue ver os balanços de corda, cada um deles sendo brutalmente sacudido pelo vento.

Não tem ninguém lá.

Com pressa, ela começa a voltar em direção ao pavilhão de yoga a passos largos, quase saltando. Há obstáculos por todos os lados: poças d'água, montes de barro, destroços. Com o canto do olho, tem certeza de ter detectado algum movimento, mas são apenas seus próprios gestos espasmódicos e erráticos refletidos nas paredes de vidro do prédio principal.

Quando chega ao pavilhão, ela observa mais uma vez ao redor. Nenhum sinal.

O único lugar em toda aquela área em que ainda não procurou é nos fundos do prédio principal. Se eles não estiverem ali, terá que fazer uma busca dentro do prédio em si. Existe uma pequena possibilidade de que tenham voltado e estejam lá dentro.

Quando Elin começa a ensaiar uma corrida, um pânico teimoso se instala em seu peito. Ali fora, exposta daquele jeito, não consegue não imaginar que está sendo observada: que Caleb Jackson sabia que ela havia escapado da ilhota e estava à sua espreita em algum lugar.

Sentindo calafrios, ela se obriga a não pensar naquilo e segue em frente. Ao chegar numa quina do prédio, vira à direita. Encostada na parede, vai contornando a lateral, tentando se proteger da melhor maneira possível. Devido à proximidade com a floresta, o caminho está coberto de galhos arrancados das árvores. É como se a ilha não estivesse se voltando apenas contra o retiro, mas contra si mesma, e não fosse parar até que estivesse completamente aniquilada.

Quando chega aos fundos do prédio, ela examina a varanda e o gramado à sua frente, na direção da mata.

Elin concentra o olhar na massa escura da floresta. A única cor que se destaca é a dos pequenos refletores triangulares presos às árvores que indicam a trilha. Se tinha achado a floresta selvagem da última vez que havia olhado para ela, naquele momento ela havia se tornado uma outra coisa; era como se a floresta estivesse se comportando como uma entidade; não parece que as árvores estão sendo agitadas pelo vento uma por uma, mas sim movendo-se coletivamente.

A força da natureza.

Enquanto encara as profundezas do matagal, de repente, localizar Caleb e Ronan ali lhe parece uma tarefa impossível. Uma área muito complexa para se cobrir sozinha.

Será que deveria perder as esperanças? Fazer o que Steed sugeriu e esperar os reforços?

Mas, então, ela ouve alguma coisa.

Todos os músculos de seu corpo se tensionam, e Elin aguça os ouvidos.

Uma voz: a de Caleb.

Começa num tom baixo, e vai ficando mais alta. Em seguida, outra voz, um grito de dor.

Ela prende a respiração.

Ronan e Caleb estão vindo em sua direção.

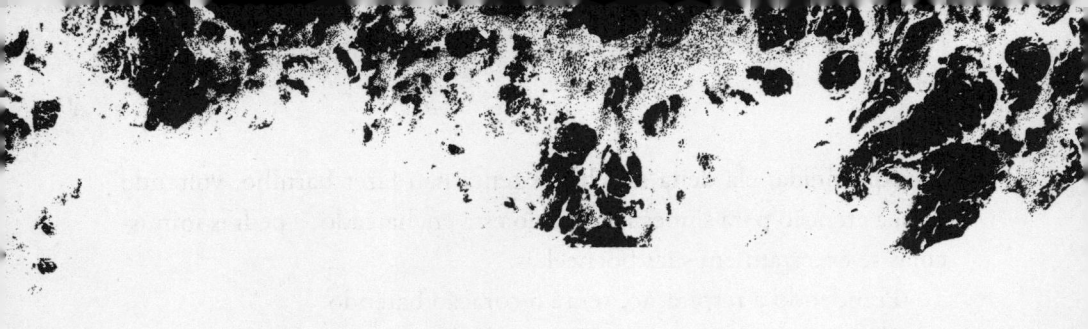

97

Caleb deve ter se escondido bem perto do lugar por onde a detetive havia saído do prédio, esperando até achar que a barra estava limpa.

Desesperada, Elin olha ao redor. Se der de cara com ele ali, acabará perdendo o elemento surpresa. Com Caleb armado, ela não tem a menor chance.

Seu olhar vai até as portas do prédio. Mas é tarde demais: se for para lá, vai dar de cara com eles, sem contar que precisa de seu cartão para abri-la. Levaria tempo demais.

O matagal.

A dor latejante em suas costelas está bem intensa agora, mas Elin tenta forçar uma corrida pelo gramado, em direção ao comecinho da mata. Pedaços de madeira e nacos de pinhas voam por todos os lados enquanto ela avança desajeitadamente.

Está a poucos metros da entrada da mata quando escorrega e não consegue se equilibrar. Tombando para a frente, ela estica os braços para amortecer a queda. Sente um impacto brutal quando as palmas tocam o chão, o peso da colisão subindo por seus braços e chegando ao peito. A dor em suas costelas se intensifica, e ela solta um gemido, se apoiando nas mãos e nos joelhos.

Elin olha para o prédio.

Eles estão chegando perto. Mais um metro e estarão praticamente ao seu lado.

Apavorada, ela deita no chão e tenta não fazer barulho, voltando toda a atenção para si mesma. O solo está encharcado, e pedras minúsculas se enterram em suas bochechas.

Prendendo a respiração, sente o coração batendo.

O vento dá uma trégua, e Elin consegue ouvir a voz deles mais uma vez. A de Caleb está cada vez mais alta.

Será que eles viram quando ela caiu? Será que estão vindo em sua direção neste momento?

Se ainda não a viram, quando ficarem paralelos a ela, certamente a verão.

Sai daí. Ela precisava se afastar.

Aos poucos, Elin vai rastejando em direção à mata fechada. Galhos e espinhos cortam seu rosto e se prendem às suas roupas.

Ouve-se uma voz novamente, algum tipo de ordem.

Ainda rastejando, Elin mergulha mais fundo na mata, espinhos prendendo em seu cabelo, arranhando o pescoço. Ela faz uma careta quando um deles arranca um naco de pele de sua cabeça.

Em meio às lufadas de vento, ela consegue ouvir a voz de Caleb mais uma vez.

Um pânico se instaura.

Ela ergue um pouco a cabeça, mas tudo que consegue ver é a vegetação rasteira à sua frente: pedaços de pinhas, o solo revirado. Folhas caídas, mortas, encharcadas e enrugadas. Suas narinas são invadidas pelo aroma do solo fresco e de decomposição.

— Você viu aquilo? — É Caleb, um grito levado pelo vento. — Ali embaixo?

Ela não faz ideia se ele está falando consigo mesmo ou com Ronan.

Há um barulho de movimentação.

Com o coração quase saindo pela boca, Elin congela onde está, os olhos bem abertos, concentrados na vegetação. O esforço de manter aquela posição é demais para ela; ela começa a sentir cãibra. Vai ter que se mover.

Ouve-se o estrondo gutural de um trovão.

Quando o som para, Caleb fala mais uma vez:

— Vamos embora. Não tem nada aqui.

O alívio é instantâneo, mas ela espera mais alguns minutos antes de se mexer.

Respirando lentamente, vai se erguendo aos poucos, usando as árvores como cobertura enquanto examina o gramado à sua frente e o espaço à sua volta. Suas pernas estão dormentes e retesadas; leva algum tempo até que voltem ao normal.

Ainda olhando para todos os lados, em alerta, Elin se esgueira pelo gramado, indo em direção ao prédio principal. Nenhum sinal deles, mas ela imagina que tenham continuado sua trajetória, se afastando do prédio, indo em direção à pedra.

De volta à lateral do retiro, ela vai se movendo devagar, novamente contaminada pela paranoia de que Caleb a esteja observando de algum lugar. À espreita. Vislumbres do interior do prédio só aumentam seu desconforto: vultos parecem se mover por todo lado.

Elin passa pela base da pedra, e está começando a descer os degraus em direção aos chalés quando, de repente, o vento se acalma. As árvores param de se debater, os redemoinhos devolvem a areia ao chão. Ela escuta alguém falando e, em seguida, um som alto de algo sendo arrastado. A voz de alguém ecoa novamente. São sons mais curtos, raivosos. E tudo cessa quando o vento volta a soprar.

Com o coração acelerado, ela torce, pacientemente, por um novo momento de silêncio.

E só precisa esperar por mais ou menos um minuto para que isso aconteça. Escuta um gemido: Ronan?

Elin aguça os ouvidos e tenta isolar a fonte dos ruídos.

É só quando o barulho fica mais alto que Elin percebe que está vindo de cima.

Da pedra.

98

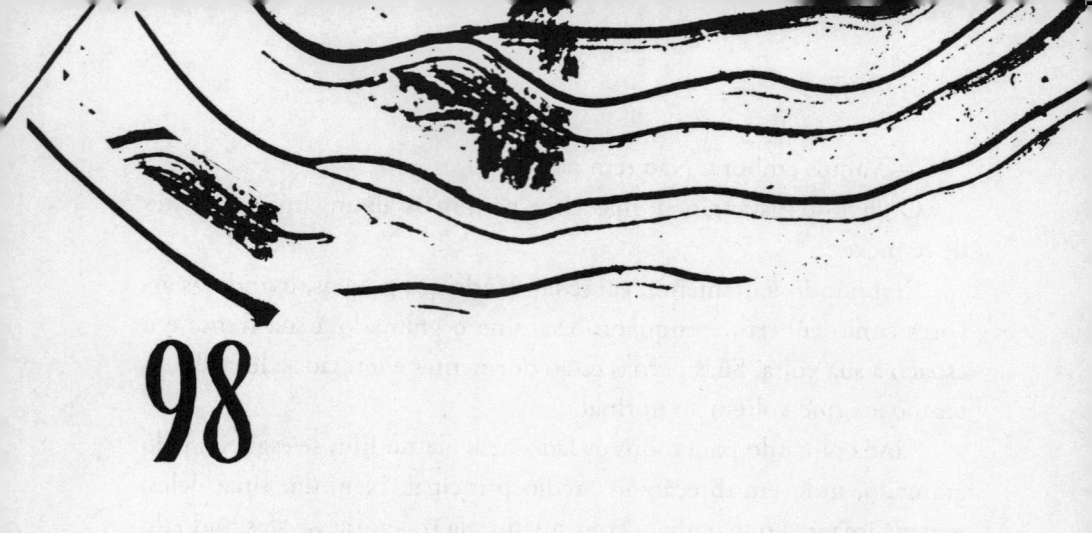

Elin olha para cima, mas não consegue ver nada. No entanto, basta dar alguns passos em direção à pedra para enxergar: uma escada, encostada no paredão.

Mais barulhos: o som de algo se arrastando. Vozes.

Ele está levando o Ronan pra lá.

Apesar da dor nas costelas, Elin corre o mais rápido que pode até a base da pedra e vê Caleb começando a subir pela escada, com Ronan à sua frente.

Escondendo-se debaixo de uma pequena saliência, ela espera, em silêncio, mas Caleb não dá nenhum sinal de que a tenha visto. E está prestes a também começar a subir a escada quando essa se move.

A escada balança de forma precária para trás e para a frente até que Elin consegue estabilizá-la. Ela olha para cima, mas Caleb ou não a viu, ou já não está mais ali.

Elin coloca o pé no primeiro degrau e começa a subir, com cuidado. O vento voltou a aumentar, e as lufadas violentas castigam suas roupas molhadas, seu cabelo. A detetive sente a força da ventania conforme vai se puxando para cima, mordendo o lábio a cada movimento, toda vez que sente uma pontada de dor.

Após vencer o último degrau e chegar a uma espécie de platô, Elin observa os arredores, ofegante. A pedra se projeta para dentro nesse ponto, formando uma plataforma natural, de cerca de um metro de largura, que se estende como um caminho pela lateral da rocha, subindo para a sua direita.

Ela não vê sinal de Caleb e Ronan em lugar nenhum. Eles devem estar do outro lado da pedra.

Respirando rápido, Elin começa a contornar o platô, mas o chão está escorregadio. Dá alguns passos e já sente uma lufada de vento. Balançando, se esforça para olhar para a frente, concentrando-se no topo das árvores que vê ao longe.

Não olhe para baixo.

Um novo sopro de vento. Com as mãos fechadas, Elin se encosta na pedra para se proteger, os braços abertos para conseguir equilíbrio.

Instantes depois, ela vira numa curva na pedra e para imediatamente.

Caleb está apontando uma arma para Ronan. O dono da ilha está caído, um talho enorme descendo por sua têmpora, pingando sangue na camisa. Abaixo do ferimento, um de seus olhos está fechado, tamanho o inchaço. Os lábios dele estão grudados como se estivesse se esforçando para não chorar.

Caleb nem olha na direção dela. Está fazendo algo curioso: falando com Ronan, sem qualquer pausa ou pontuação. É uma violência verbal concentrada. Ele está saboreando cada palavra.

Isso era o que ele queria, pensa Elin. Foi por isso que não matou o Ronan assim que o encontrou — queria que Ronan soubesse exatamente o que ele havia feito com a família dele. Queria que Ronan o *visse*, que visse sua família.

Elin imagina todos os momentos que haviam levado até aquele ponto: uma mentira, cada equívoco, empilhados uns nos outros.

Então ela se aproxima. Caleb gira a cabeça, seu olhar apático quando encontra o dela. A detetive se pergunta como não tinha percebido aquilo antes, aquela frieza perturbadora em seu rosto. De uma pessoa que havia perdido a conexão com o mundo.

— Eu sei que você quer ajudar esse cara, mas não vai rolar. — Caleb balança a cabeça, parecendo lamentar. — Você nos interrompeu bem quando eu estava chegando na melhor parte.

Às suas costas, as nuvens pesadas estão cada vez mais baixas, criando bolsões escuros pelo céu.

— Caleb, eu sei que não é assim que você quer que as coisas terminem — diz Elin, levantando a voz para ser ouvida em meio à tempestade. — Ainda dá tempo de impedir que isso chegue mais longe.

— Mas eu quero que isso chegue mais longe. Esta é a atração principal. Este momento.

Mesmo naquela curta distância, o final da frase dele é abafado pelo vento. Elin dá mais um passo.

— Você até pode pensar assim, mas isso não vai resolver nada.

— Para. — Caleb levanta a arma. — Nem mais um passo.

Então, ele abaixa a arma até que esteja apontada diretamente para o rosto de Ronan. Em seguida, gira o pulso rapidamente, como se quisesse reforçar o aviso. Ronan se encolhe e começa a tremer, um som quase inaudível subindo pela garganta.

— Ele precisa ser sacrificado aqui, nesta pedra, onde tudo começou.

Faça ele continuar falando.

— Mas isso que você está fazendo aqui... Isso não tem nada a ver com a Pedra da Morte, tem?

Os olhos dele se iluminam.

— Mas é claro que tem. É isso que vai acontecer aqui, agora, a Morte ceifando a alma daqueles que merecem morrer. — Caleb olha para Ronan. — De pessoas como ele.

Elin olha nos olhos dele.

— Você acredita mesmo nisso? — questiona, a voz controlada.

Ele parece surpreso com a pergunta. Alguma coisa se desmancha na expressão em seu rosto, mas logo se recompõe.

— Claro que acredito. Olha o que aconteceu na escola, com os adolescentes do Creacher.

— Mas foi o seu pai quem matou aqueles adolescentes. A Morte, como entidade, não existe. Você sabe muito bem que o seu pai era uma pessoa perturbada, que matou aqueles adolescentes por causa do que tinha acontecido com ele na escola. Mas isso que você fez é outra coisa.

Caleb inclina a cabeça, olhando para ela, como se estivesse tentando imaginar o que ela sabia. Ele começa a sorrir, mas não dura.

— Vamos lá, continua, então, já que parece que você entendeu tudo. Me diga aí o que é isso que eu estou fazendo.

— Vingança. Vingança pelo seu pai, que perdeu dinheiro por causa do Ronan. Um dinheiro que ele teria usado para comprar esta ilha, para garantir seu status como Local de Interesse Científico Especial. E vingança também por Ronan ter construído este retiro, algo que acabou levando seu pai mais cedo para o túmulo.

Caleb abre a boca para falar, como se estivesse prestes a refutar tudo aquilo, mas, um segundo depois, desaba. Seus ombros cedem. Para segurar o choro, ele aperta o nariz com dois dedos.

— Essa coisa da área de preservação... Era pra ser um recomeço para o meu pai. Você tem ideia do que aquela escola fez com ele? — Ele balança a cabeça. — Ela o consumiu, o transformou num monstro. Ele passou horas naquela caverna, esculpindo aquelas pedras, convencido de que ele era a porra da Morte em pessoa. — Sua voz sai trêmula. — Mas, depois que matou aqueles adolescentes, ele tentou mudar, sabe? Tomou os remédios certos, não queria deixar que aquilo voltasse a se repetir. — Ele aponta para Ronan. — Mas *ele* pisou em cima de tudo isso quando tomou o dinheiro do meu pai.

Ronan arregala os olhos.

— Tudo o que eu fiz foi dar uma dica. — Sua voz sai baixa, abafada pela dor. Apesar dos protestos, fica evidente que está mentindo. Ela consegue perceber a culpa, feito uma nuvenzinha cinza pairando sobre a cabeça dele. Estava estampada em cada centímetro do rosto de Ronan. — Eu nunca quis prejudicar o seu pai.

Caleb fica boquiaberto, incrédulo.

— Você continua mentindo, até agora. Você estava por trás da empresa que comandou todo o esquema. Eu descobri. Tudo que você faz é tomar as coisas dos outros, Delaney. Você arruinou o meu pai. Financeira e mentalmente. Você o levou até o limite, até ele não aguentar mais, até ele...

As palavras cessam, e Caleb começa a tremer, fazendo o cano da arma ir para cima e para baixo. Seus olhos estão vermelhos quando olha para Elin, e a detetive consegue detectar algo neles: dor. Dor e angústia, e uma grande confusão — como se estivesse olhando para o mundo e não conseguisse mais entendê-lo.

— Eu sinto muito — declara Ronan, com o rosto pálido. Ele puxa o ar com dificuldade, e aperta a lateral do corpo com uma das mãos. — Eu não queria que nada disso tivesse acontecido.

Elin sente a pontada aguda do medo naquele tom suplicante e adulador na voz de Ronan. *Não*, quer dizer para ele, *não tente fazer com que ele sinta compaixão por você. Isso só vai fazê-lo odiar você ainda mais, porque nunca demonstrou a menor compaixão por ele. Você tomou tudo o que ele tinha, e agora está tentando tomar ainda mais.*

Lágrimas começam a escorrer pelo rosto de Caleb.

— Você me ignorou quando eu tentei falar com você, quando tentei te explicar tudo o que o Local de Interesse Científico Especial significava para o meu pai. Como se o que você tinha feito, acabar com todo o dinheiro que o meu pai tinha guardado durante a vida inteira e sapatear em cima do sonho dele, não significasse *nada*. — Ele respira. — Eu nunca entendi como é que essas coisas não te afetam. Como é que você é totalmente incapaz de sentir algo. — Caleb leva uma das mãos até o peito. — Você não tem nada aqui dentro. O Seth era igual. Achei que ele poderia ter um mínimo de moral, mas, não. Gente como vocês... Vocês acham que, só porque têm dinheiro e poder, as leis não se aplicam a vocês. Mas eu estou fazendo você se importar agora, não é? Você merece cada partezinha do que vai acontecer aqui.

— Mas os outros não mereciam — diz Elin, sua voz suave.

Sente uma pontinha de esperança. Como Caleb estava falando aquelas coisas, se abrindo daquele jeito, talvez aquilo fosse o suficiente. A alavanca de que ela precisava. Se conseguir mantê-lo falando, talvez consiga tirá-lo daquele transe e o ajude a aceitar que soltar Ronan é a coisa certa a se fazer.

— A Bea, o Seth e a Jo — continua ela.

— A Jo? — Caleb semicerra os olhos. — Mas eu não matei a Jo. — Ele inclina a cabeça para o lado, bufando. — Isso é parte da sua estratégia, tentar me confundir, me acusando de coisas que eu *não* fiz?

Ele ergue a arma mais uma vez. Ronan se encolhe.

Elin se aproxima.

— Caleb, eu sei que o que o Ronan fez foi horrível, mas, se o machucar, você também vai fazer uma coisa errada. Eu sei que você consegue entender isso...

— Não chega perto. Tô falando sério. — Ele para de apontar a arma para Ronan, passa a apontar para ela e depois volta para o pai de Seth, o cano vacilando porque Caleb está tremendo, os músculos de seu antebraço se contraindo visivelmente. — Eu sei que estou fazendo uma coisa errada. Tenho plena consciência disso, mas, sabe, é bom que tudo termine aqui, nesta pedra. — Ele força uma risada. — Eu não me conformo que o meu pai acreditava naquela merda toda, mas as pessoas sempre acreditam por algum motivo, né? — Ele fala cada vez mais rápido. — É uma projeção. Elas projetam suas facetas mais obscuras numa outra coisa. É um "espaço seguro", mesmo que seja meio estranho chamar assim. Quando você pega todas as coisas que teme e odeia em si mesmo e projeta numa pedra, como esta, aquilo não faz mais parte de você. Foi isso o que o meu pai fez. — Ele balança a cabeça. — Mas eu sei onde as trevas habitam, de verdade. Dentro de nós. Dentro de você. *Nós* é que fazemos coisas ruins. Não uma pedra.

Caleb levanta a cabeça e a olha nos olhos. Por um instante, Elin acha que ele está fraquejando, que sua mão está soltando a arma, mas, então, ele volta a olhar para Ronan. Seu olhar se endurece e seu rosto congela em uma expressão que a deixa nervosa.

Ele ergue um pouco a mão, e seus dedos param de tremer aos poucos, até ficarem firmes.

Com o pânico se alastrando no peito, Elin avança na direção dele, estende um dos braços, começa a falar alguma coisa, mas Caleb já está apertando o gatilho.

Um estrondo ensurdecedor.

99

O corpo de Ronan se retorce, seus membros convulsionando de maneira errática. Horrorizada, Elin se obriga a olhar para ele, esperando que Caleb tenha mirado em sua cabeça ou em seu peito, mas, em vez disso, enxerga o sangue jorrando de um ferimento na coxa do pai de Seth.

Quando Caleb começa a vir para cima dela, Elin entende o porquê: ele ainda não havia terminado com Ronan. O tiro não tinha sido para matá-lo, e sim para imobilizá-lo, para que pudesse atacá-la.

Em pânico, ela pensa: *Crie um vínculo com ele. Faça com que ele a veja como uma pessoa, não como uma ameaça.*

Mas quando tenta abrir a boca, Caleb já está falando.

— Eu não queria fazer isso. — Ele aponta a arma para ela. — Eu estava falando sério quando disse que não queria machucar mais ninguém. Isso era pra ser só sobre o Ronan e o Seth, mas, você sabe, eu ainda não terminei de explicar *exatamente* o que ele fez com a minha família, e, com você por aqui, não vou conseguir falar direito. — Ele soa quase como se estivesse com remorso, pedindo desculpas. — Pena que tenha que ser desse jeito.

Ele puxa o gatilho. Outro barulho ensurdecedor.

Elin se joga para o lado. Não sabe de onde veio a força e a velocidade para se mover, mas não é o suficiente.

Sente uma pressão quase instantânea, seguida de uma dor quente, abrasiva, uma coisa diferente de tudo que já sentiu. Um calor estranho e repentino se alastra pelo lado esquerdo de seu corpo, como se algo muito quente estivesse dentro dela, queimando tudo na tentativa de sair de lá.

Ela olha para si mesma, atordoada. *Sangue.* Muito sangue.

Apavorada, começa a cambalear para trás. Ao mesmo tempo, suas pernas cedem e Elin desaba. Com a cabeça girando, coloca a mão nas costelas e vê seus dedos voltarem de lá vermelhos.

Caleb vem em sua direção. Está com a testa franzida, a cabeça inclinada para o lado, a observando, com uma expressão de cansaço no rosto. Elin percebe que ele está dizendo a verdade. Não queria fazer aquilo, mas se tornou necessário. Um trabalho a ser feito.

Ele aponta a arma novamente.

A garganta de Elin relaxa, em resignação. Pela primeira vez, ela não está assustada. Está cansada demais para ficar assustada. Tudo que consegue sentir é um tipo estranho de desejo. Por silêncio. E paz.

Caleb dá mais um passo em sua direção, com o braço estendido.

Mas justamente quando ela começa a se preparar para o disparo, o braço dele cede. Ela o observa escorregar, quase em câmera lenta, talvez por causa do sangue ou da água da chuva.

Ele grita quando cai na pedra.

A princípio, Caleb parece não conseguir se mexer, e Elin fica olhando, confusa. Seus ombros estão se movendo. *Ele está chorando*, percebe ela. Quando ele levanta a cabeça, lágrimas estão escorrendo por seu rosto.

Uma pontinha de esperança: ela tem uma pequena janela de tempo para fazer alguma coisa.

Elin tenta se concentrar. Embora sua dor seja excruciante, agora há também um elemento de clareza sobre ela: a dor não está mais espalhada por todo o corpo, e sim concentrada num latejar urgente, não em seu torso, como imaginava, mas em seu braço.

A constatação renova o fôlego da detetive: talvez aquilo não fosse tão ruim quanto pensava.

Ela sente uma leve tontura quando fica de pé, mas concentra todas as suas energias naquele momento. Todas que ainda lhe restam.

Resistência. Força de vontade. Medo. É com essas energias que ela terá que contar.

A voz em sua cabeça tenta chamá-la de covarde mais uma vez, mas Elin consegue calá-la. Aquilo não a assusta, nem a incentiva. Ela não precisa provar mais nada para si mesma. Já fez isso diversas vezes.

Arrastando-se para a frente, ela sabe que o que está prestes a fazer é decisão *dela*, de mais ninguém. A decisão correta a ser tomada naquelas circunstâncias.

Elin anda com dificuldade, ouvindo a própria respiração irregular. Caleb vira a cabeça para olhar para ela e começa a falar alguma coisa, mas suas palavras são levadas pelo vento.

Ele tenta ficar de pé, mas não consegue se equilibrar.

Elin já está na frente dele, e então joga o próprio corpo contra o de Caleb, contra toda a sua dor, contra todas as dúvidas que ela já teve um dia, a velocidade do movimento surpreendendo até a si mesma. A força do impacto tira todo o ar de seus pulmões, fazendo uma onda intensa de dor atravessar suas costelas.

A arma de Caleb escapa das mãos dele, parando a um metro de distância. Ele se joga para tentar pegá-la, mas Elin se joga em cima dele mais uma vez, usando todo o peso de seu corpo para imprensar o peito dele contra a pedra.

Caleb se retorce embaixo dela, mas Elin o segura firme, usando toda a sua força para puxar os braços dele para trás, se esforçando para ignorar a dor do ferimento.

Enquanto o mantém ali, todo o resto se cala. Ela mal consegue ouvir o barulho do vento ou da chuva, ou mesmo sua própria respiração.

Só existem eles dois. Ele contra ela.

Caleb está se remexendo debaixo dela, tentando se desvencilhar, mas Elin faz ainda mais pressão, com tanta força que sente os músculos de seus braços pulsando pelo esforço.

Ela sabe que não tem escolha a não ser mantê-lo ali. Sua força é tudo o que lhe resta — se ela tentar pegar as algemas, ele tentará usar a oportunidade para escapar.

— Ele era o meu pai — diz Caleb, aos soluços. — Minha família. Você não é nada sem a sua família. Nada.

Elin alterna o olhar entre ele e Ronan. Os olhos de Ronan ainda estão fechados. Seu choro é agudo. Está bem evidente que se isolou da situação, fechou os olhos e está concentrado apenas no que acontece com ele.

Caleb se mexe mais uma vez, tentando derrubá-la. Elin começa a entrar em pânico, sem saber por quanto tempo ainda será capaz de segurá-lo. Suas mãos estão escorregadias por causa do suor e do sangue, e a dor em seu braço é lancinante.

Ela respira fundo, tentando evocar o resto de sua energia, quando percebe outra mão na frente da dela.

— Tudo bem, Elin, eu seguro ele aqui. Pode soltar.

Steed. Por um instante, ela acha que está imaginando coisas, até levantar a cabeça e ver que ele realmente está ali, ajoelhado ao seu lado.

— Elin, eu seguro. Pode relaxar agora.

Piscando, a detetive olha para ele e assente. Ela não consegue interpretar muito bem a expressão no rosto do parceiro, mas tem alguma coisa em seus olhos que não pode ser descrita em palavras.

Aos poucos, ela sai da frente de Steed.

Uma onda de alívio cai sobre sua cabeça. *Ele tem razão, ela pode relaxar agora.*

Enquanto assiste a Steed imobilizando-o, Elin se dá conta de que o que Caleb disse é verdade. Família é mesmo tudo o que se tem, mas isso não está restrito aos laços de sangue. Família é quem aparece nos momentos mais improváveis: em olhares trocados numa fração de segundo, ou mesmo em gestos, como uma mão estendida justamente quando você mais precisa.

EPÍLOGO

—**P**elo visto ainda está chovendo — comenta Elin, se sentando na cama do hospital.

Ela passa os olhos pelos cabelos molhados de Anna, gotículas de água pendendo dos fios que escapam de seu rabo de cavalo.

— Ainda não parou — responde Anna, e sorri, um sorriso saudável e agradável demais para aquele ambiente hospitalar

Ela está com um moletom azul com capuz e uma legging de corrida. Sentado ao lado da cama, Steed arrasta sua cadeira para perto. Ele tira um cacho de uva de dentro da mochila e o oferece a Elin.

— Achei que seria uma boa ideia brincar com o clichê das uvas. Isso deve te segurar até a hora do almoço.

Ela ri, mas, quando pega o cacho, sente um repuxar nas costelas e faz uma careta.

Steed fica olhando para ela, preocupado.

— Ainda está com dor?

— Aham, mas está melhorando. Para ser sincera, estou mais cansada do que qualquer outra coisa. Essa infecção me derrubou mesmo. Achei que estava pronta para voltar pra casa, mas aí tomei essa rasteira.

— E as costelas? A fratura está calcificando?

Ela assente, enfiando uma uva na boca.

— Já está quase. Detesto essa coisa de não poder me mexer, mas o Will disse que está me fazendo bem. Descanso forçado.

Elin sorri e olha pela janela. Carros passam pelo estacionamento do hospital, indo na direção do pé da ladeira.

— Como estão as coisas entre você e o Will? — pergunta Anna, lançando, em seguida, um olhar de pânico para Steed, preocupada com a hipótese de ter sido muito indiscreta na frente dele. — Perdão — diz ela, movendo apenas os lábios.

— Está tudo bem. Ele sabe de todos os detalhes sórdidos. — Elin abre outro sorriso. — E, na verdade, nós ainda não tivemos a chance de conversar direito, não sobre isso, pelo menos. Acho que vamos esperar até eu voltar pra casa.

Anna aquiesce.

— E a Farrah? Se recuperou bem?

— Fisicamente, sim. Ela teve muita sorte, os ferimentos foram todos superficiais. Agora, mentalmente... Acho que ainda está em choque.

— É compreensível. Vai levar um tempo até ela processar isso tudo. — Anna se aproxima e pega uma uva do cacho. — E você? Continua planejando sua viagem?

— Sim. Com o Isaac. Vamos nos isolar da sociedade um pouco. Um amigo indicou um lugar. — Elin sente um frio na barriga, se dando conta de que está nervosa de encontrar o irmão. Daquela vez, sem o Will. Só eles dois. Sozinhos. Sem ter onde se esconder. — Esse período de descanso vai me fazer bem. Tive bastante tempo pra pensar, sentada aqui... E decidi que preciso tentar me entender um pouco melhor.

— Desanuviar um pouco a cabeça.

Elin concorda.

— Andei pensando nisso e me dei conta de que sempre acreditei que o que me motivava era essa ideia nobre de ir atrás de respostas... de viver a vida ao máximo, já que o Sam nunca poderia... mas não era isso. — Ela força uma risada. — Durante esse caso, foi a voz do meu pai que eu escutava na cabeça, me chamando de covarde. Foi isso que me motivou. Tentar provar pra ele, e para as outras pessoas, que eu não sou covarde.

— E pra você também? — pergunta Anna, com delicadeza.

— É, acho que sim, mas lá em cima, no topo da pedra, quando eu parti pra cima do Caleb, acho que aquela foi a primeira vez que tomei uma decisão pensando só em mim. — Ela faz uma pausa, fica pensando na melhor maneira de falar o que sente. — Eu não sou covarde, como disse o Will, por fazer algo que eu não devia, ou por não fazer nada, como meu pai me fez acreditar. A única coisa realmente covarde que eu já fiz foi não ter sido fiel a mim mesma.

— Não ter feito o que *você* queria — murmura Steed.

— Exatamente. Eu preciso me conhecer, todas as partes boas, mas também as partes ruins. — Ela dá de ombros. — Quero ter certeza de que, quando voltar, eu vou sempre fazer o que fiz naquela pedra. Tomar as minhas próprias decisões.

Anna fica em silêncio por um segundo, antes de concordar com a cabeça.

— Desde que você *volte*, tudo bem. — Anna olha para os dois e abre um sorriso. — Vocês dois... são a equipe dos sonhos.

Steed inclina a cabeça para o lado, como quem está refletindo.

— É uma escolha difícil, mas, por mim, tudo bem trabalhar com ela de novo.

Elin sorri para ele.

— Mas, falando sério agora, muito obrigada, por tudo. Não consegui te dizer isso direito antes.

— Tá tudo bem. Teve um momento ali...

Steed fica sem palavras, e os olhares dos dois se encontram. Nenhum deles consegue dizer nada. E nem precisam.

Elin coloca o cacho de uvas na mesinha de cabeceira com cuidado e pega a caixa de donuts que Will tinha deixado no quarto.

— Guardei um pra você — diz ela, oferecendo a caixa para ele.

Ele sorri, agradecido, e pega o donut, que acaba em duas mordidas.

— E o que acontece agora com o caso? — pergunta Elin.

— As autópsias confirmaram as nossas suspeitas — declara Anna. — Jackson confessou os crimes, com detalhes. Bea Leger foi um dano colateral, como já imaginávamos. Aparentemente, uma queda do penhasco era outra opção que ele havia planejado para despachar o Delaney, mas, como a Bea jogou uma chave-inglesa nas engrenagens, ele teve que improvisar.

— E a caverna, e toda aquela fixação com a Morte?

— Você tinha razão. Foi tudo uma distração, quando ele se deu conta de que a narrativa de que a morte tinha sido um acidente não colaria. Ele quis nos distrair, nos fazendo pensar que o caso estava ligado aos assassinatos do Creacher, para que ele pudesse seguir em frente com o plano de se livrar de Ronan Delaney. — Steed limpa a boca com as costas da mão. — Ele nos disse que o pai dele era o responsável pelos assassinatos que Creacher supostamente teria cometido. E o de Lois Wade também.

— E a Jo Leger?

Anna franze a testa.

— Esse é um detalhe que ainda me incomoda — responde, por fim. — Jackson insiste que não foi ele. O Steed acha que ele está querendo brincar com a gente.

O parceiro de Elin olha para a caixa vazia de donuts e faz que sim com a cabeça.

— A gente sabe que isso acontece. É uma coisa de poder. Não entregar todas as peças do quebra-cabeça.

— E os tuítes? Ele admitiu ser o responsável?

Anna hesita por um instante.

— Não, mas temos praticamente certeza de que foi ele. O fato de não ter havido mais postagens desde que...

Elin assente, desconfortável. Antes de Anna e Steed chegarem, ela não sabia se deveria mencionar o que estava prestes a dizer.

— É só que...

— O que foi?

— Acho que estou sendo paranoica, mas ainda tenho uma sensação de que alguém... — ela pigarreia — ... de que alguém está me observando.

— Você viu alguém fazendo isso? — A testa de Steed forma uma ruga de preocupação.

— Não, é mais uma *sensação*. — Elin fica com o rosto corado, sem saber direito como descrever aquilo. — Outro dia alguém passou aqui pelo corredor e eu pensei... — Ela dá de ombros, forçando uma risada. — Deixa pra lá, acho que os remédios devem estar mexendo comigo.

Anna e Steed trocam um olhar.

Elin muda de assunto.

— E o que aconteceu com o Creacher?

Steed coloca um jornal em cima da mesa.

— Engraçado você perguntar. Está tudo aqui. Não é exatamente uma leitura leve, para se fazer antes de dormir, então não se sinta na obrigação de ler se não quiser. — Ele faz uma pausa. — Tem menções à Farrah e ao Will também.

Ela dá uma olhada nas manchetes e chamadas.

Larson Creacher é liberado do Centro de Detenção de Exeter. A polícia afirma ter evidências suficientes para provar que Porter Jackson foi o responsável pelos assassinatos de cinco adolescentes em 2003. Autoridades confirmam que não estão investigando nenhuma outra pessoa relacionada a essas mortes.

Ela percorre o texto com os olhos: a polícia não tomará nenhuma medida legal contra Farrah e Will Riley.

Uma sensação de alívio. De encerramento. Ela se recosta no travesseiro, repentinamente exausta.

— Você parece destruída — diz Anna, olhando para ela. — Vamos te deixar descansar.

Ela levanta, se debruçando sobre a cama, e dá um abraço em Elin. Steed se inclina e dá um beijinho na bochecha da detetive.

— Se a gente não se vir antes de você viajar, eu quero fotos, tá bom? Um montão de fotos.

— Combinado. Você não vai escapar tão fácil assim dessa minha cara feia. Eu vou ser uma daquelas pessoas insuportáveis que fica ostentando as férias, postando fotos todos os dias.

Steed sorri, pegando uma última uva do cacho enquanto eles deixam o quarto.

Pelo vidro, Elin fica olhando os dois no corredor, e em seguida pega o jornal que Steed havia deixado lá. Ela começa a folheá-lo, tentando encontrar a matéria sobre o Creacher, quando seu telefone faz um barulho.

Uma mensagem, de um número que não reconhece: o print de um tuíte.

Seu coração parece ter parado no meio de uma batida: ela não quer olhar, mas, ao mesmo tempo, não consegue evitar.

Eles haviam marcado, novamente, a delegacia de Torhun, mas, daquela vez, havia um texto também.

Duas frases.

Quer saber uma história sobre essa detetive?
Dica: ela nem sempre diz a verdade...

Elin respira fundo, mas o medo que estava começando a sentir após ler aquelas palavras é imediatamente suplantado pelo mais puro terror, com a imagem que vem logo abaixo.

Uma fotografia dela, deitada na cama do hospital, com o jornal deixado por Steed em suas mãos, tirada poucos segundos atrás.

Duas semanas depois

Já faz algumas semanas que Maya voltou para casa, mas só agora sente que é hora de desfazer as malas. Ela leva a bolsa de viagem para a cozinha e a esvazia ao lado da máquina de lavar. As roupas amassadas têm cheiro de praia e mar. Tem areia nas dobras do tecido, grãozinhos brancos, fragmentos de conchas — meias-luas minúsculas, lascas violáceas de cascas de marisco.

Maya adorava aquela parte da volta das viagens, as possibilidades que habitam uma mala recém-desfeita, esperando pela próxima aventura.

Seus tênis estão bem no fundo, os mesmos que havia usado na praia naquele dia. Ela os sacode com vontade na pia, a areia se espalha pelo aço inox e, naquele momento, lhe vem a lembrança do rosto de Jo quando Maya se aproximou.

Tinha visto a prima indo em direção ao mar, choramingando. Maya percebeu que, quando Jo se virou, ela pensou que fosse Hana, disposta a continuar a discussão sobre Liam. A boca dela já estava entreaberta, pronta para se desculpar, para reconquistar um lugar entre os afetos de sua irmã.

Quando viu que era Maya, ela sorriu de alívio. Jo não tinha notado a pedra na mão de Maya — nem passaria pela cabeça dela a ideia de que sua prima poderia machucá-la. Para ela, Maya sempre esteve em segundo plano, e deveria ser grata. Grata por Jo ter conseguido um trabalho para ela, um trabalho que, depois, tomaria de volta. Grata porque Jo, Bea e Hana a acolheram na família depois do que aconteceu com Sofia.

Mas o que Jo não sabia é que Maya enxergava quem ela era. Enxergava muito bem. Via quem a prima era por dentro: uma pessoa gananciosa e egoísta, tão autocentrada que nem consegue identificar esse egoísmo, porque está sempre por trás de uma camada de risadas e provocações e, no fundo, ela não dá a mínima para nada. Maya via que Jo sentia inveja dela, desde criança, do mesmo jeito que invejava todo mundo que tinha alguma coisa que ela não tinha. Jo tinha inveja do quarto bonito de Maya, de suas cortinas que combinavam com a decoração, dos pais gentis que a prima tinha.

Maya sabia que Jo era o tipo de pessoa que acenderia um fósforo e atearia fogo nas lindíssimas cortinas do quarto da prima quando pensou que Maya estava dormindo, sem nem parar para pensar nas consequências.

Por anos, Maya achou que tinha sonhado com aquilo — acordar e ver Jo de pé ao lado das cortinas, assistindo às labaredas consumindo o tecido, seus olhos arregalados, refletindo a luz do fogo, com o fósforo na mão ainda erguida.

Maya pensava que Jo jamais faria algo assim. Ela amava Maya. Maya era *da família*. Não havia a menor chance de sua prima ter começado um incêndio, um incêndio que mudaria a vida de Sofia para sempre.

Porém, à medida que elas foram crescendo, Maya foi percebendo um padrão se repetindo — não apenas consigo, mas com Hana também; e, mais recentemente, com Liam.

Jo viu Hana com uma coisa nova e brilhante e simplesmente teve que tomar pra si. E se não conseguisse fazer aquilo, ela a destruiria.

Observando do chalé, Maya ficou admirada com o autocontrole de Hana depois que Jo confessou tudo, a maneira como soltou o pulso da irmã e saiu de perto.

Mas Maya não tinha o mesmo autocontrole. Tinha uma coisa muito melhor: um plano. E, graças a esse plano, Jo nunca mais tomaria nada de ninguém.

Ela levanta a bolsa do chão. Ainda está tudo cheio de areia. Vai ter que sacudir lá fora, bater contra os móveis do pátio. Se não der certo, vai tomar uma medida mais drástica, usar o aspirador portátil.

Vai ser necessário tempo e esforço para se livrar de algo tão persistente, mas ela vai conseguir.

Vai se livrar de todos os vestígios.

AGRADECIMENTOS

Nunca achei que seria fácil escrever um livro durante uma pandemia global, e gostaria de expressar meu agradecimento a todas as pessoas que ajudaram este livro a se concretizar durante esse momento tão delicado.

Em primeiro lugar, meu muitíssimo obrigada à minha maravilhosa agente literária, Charlotte Seymour. Valorizo demais seu apoio e gentileza incessantes, que significaram demais para mim nos últimos dezoito meses. Que jornada! Tomara que ainda tenhamos muito caminho pela frente!

Um tremendo obrigada aos meus talentosos editores na Transworld, Frankie Gray e Finn Cotton. Não tenho nem como agradecer pelo trabalho árduo de vocês em circunstâncias tão complicadas e por terem passado tanto tempo lapidando esta história. Sou muito privilegiada de poder me beneficiar do conhecimento de cada um. Outro obrigada enorme a Tom Hill, meu incansável assessor. Dá gosto de ver sua organização e sua atenção aos detalhes, que são coisas que, eu sei, garantem que o livro alcance cada vez mais leitores.

Mais obrigadas intensos para a infatigável Em Burton, por seu talento no marketing, e para Holly Minter, a Rainha do Digital. Vocês realmente pensam fora da caixinha nas campanhas e estão sempre me surpreendendo. Também gostaria de agradecer a Rich Shailer, no Reino Unido, pela capa brilhante. Adorei como você traduziu tão bem o espírito do livro.

Outro muitíssimo obrigada para Reese Whiterspoon e toda a equipe maravilhosa de seu clube do livro — ter escolhido a data do meu lançamento para o dia 21 de fevereiro mudou a minha vida da melhor maneira possível e acabou se mostrando uma tremenda motivação para que eu terminasse de escrever esta história. Serei eternamente grata por isso.

Preciso agradecer a toda a equipe nos escritórios da Andrew Nurnberg Associates e na Jonhson & Alcock pelo apoio de vocês e por terem ajudado o livro a encontrar novos leitores, tanto aqui como no exterior. Muito obrigada também aos meus editores estrangeiros, por acreditarem na história e quererem levá-la a seus leitores.

Agradeço ainda ao maravilhoso Stuart Gibbon por sua ajuda meticulosa e sempre brilhante quanto a terminologia e procedimentos policiais e por ter aturado todas as minhas intermináveis perguntas. Qualquer fatídica imprecisão em relação a isso ou é erro meu, ou foi de propósito para encaixar na história.

Também quero registrar um obrigada enorme para os meus amigos maravilhosos, pelo apoio à minha escrita e por me botarem pra cima a cada passo do processo. Não vi todos que eu gostaria por causa da quarentena, mas sua gentileza constante significa tudo para mim. O mesmo vale para todos aqueles que me seguem e interagem comigo nas minhas redes sociais, leitores e livreiros, que não apenas me apoiam, mas me mostram o quanto a internet pode ser um lugar positivo também. Seus comentários e mensagens me afetam mais do que vocês imaginam.

Obrigada também aos pequenos livreiros pelo apoio, com menção especial a Emily e Tanya, da Waterstones Torquay — a maneira como vocês divulgam meus livros é de outro mundo, e sua gentileza e entusiasmo incessantes com a minha jornada literária são tudo com que um escritor poderia sonhar!

Fui abençoada com a melhor família que se pode ter, e quero dizer um muitíssimo obrigada a todos eles (ainda bem que não são nada parecidos com a família deste livro!). Nós éramos muito colados antes da pandemia (alguns dizem que até demais!), e esse tempo difícil só nos tornou ainda mais próximos. Não sei o que eu faria se não tivesse nossas conversas diárias (às vezes, duas vezes por dia), e todo o apoio de vocês.

Por fim, queria agradecer às minhas filhas e ao meu marido. Este livro foi escrito durante a quarentena, enquanto estávamos fazendo malabarismos com as crianças estudando em casa, doenças na família e praticamente tudo que se puder imaginar entre uma coisa e outra, mas vocês conservaram a minha sanidade e me trouxeram infinitas canecas de café descafeinado. Obrigada também às minhas duas gatas, Elsa e Anna, por estarem sempre na beira da cama quando eu estava tentando escrever algum trecho difícil — amo que vocês parecem gostar de dormir ao som do teclado do meu computador. Eu não sei o que faria sem todos vocês. Mais uma vez... FTB.

1ª edição	FEVEREIRO DE 2023
impressão	CROMOSETE
papel de miolo	PÓLEN NATURAL 70G/M²
papel de capa	CARTÃO SUPREMO ALTA ALVURA 250G/M²
tipografia	ADOBE GARAMOND PRO